GUY DE MAUP

Stark wie de

*Buch*

Der Künstler Olivier Bertin hat seit vielen Jahren eine Liaison mit der adeligen Abgeordnetengattin Any de Guillery. Was einst als feurige Affäre begann, ist inzwischen eine fest etablierte Liebesbeziehung. Durch Anys gute Beziehungen zur eleganten Welt von Paris ist Bertin zu einem gesellschaftlich anerkannten und überaus erfolgreichen Porträtmaler der Pariser Oberschicht avanciert. Eigentlich könnte er höchst zufrieden sein. Doch alles ändert sich, als die junge Annette, Anys Tochter, in Paris eintrifft, um in die Gesellschaft eingeführt zu werden. Bertins Gefühle geraten in tiefe Verwirrung: Das Bild der bezaubernd schönen Tochter beginnt mehr und mehr mit dem der Mutter in der Blüte ihrer Jugend zu verschmelzen. Bertin ist schmerzlich konfrontiert mit der eigenen Vergänglichkeit.

Ein großartiger Künstlerroman und eine bestechende Gesellschaftskritik, sprachlich brillant und von höchster Eleganz. »Maupassant ist der wichtigste Vorläufer von Proust. Ein hochmodernes Buch.« *Hellmuth Karasek im Literarischen Quartett.*

*Autor*

Guy de Maupassant wurde 1850 auf Schloß Miromesnil bei Dieppe geboren und stammte aus einer alten lothringischen Adelsfamilie. Er studierte für einige Zeit Jura in Paris und nahm 1870/71 am Deutsch-Französischen Krieg teil. Ab 1871 war er in Paris als Ministerialbeamter tätig. Gustave Flaubert, ein Freund seiner Mutter, unterstützte seine ersten literarischen Versuche, ab 1880 widmete sich Maupassant ausschließlich seiner schriftstellerischen Tätigkeit. Seit 1891 in geistiger Umnachtung lebend, starb Maupassant 1893 in Passy bei Paris.

# Guy de Maupassant

# Stark
# wie der Tod

## Roman

Bearbeitet von Ernst Sander

**GOLDMANN**

Französischer Titel: Fort comme la Mort
Erstdruck: Revue Illustrée, 15. Februar–15. Mai 1889
Erste Buchausgabe: Verlag Paul Ollendorff, Paris 1889

*Umwelthinweis:*
Alle bedruckten Materialien dieses Taschenbuches
sind chlorfrei und umweltschonend.

Der Goldmann Verlag ist ein
Unternehmen der Verlagsgruppe Random House GmbH.

1. Auflage 8/2001
Alle Rechte vorbehalten
Umschlaggestaltung: Design Team München
Umschlagmotiv: Berthe Morisot
Druck: Elsnerdruck, Berlin
Titelnummer: 7738
KR · Herstellung: Sebastian Strohmaier
Made in Germany
ISBN 3-442-07738-9

1 3 5 7 9 10 8 6 4 2

I

Das Licht fiel in das geräumige Atelier durch die Fensteröffnung an der Decke ein. Sie bildete ein großes Viereck von strahlend blauem Licht, ein helles Loch vor einem unendlich fernen Himmel, den flinke Vögel im Flug durchglitten.

Doch kaum war die fröhliche Himmelshelle in den hohen, schmucklosen, mit Draperien ausgestalteten Raum eingedrungen, als sie auch schon ihre Kraft einbüßte; sie wurde mild, schlief auf den Stoffbespannungen ein, erstarb in den Vorhängen und beleuchtete kaum die dunklen Winkel, in denen nur die Goldrahmen wie Flammen aufstrahlten. Stille und Schlummer schienen dort eingefangen zu sein, die Stille von Künstlerhäusern, in denen die Menschenseele es sich hat schwer werden lassen. Innerhalb dieser Wände, wo der Geist wohnt, wo der Geist sich regt und in heftigen Anstrengungen erschöpft, sieht alles wie von Schlaf übermannt aus, sobald der Geist sich beschwichtigt. Nach solcherlei Kraftanspannungen des Lebens wirken alle Dinge matt und scheinen auszuruhen, die Möbel, die Stoffgehänge, die großen, noch unvollendeten Gestalten auf den Gemälden, als habe die ganze Wohnung die Beschwerden ihres Herrn erlitten und sei mit ihm müde geworden, nachdem sie Tag für Tag an seinem immer aufs neue beginnenden Kampf teilgenommen hatte. Ein von den Teppichen und Sesseln aufgesogener unbestimmter Geruch nach Farben, Terpentin und Tabak, der benommen machte, hing im Raum, und das drückende Schweigen wurde durch kein anderes Geräusch als die lebhaften Kreischrufe und das Vorüberschwirren der Schwalben am offenen Fenster und den anhaltenden, über den Dächern kaum vernehmbaren wirren Lärm von Paris gestört. Nichts bewegte sich als ein bei jedem Zug aus der Zigarette zur Decke aufsteigendes blaues Rauchwölkchen, das

Olivier Bertin, auf seinen Diwan gestreckt, langsam zwischen den Lippen emporblies.

Den Blick im fernen Himmel verloren, suchte er nach dem Thema für ein neues Bild. Was sollte er malen? Er wußte es noch nicht. Übrigens war er kein entschlossener und seiner selbst sicherer Künstler, sondern ein unruhiger, dessen undeutliche Inspiration ständig zwischen allen Äußerungsmöglichkeiten der Kunst schwankte. Obwohl reich, berühmt und aller Ehren teilhaftig, war er gegen Ende seines Lebens immer noch ein Mensch, der eigentlich nicht recht weiß, welchem Ideal er nachgegangen ist. Er war Rompreisträger gewesen, er hatte die Tradition verteidigt und wie so viele andere die großen Geschehnisse der Geschichte zu neuem Leben erweckt; dann hatte er seine Malweise dem neuen Geschmack angepaßt und Menschen seiner Zeit gemalt; wenngleich mit klassizistischen Nachklängen. Er war intelligent, begeisterungsfähig, ein hartnäckig Schaffender am wechselvoll schillernden Traum, verliebt in sein künstlerisches Können, von dem er wußte, daß es wunderbar war; und so hatte er sich dank der Schärfe seines Urteils bemerkenswerte Ausdrucksmittel und eine große Geschmeidigkeit des Handwerklichen angeeignet, die zum Teil aus seinem zögernden Schwanken und zum andern aus seinen Versuchen in allen Kunstrichtungen erwachsen war. Vielleicht hatte auch die plötzliche Begeisterung der großen Welt für seine eleganten, vornehmen und tadelfreien Werke seinen Charakter beeinflußt und ihn gehindert, das zu werden, was er unter normalen Umständen geworden wäre. Seit seinem triumphalen Beginn plagte ihn, ohne daß es ihm bewußt wurde, unaufhörlich der Wunsch zu gefallen, ließ ihn heimlich vom eigentlichen Wege abschweifen und verwässerte seine Überzeugungen. Jener Wunsch, zu gefallen, trat übrigens bei ihm in mannigfachen Formen zutage und hatte viel zu seinem Ruhm beigetragen.

Die Gepflegtheit seiner Umgangsformen, seine Lebensgewohnheiten, die Sorgfalt, die er seiner äußeren Erscheinung widmete, sein bewährter Ruf als ein Mann von Kraft und Gewandtheit, als Florettfechter und Reiter – all diese stadtbekannten Eigenschaften gaben seiner wachsenden Berühmtheit das Geleit. Nach der ›Kleopatra‹, dem ersten Gemälde, das ihn ehedem berühmt gemacht, hatte sich Paris plötzlich für ihn begeistert, sich seiner bemächtigt und ihn gefeiert, und über Nacht war er einer der glänzenden, weltgewandten Künstler geworden, denen man im Bois de Boulogne begegnet, über die in den Salons gesprochen wird, und die das Institut de France schon in ihrer Jugend willkommen heißt. Unter dem Beifall der ganzen Stadt hatte er dort seinen Einzug gehalten.

Auf diese Weise hatte ihn das Glück bis an die Schwelle des Alters begleitet, hatte ihn gehätschelt und liebkost.

Unter dem Einfluß des schönen Tages, den er draußen in voller Pracht spürte, suchte er also ein poetisches Thema. Da er überdies durch seine Zigarette und sein Mittagessen ein wenig benommen war, schaute er in die Luft, träumte und skizzierte flüchtige Bilder in den Azur, anmutige Frauen in einer Allee des Bois oder auf dem Bürgersteig einer Straße, Liebende am Ufer, lauter galante Einfälle, in denen seine schweifenden Gedanken sich gefielen. Die wechselnden Bilder zeichneten sich in der Farbengaukelei seines Auges ungreifbar und zerfließend am Himmel ab, und die Schwalben, die die Raumesweite mit dem endlosen Schwirren abgeschossener Pfeile ritzten, schienen sie auslöschen zu wollen, indem sie alles wie mit Federzügen durchstrichen.

Er fand nichts! Alle flüchtig erschauten Bilder glichen etwas, das er bereits gemalt hatte, all diese Frauen schienen Töchter oder Schwestern jener zu sein, die seine Künstlerlaune bereits zur Welt gebracht hatte; und die noch gestaltlose Furcht, von der er seit einem Jahr geplagt wurde, die Furcht, ausgeleert zu sein, all seine Themen bereits gestaltet und seine Inspiration erschöpft zu haben, verschärfte sich beim prüfenden Überblicken seines Werks, bei der Ohnmacht, etwas Neues zu erträumen und etwas Unbekanntes zu entdecken.

Träge stand er auf, um in seinen Mappen unter den aufgegebenen Entwürfen nach etwas zu suchen, das eine Idee in ihm erweckte.

Immer noch rauchend, begann er die Skizzen, Entwürfe und Zeichnungen durchzublättern, die er in einem großen antiken Schrank verschlossen hielt; bald jedoch widerte ihn dies vergebliche Suchen an, und niedergeschlagen und daher unfähig, einen Gedanken zu fassen, warf er seine Zigarette weg, pfiff einen landläufigen Gassenhauer, bückte sich und hob eine schwere Hantel auf, die unter einem Stuhl lag.

Mit der andern Hand hob er die den Spiegel verhüllende Draperie; er bediente sich seiner, um die Richtigkeit der Stellungen zu prüfen, die Perspektive zu kontrollieren und sich von der Naturtreue zu überzeugen; jetzt trat er unmittelbar davor, begann zu hanteln und beobachtete sich dabei.

In den Ateliers war er seiner Kraft wegen berühmt gewesen, später in der Gesellschaft um seines guten Aussehens willen. Jetzt lastete das Alter auf ihm und machte ihn schwerfällig. Er war zwar groß, breitschultrig und besaß eine breite Brust; doch er hatte einen Bauch bekommen wie ein alter Ringer, obwohl er immer noch jeden Tag focht und fleißig ritt. Der Kopf war bemerkenswert geblieben, noch ebenso schön wie früher, wenn auch auf andere Weise. Das dichte, kurze weiße Haar belebte seine schwarzen Augen unter den dicken grauen Wimpern. Sein starker Bart, der eines alten Soldaten, war beinahe braun geblieben und gab seinem Gesicht einen ungewöhnlichen Ausdruck von Energie und Stolz.

Mit geschlossenen Fersen und hochgerecktem Körper stand er vor dem Spiegel und ließ die beiden schmiedeeisernen Kugeln mit seinen muskulösen Armen alle vorschriftsmäßigen Bewegungen beschreiben, wobei er mit beifälligem Blick der ruhigen, machtvollen Anstrengung folgte.

Plötzlich sah er am Grunde der blanken Fläche, die das ganze Atelier spiegelte, wie sich ein Vorhang bewegte und dann ein Frauenkopf erschien, nichts als ein Kopf, der zu ihm hinübersah. Und hinter ihm fragte eine Stimme: »Zu Hause?«

Er antwortete: »Zur Stelle« und wandte sich um. Dann warf er seine Hantel auf den Teppich und lief mit ein wenig erzwungener Behendigkeit zur Tür. – Eine Dame in heller Kleidung trat ein. Nachdem sie einander die Hand gegeben hatten, fragte sie: »Sie haben Gymnastik getrieben?«

»Ja«, erwiderte er, »ich habe mich wie ein Pfau gespreizt und dabei ertappen lassen.«

Sie lachte und sagte: »Es war niemand in der Loge Ihrer Concierge, und da ich weiß, daß Sie um diese Zeit immer allein sind, bin ich hereingekommen, ohne mich anmelden zu lassen.«

Er betrachtete sie.

»Teufel noch mal, wie schön Sie sind! Und wie elegant!«

»Ja, ich habe ein neues Kleid. Finden Sie es hübsch?«

»Reizend, eine wunderbare Zusammenstellung. Ja, man kann getrost behaupten, daß die Menschen heutzutage Sinn für Nuancen haben.«

Er ging um sie herum, befühlte den Stoff und änderte mit den Fingerspitzen die Anordnung der Falten – ein Mann, der sich in Dingen der Kleidung auskennt wie ein Schneider, weil er sein Leben lang seinen Künstlerverstand und seine athletischen Muskeln dazu gebraucht hatte, mit dem dünnen Haarpinsel von den wechselnden und reizvollen Moden zu erzählen und die in Samt- und Seiderüstungen oder in schneeige Spitzen eingeschlossenen und gefangenen weiblichen Reize zu enthüllen.

Schließlich sagte er:

»Etwas Wohlgelungenes. Es steht Ihnen sehr gut.«

Sie ließ sich bewundern, in dem frohen Gefühl, hübsch zu sein und ihm zu gefallen.

Sie war nicht mehr ganz jung, aber noch schön, nicht sehr groß, ein wenig füllig, aber von der auffallenden Frische, die der Haut einer Vierzigjährigen etwas Reifes gibt, und so erinnerte sie an eine jener Rosen, die sich unendlich weit entfalten, bis sie, zu sehr erblüht, sich in einer Stunde entblättern.

Unter ihrem blonden Haar bewahrte sie die muntere, jugendliche Anmut der Pariserinnen, die nicht altern, die eine erstaunliche Lebenskraft und eine unerschöpfliche Widerstandsfähigkeit in sich tragen, zwanzig Jahre hindurch unzerstörbar und triumphierend immer die gleichen bleiben, vor allem auf ihren Körper bedacht sind und haushälterisch mit ihrer Gesundheit umgehen.

Sie hob ihren Schleier und sagte leise:

»Nun, bekomme ich keinen Kuß?«

»Ich habe geraucht«, sagte er.

»Puh!« erwiderte sie und spitzte die Lippen. »Dann hilft es eben nichts.«

Und ihre Lippen begegneten einander.

Er nahm ihr den Sonnenschirm ab und half ihr mit den raschen und sicheren Bewegungen, die diese vertraute Hantie-

rung als etwas Gewohntes erkennen ließen, aus dem Jäckchen.
Als sie sich auf den Diwan gesetzt hatte, fragte er interessiert:

»Und wie geht es Ihrem Gatten?«

»Tadellos. Er hält jetzt wohl gerade eine Rede im Abgeord-
netenhaus.«

»Ach! Worüber denn?«

»Sicher über Runkelrüben oder Rüböl, wie immer.«

Ihr Mann, der Graf de Guilleroy, Deputierter des Departe-
ments Eure, hatte sich zu einem Spezialisten in allen landwirt-
schaftlichen Fragen emporgeschwungen.

Da sie in einer Ecke eine Skizze gewahrte, die sie nicht kannte,
ging sie durch das Atelier und fragte:

»Was ist denn das?«

»Ein angefangenes Pastell, das Porträt der Prinzessin de Pon-
tève.«

»Sie wissen ja«, sagte sie ernst, »daß ich Sie in Ihrem Atelier
einschließen werde, wenn Sie wieder anfangen, Frauenporträts
zu malen. Ich weiß nur zu gut, wohin solch eine Arbeit
führt.«

»Oh!« erwiderte er. »Man malt kein zweites Mal Anys Bild-
nis.«

»Ich hoffe.«

Als eine Frau, die sich in Kunstdingen auskannte, musterte sie
das angefangene Pastell. Sie trat zurück, ging wieder nahe heran,
schirmte ihre Augen mit der Hand ab, suchte den Standort, wo
das Licht am günstigsten auf die Skizze fiel, und bekundete
schließlich ihre Billigung.

»Es ist sehr gut. Pastelle gelingen Ihnen vortrefflich.«

»Finden Sie?« murmelte er geschmeichelt.

»Ja, es ist eine zarte Kunst, zu der man viel Fingerspitzen-
gefühl braucht. Das ist nichts für malende Kraftprotzen.«

Seit zwölf Jahren förderte sie seine Neigung zu distinguierter
Kunst, bekämpfte seine Rückfälle zur schlichten Wirklichkeit
und trieb ihn durch Äußerungen über mondäne Eleganz einem
Ideal leidlich gesuchter und gekünstelter Anmut entgegen.

»Wie geht es der Prinzessin?« fragte sie.

Er mußte ihr tausenderlei Einzelheiten erzählen, jene genauen
Einzelheiten, in denen die eifersüchtige und spitzfindige Neu-

gier der Frauen sich gefällt, indem sie von Bemerkungen über die Kleidung zu Betrachtungen über den Geist wechselt.

Und plötzlich:

»Kokettiert sie mit Ihnen?«

Er lachte und schwor, daß dem nicht so sei.

Darauf legte sie beide Hände auf die Schultern des Malers und sah ihn forschend an. Die Eindringlichkeit der stummen Frage ließ die runde Pupille inmitten der blauen, kaum sichtbar mit schwarzen Flecken wie mit Tintenspritzern gesprenkelten Iris beben.

Und nochmals fragte sie leise:

»Und sie ist wirklich und wahrhaftig nicht kokett?«

»Wirklich und wahrhaftig nicht.«

»Übrigens bin ich ganz unbesorgt«, fügte sie hinzu, »Sie lieben fortan nur noch mich. Für die andern ist es damit aus. Es ist zu spät, mein armer Freund.«

Ihn überflog der leichte, peinliche Schauer, der das Herz gereifter Männer streift, wenn man von ihrem Alter spricht, und er murmelte: »Heute, morgen wie gestern hat es in meinem Leben keine andere gegeben und wird es keine geben, Any.«

Sie langte abermals nach seinem Arm, ging zum Diwan und ließ ihn sich neben sie setzen.

»Woran denken Sie?«

»Ich suche ein Thema für ein Bild.«

»Was soll es denn werden?«

»Das weiß ich nicht, deshalb suche ich ja.«

»Was haben Sie in den letzten Tagen getrieben?«

Er mußte ihr von allen Besuchen erzählen, die er empfangen hatte, den Mittags- und Abendgesellschaften, den Unterhaltungen und dem Klatsch. Übrigens interessierten sie sich beide, einer wie der andere, für all diese nichtigen und vertrauten Dinge mondänen Lebens. Die kleinen Rivalitäten, die Liebschaften, um die sie wußten, die tausendmal wiederholten und tausendmal angehörten fertigen Urteile über dieselben Leute, dieselben Begebenheiten und dieselben Meinungen führten ihre Gedanken in dem aufgerührten und ruhelosen Fluß, den man Pariser Leben nennt, mit sich fort und ertränkten sie. Sie kannten alle Welt und waren bei aller Welt bekannt, er als Künstler, dem alle

Türen offenstanden, sie als die elegante Frau eines konservativen Abgeordneten; sie waren im Sport der nichtssagenden, liebenswürdig-boshaften, fruchtlos geistreichen und überall bevorzugten feinen französischen Unterhaltung geübt, die allen, deren Zunge sich diesem langweiligen Lästergeschwätz anpaßt, einen besonderen und viel geneideten Ruf einträgt.

»Wann kommen Sie zum Abendessen zu mir?« fragte sie unvermittelt.

»Wann Sie wollen. Sagen Sie, wann es Ihnen paßt.«

»Freitag. Die Herzogin de Mortemain, die beiden Corbelles und Musadieu werden zur Feier der Heimkehr meiner Tochter dasein – sie kommt heute abend. Aber sprechen Sie nicht darüber. Es ist ein Geheimnis.«

»Oh, natürlich nehme ich an. Ich freue mich, wieder einmal mit Annette beisammen zu sein. Seit drei Jahren habe ich sie nicht gesehen.«

»Richtig, ja! Seit drei Jahren!«

Annette war anfangs in Paris bei ihren Eltern erzogen und dann die letzte und leidenschaftliche Liebe ihrer Großmutter, Madame Paradin, geworden, die, fast blind, das ganze Jahr auf dem Besitz ihres Schwiegersohns, Schloß Roncières im Eure, verbrachte. Nach und nach hatte die alte Frau das Kind immer länger bei sich behalten, und da die Guilleroys fast ihr halbes Leben in diesem Bezirk weilten, wohin sie ständig allerlei landwirtschaftliche und Wahl-Interessen riefen, hatten sie am Ende die Tochter nur noch gelegentlich mit nach Paris genommen; Annette zog übrigens das freie, abwechslungsreiche Leben auf dem Land dem klösterlichen Leben in der Stadt vor.

Seit drei Jahren war sie kein einziges Mal mehr in der Hauptstadt gewesen; die Gräfin hatte sie von Paris fernhalten wollen, damit vor dem festgesetzten Tag ihres Eintritts in die Gesellschaft keine Neigung irgendwelcher Art in ihr erweckt werde. Madame de Guilleroy hatte ihr dort zwei mit ausgezeichneten Zeugnissen versehene Erzieherinnen zugeteilt und war häufiger denn je zu Mutter und Tochter gereist. Annettes Aufenthalt im Schloß war im übrigen aus Rücksichtnahme auf die alte Dame beinahe notwendig geworden.

Früher hatte Olivier Bertin jeden Sommer sechs Wochen oder

zwei Monate auf Roncières verbracht; aber seit drei Jahren war er seines Rheumatismus wegen in ferne Badeorte gereist; sie hatten seine Liebe zu Paris so aufgefrischt, daß er es jetzt nicht mehr zu verlassen vermochte, wenn er wieder daheim war.

Das junge Mädchen hatte eigentlich erst im Herbst zurückkehren sollen; aber ihr Vater hatte plötzlich einen Heiratsplan für sie im Sinne und sie heimgerufen, damit sie möglichst rasch den Marquis de Farandal kennenlerne, den er ihr als Verlobten bestimmt hatte. Übrigens wurde die beabsichtigte Verbindung streng geheimgehalten, und nur Olivier Bertin war durch Madame de Guilleroy eingeweiht.

»Der Plan Ihres Gatten ist also unumstößlich?« fragte er.

»Ja, ich halte ihn sogar für sehr glücklich.«

Dann sprachen sie über andere Dinge.

Sie kam wieder auf die Malerei zurück und wollte ihn dahinbringen, einen Christus zu malen. Er widersprach und meinte, davon gebe es bereits genug auf der Welt; aber sie behauptete eigensinnig, der Gedanke sei gut, und wurde ungeduldig.

»Ach, wenn ich zeichnen könnte, würde ich Ihnen meine Idee vor Augen führen; es müßte etwas sehr Neues und sehr Kühnes werden. Er wird vom Kreuz genommen, und der Mann, der seine Hände losgemacht hat, läßt den Oberkörper herabfallen. Er fällt und stürzt auf die Menge, und die hebt die Arme auf, um ihn aufzufangen und zu halten. Verstehen Sie?«

Ja, er verstand; er fand die Idee sogar originell, aber er neigte mehr zu modernen Themen, und als er die Freundin auf dem Diwan liegen sah, einen Fuß in dem zierlichen Schuh etwas herabhängend, und den erregenden Eindruck der Haut durch den fast durchsichtigen Strumpf wahrnahm, rief er:

»Halt, halt, so was muß man malen, das ist das Leben: ein Frauenfuß am Saum eines Kleides! Da kann man alles hineinlegen: Wirklichkeit, Sehnsucht und Poesie! Nichts ist anmutiger als ein Frauenfuß, und dann, welch ein Geheimnis: das verhüllte Bein, dem Blick entzogen und doch unter dem Stoff geahnt!«

Er hatte sich im Türkensitz auf dem Boden niedergelassen, nahm den Schuh und zog ihn ab; der aus seiner Lederhülle geschlüpfte Fuß bewegte sich wie ein aufgeregtes kleines Tier, das sich über seine plötzliche Freiheit wundert.

Bertin sprach weiter: »Wie fein, wie erlesen und sinnlich, sinnlicher als die Hand! Zeigen Sie Ihre Hand, Any!«

Sie trug lange, bis zum Ellbogen reichende Handschuhe. Sie streifte den einen ab, vom Rand aus, wie eine Schlangenhaut, die man abzieht, wendete ihn und ließ ihn flink niedergleiten. So rasch entblößt zeigte sich der weiße, dicke und runde Arm, der die Empfindung gänzlicher, gewagter Nacktheit hervorrief.

Dann hielt sie ihm die herabhängende Hand hin. Die Ringe funkelten an den weißen Fingern, und die rosigen, sehr spitzen Nägel glichen verliebten Krallen, die an dem niedlichen Frauenpfötchen hervorsproßten.

Olivier Bertin nahm sanft die Hand und schaute sie bewundernd an. Er bewegte die Finger wie ein Spielzeug aus Fleisch und sagte:

»Was für ein drolliges Ding! Was für ein drolliges Ding! Diese hübschen, gescheiten, geschickten kleinen Glieder, die alles machen, was man will: Bücher, Spitzen, Häuser, Pyramiden, Lokomotiven, Backwerk oder Liebkosungen, und die sind noch ihre beste Tätigkeit!«

Er zog einen Ring nach dem andern ab, und als der Ehering, ein Goldreif, an der Reihe war, flüsterte er lächelnd: »Das Gesetz. Verneigen wir uns.«

»Biest!« sagte sie ein wenig gekränkt.

In der französischen Vorliebe, einen Hauch Ironie in die ernstesten Gefühle zu mischen, war er von je ein Spötter gewesen, und oftmals hatte er sie betrübt, ohne es zu wollen, ohne die feinen weiblichen Unterscheidungen zu verstehen und die Grenzen der geheiligten Bezirke, wie er es nannte, zu erkennen. Vor allem verdroß es sie, wenn er mit einem Anstrich vertraulicher Prahlerei über ihre schon so lange Zeit während Beziehung sprach, von der er behauptete, sie sei das schönste Liebesbeispiel des neunzehnten Jahrhunderts. Nach einer Schweigepause fragte sie:

»Nehmen Sie Annette und mich mit zur Eröffnung des ›Salon‹?« – »Ich denke doch.«

Dann fragte sie ihn nach den besten Bildern, die dort zu sehen sein würden; die Eröffnung sollte etwa in vierzehn Tagen stattfinden.

Und unversehens, vielleicht weil sie sich einer vergessenen Besorgung entsann, sagte sie:

»Jetzt geben Sie mir bitte meinen Schuh wieder. Ich muß gehen.«

Er spielte träumerisch mit dem leichten Schuh und drehte ihn gedankenverloren in den Händen.

Dann beugte er sich nieder, küßte den Fuß, der an der Luft ein wenig kühl geworden war, zwischen Kleid und Teppich zu schweben schien und sich nicht mehr regte, und bekleidete ihn wieder; Madame de Guilleroy erhob sich und ging zu dem Tisch, auf dem allerlei Papiere herumlagen, offene, alte und erst kürzlich angelangte Briefe, und zwar neben einem Fläschchen mit Malertusche; die schon alte Flüssigkeit war eingetrocknet. Mit neugierigem Blick betrachtete sie alles, berührte die Blätter und hob sie auf, um zu sehen, was darunter lag.

Er trat zu ihr hin und sagte:

»Sie bringen noch meine ganze Unordnung durcheinander.«

Ohne zu antworten, fragte sie:

»Wer ist der Herr, der Ihre ›Badenden‹ kaufen will?«

»Ein Amerikaner; ich kenne ihn nicht.«

»Haben Sie in den Verkauf der ›Straßensängerin‹ eingewilligt?«

»Ja. Zehntausend.«

»Daran haben Sie recht getan. Nettes Bild, wenn auch nicht überwältigend. Adieu, mein Lieber.«

Sie hielt ihm die Wange hin, die er mit einem flüchtigen Kuß streifte, und verschwand hinter dem Vorhang, zuvor hatte sie noch leise gesagt:

»Freitag, um acht. Nein, Sie sollen mich keinesfalls hinausbegleiten. Das wissen Sie doch. Adieu.«

Als sie gegangen war, steckte er sich erst einmal eine Zigarette an, dann begann er, mit großen Schritten durch sein Atelier zu gehen. Die ganze Geschichte dieser Liebesbeziehung rollte vor ihm ab. Er rief sich längst entschwundene Einzelheiten ins Gedächtnis zurück, suchte sie zusammen, reihte eine an die andere und hatte im Augenblick für nichts Interesse als diese Jagd nach den Erinnerungen.

Damals, als die Maler den Beifall des Publikums errungen

und ein Stadtviertel mit prächtigen Häusern bewohnten, die sie mit ein paar Pinselstrichen erworben hatten, begann er wie ein Stern am Horizont der Kunst in Paris aufzusteigen.

Bertin war nach seiner Rückkehr aus Rom im Jahre 1864 einige Jahre ohne Erfolg und ohne Ruhm geblieben; dann stellte er im Jahre 1868 seine ›Kleopatra‹ aus und wurde innerhalb weniger Tage von der Kritik und dem Publikum in den Himmel gehoben.

1872, nach dem Krieg, nachdem der Tod Henri Regnaults[1] all seinen Gefährten eine Art Ruhmespiedestal errichtet hatte, wurde Bertin mit seiner ›Jokaste‹, einem gewagten Thema, unter die Verwegenen eingereiht, obwohl seine gemäßigt originelle Malweise auch bei den Akademikern Anklang fand. 1873 setzte ihn eine erste Medaille außer Konkurrenz mit seiner ›Algerischen Jüdin‹, die er nach seiner Rückkehr von einer Afrikareise ausstellte; und ein Porträt der Prinzessin von Salia trug ihm 1874 in der eleganten Welt den Ruf des ersten Porträtisten seiner Epoche ein. Von diesem Tage an wurde er vorzugsweise der Maler der Pariserin und der Pariserinnen, der geschickteste und an Einfällen reichste Deuter ihrer Anmut, ihrer Haltung, ihres Wesens. Innerhalb weniger Monate baten alle im Vordergrund stehenden Frauen von Paris um die Gunst, von ihm gemalt zu werden. Er war nicht leicht zu gewinnen und ließ sich sehr teuer bezahlen.

Als er in Mode gekommen war und wie jeder beliebige Weltmann Besuche machte, bemerkte er eines Tages bei der Herzogin de Mortemain eine junge Frau in tiefer Trauer, die gerade ging, als er eintrat, und die ihn bei der Begegnung in der Tür mit einer liebenswürdigen Vision von Anmut und Eleganz blendete.

Als er nach ihrem Namen fragte, erfuhr er, daß sie die Gräfin de Guilleroy, die Frau eines normannischen Gutsbesitzers, eines Landwirts und Deputierten, sei, daß sie um ihren Schwiegervater Trauer trage, und daß sie als geistvoll gelte und sehr bewundert und begehrt werde.

Noch im Banne dieser Erscheinung, die sein Künstlerauge be-

---

[1] Henri Regnault, geb. 1843 in Paris, die größte Hoffnung der französischen Malerei, fiel im Januar 1871 bei Buzenval, wenige Tage vor der Kapitulation der Stadt. (Anmkg. d. Übers.)

zaubert hatte, sagte er sogleich: »Ach, die würde ich gern malen!«

Dieser Satz wurde bereits am nächsten Tag der jungen Frau zugetragen, und am selben Abend noch empfing er ein Briefchen auf blauem, sehr schwach parfümiertem Papier und in einer regelmäßigen, feinen Schrift, die von links nach rechts etwas anstieg.

›Monsieur,

soeben verließ mich die Herzogin de Mortemain; sie hat mir versichert, Sie seien geneigt, mittels meines armseligen Gesichts eins Ihrer Meisterwerke zu gestalten. Ich würde es Ihnen nur allzugern anvertrauen, wenn ich sicher wäre, daß Sie es nicht nur so hingeredet hätten und etwas in mir sähen, das von Ihnen gemalt und idealisiert werden könnte.

Mit dem Ausdruck besonderer Hochachtung

Anne de Guilleroy‹

Er antwortete mit der Frage, wann er der Gräfin seine Aufwartung machen dürfe, und wurde ohne alle Umstände für den folgenden Montag zum Mittagessen eingeladen.

Sie wohnte im ersten Stock eines großen, luxuriös eingerichteten, modernen Hauses am Boulevard Malesherbes. Nachdem er einen geräumigen Salon mit blauer Seidenbespannung in weißer und goldener Holzeinfassung durchschritten hatte, ließ man den Maler in eine Art Boudoir mit heller, koketter Wandbespannung im Stil des letzten Jahrhunderts eintreten, einer Wandbespannung mit zarten Schattierungen und graziösen Themen im Stil Watteaus; sie schienen von Künstlern, die von der Liebe träumen, entworfen, gezeichnet und ausgeführt worden zu sein.

Er hatte sich gerade gesetzt, als die Gräfin erschien. Sie schritt so leicht, daß er sie nicht durch das Nebenzimmer hatte kommen hören und nun überrascht war, als er sie wahrnahm. Sie reichte ihm ungezwungen die Hand.

»Also ist es wahr«, fragte sie, »Sie wollen mein Porträt malen?«

»Ich würde mich sehr freuen.«

Ihr enganliegendes schwarzes Kleid machte sie sehr schlank und lieh ihr etwas ungemein Junges und dabei zugleich Ernstes, das der lächelnde, durch das blonde Haar hell wirkende Kopf

Lügen strafte. Dann trat der Graf ein, an der Hand ein kleines, sechsjähriges Mädchen.

Madame de Guilleroy stellte vor: »Mein Mann.«

Er war ziemlich klein, trug keinen Schnurrbart und hatte hohle Wangen, die durch die Rasur unter der Haut dunkel schimmerten.

Mit seinem langen, nach hinten zurückgekämmten Haar, seinen höflichen Manieren und den beiden tiefen Falten, die, von den Wangen zum Kinn abfallend, um seinen Mund einen Kreis beschrieben und von denen es hieß, die Gewohnheit, in der Öffentlichkeit zu reden, habe sie eingekerbt, glich er ein wenig einem Priester oder Schauspieler.

Er dankte dem Maler mit einer Überfülle von Phrasen, die den Redner verrieten. Schon lange habe es ihn danach verlangt, ein Porträt seiner Frau malen zu lassen, und sicherlich würde er dazu Monsieur Olivier Bertin gewählt haben, wenn er nicht vor einer Ablehnung zurückgescheut wäre, denn er wisse sehr wohl, wie der Meister von Bitten gequält werde.

Es wurde also mit vielen Höflichkeiten von beiden Seiten vereinbart, daß der Graf vom nächsten Tag ab die Gräfin ins Atelier führen werde. Allerdings frage er sich im Hinblick auf die tiefe Trauer, die sie trug, ob es nicht besser wäre zu warten; doch der Maler erklärte, daß er den ersten Eindruck darstellen wolle, der ihm zuteil geworden sei, nämlich den ergreifenden Gegensatz zwischen dem lebhaften und zierlichen, leuchtenden Kopf unter dem goldenen Haar und dem ernsten Schwarz der Kleidung.

So kam sie denn am nächsten Morgen mit ihrem Gatten und an den folgenden Tagen mit ihrer Tochter, die vor einen Tisch mit einem Stapel Bilderbücher gesetzt wurde.

Olivier Bertin verhielt sich, seiner Gepflogenheit gemäß, sehr zurückhaltend. Die Frauen von Welt beunruhigten ihn ein wenig, weil er sie kaum kannte. Er hielt sie für gleichzeitig frivol und albern, scheinheilig und gefährlich, leichtfertig und widerspenstig. Mit Frauen der Halbwelt hatte er flüchtige Abenteuer gehabt; er verdankte sie seinem Ruf, seinem unterhaltsamen Geist, seiner eleganten Athletengestalt und seinem energischen braunen Gesicht. Zu ihnen, ihrem freien Benehmen und ihren freien Reden fühlte er sich hingezogen, da er an die leichten, lustigen und fröhlichen Umgangsformen der Ateliers und des Theaters gewöhnt war, wo er zu verkehren pflegte. In die große Gesellschaft trieb ihn der Ruhm und nicht das Herz; dort fühlte er sich aus Eitelkeit wohl, nahm Glückwünsche und Aufträge entgegen und blähte sich vor den schönen schmeichelnden Damen, ohne ihnen jemals den Hof zu machen. Niemals erlaubte er sich in ihrer Gegenwart gewagte Witze und gepfefferte Ausdrücke; er hielt sie für spröde und wurde für wohlerzogen gehalten. Jedesmal, wenn ihm eine von ihnen saß, hatte er, trotz der Avancen, die sie ihm machte, um ihm zu gefallen, den Klassenunterschied gespürt, der eine intimere Verbindung ausschloß, obwohl die Künstler und die Leute der feinen Gesellschaft miteinander verkehrten. Hinter dem Lächeln und hinter der Bewunderung, die bei den Frauen immer ein wenig erkünstelt sind, spürte er den kaum merklichen inneren Vorbehalt von Menschen, die sich für höhere Wesen halten. Er reagierte darauf mit einem gewissen, plötzlich zutage tretenden Dünkel, einem noch respektvolleren, beinahe hochmütigen Benehmen, und neben der verhohlenen Eitelkeit des Emporkömmlings, der von Prinzen und Prinzessinnen wie ihresgleichen behandelt wurde, mit einem männlichen Stolz, weil er seiner Intelligenz eine Stellung ähnlich jener verdankte, die andere durch ihre Geburt innehatten. Man pflegte etwas überrascht von ihm zu sagen: »Er ist bewundernswert wohlerzogen!« Und diese Überraschung, die ihm schmeichelte, verletzte ihn gleichzeitig, weil sie die Grenzen andeutete.

Der erzwungene und zeremoniöse Ernst des Malers brachte Madame de Guilleroy ein wenig in Verlegenheit, weil sie diesem frostigen, als geistreich geltenden Mann nichts zu sagen wußte.

Nachdem sie ihre kleine Tochter untergebracht hatte, setzte sie sich in einen Sessel nahe der angefangenen Skizze und bemühte sich, den Weisungen des Künstlers folgend, ihrem Gesicht den entsprechenden Ausdruck zu geben. Gegen die Mitte der vierten Sitzung hörte er plötzlich auf zu malen und fragte:

»Was macht Ihnen im Leben am meisten Freude?«

Sie wurde verlegen.

»Das weiß ich nicht. Warum fragen Sie danach?«

»Ich brauche einen glücklichen Gedanken in Ihren Augen und habe ihn bis jetzt noch nicht gesehen.«

»Nun, dann versuchen Sie, mich zum Sprechen zu bringen, ich unterhalte mich sehr gern.«

»Sind Sie in guter Stimmung?«

»Sehr.«

»Dann wollen wir uns ein bißchen unterhalten.«

Er hatte das in sehr ernstem Ton gesagt; dann begann er wieder zu malen und schlug vorsichtig einige Themen an, weil er nach einem Punkt suchte, in dem sich ihre Interessen begegneten. Zunächst tauschten sie Bemerkungen über Leute aus, die sie kannten, dann sprachen sie über sich selbst, was ja immer das angenehmste und anziehendste Gesprächsthema ist.

Als sie am nächsten Tag wieder beisammen waren, fühlten sie sich bedeutend behaglicher, und Bertin, der merkte, daß er gefiel und sie erheiterte, begann Einzelheiten aus seinem Künstlerleben zu erzählen und ließ seinen Erinnerungen mit dem ihm eigenen phantasievollen Geist freien Lauf.

Sie war an die Zurückhaltung der Salonliteraten gewöhnt, und so überraschte sie diese ein wenig närrische Laune, so geradezu und mit leisem Spott über die Dinge zu reden, und sogleich antwortete sie ihm mit feinem und beherztem Anstand im selben Ton. Innerhalb von acht Tagen hatte sie ihn durch ihre gute Laune, ihren Freimut und ihre Unbefangenheit besiegt und bezaubert. Er hatte seine Vorurteile gegen die Damen von Welt völlig vergessen und hätte bereitwillig versichert, daß einzig sie Reiz und Munterkeit besäßen. Während er vor seiner Leinwand stand und malte und mit den Bewegungen eines Fechters näher ging oder zurücktrat, ließ er seine geheimen Gedanken laut werden, als kenne er diese hübsche, aus Blond und Schwarz, aus Sonne und Trauer bestehende Frau, die da vor ihm saß, die beim Zuhören lachte und ihm heiter und so lebhaft antwortete, daß sie alle Augenblicke aus ihrer Stellung geriet, schon seit geraumer Zeit.

Bald ging er ein Stückchen von ihr weg, schloß ein Auge und beugte sich vor, um das Zusammenspiel der Eigenheiten seines Modells im ganzen zu entdecken, bald näherte er sich, um die kleinsten Schattierungen, den flüchtigsten Ausdruck ihres Gesichts zu prüfen, um zu erfassen und wiederzugeben, was über die sichtbare Erscheinung hinaus in einem Frauenantlitz liegt, jene Ausströmung der idealen Schönheit, jenen Widerschein von etwas Unbekanntem, den geheimen und gefürchteten Reiz, der jeder so sehr eigen ist, daß gerade diese von dem einen und keinem anderen selbstvergessen geliebt wird.

Eines Nachmittags trat das kleine Mädchen vor die Leinwand und fragte mit tiefem Kinderernst: »Das ist Mama, nicht wahr?«

Geschmeichelt durch dies kindliche Lob der Ähnlichkeit seines Werkes, schloß er sie in die Arme und gab ihr einen Kuß.

An einem anderen Tag, als sie sehr still zu sein schien, wurde plötzlich eine kleine traurige Stimme hörbar:

»Mama, ich langweile mich.«

Und durch diese erste Klage wurde der Maler so gerührt, daß er am nächsten Tag ein ganzes Spielzeuglager ins Atelier bringen ließ.

Die genügsame und immer bedächtige kleine Annette staunte und baute alles mit großer Sorgfalt auf, um eins nach dem andern, wie es ihr gerade einfiel, zur Hand nehmen zu können. Seit diesem Geschenk liebte sie den Maler, wie Kinder lieben, mit jener animalischen und einschmeichelnden Zuneigung, die sie so niedlich und unwiderstehlich macht.

Madame de Guilleroy fand Gefallen an den Sitzungen. Sie war in diesem Winter der Trauer wegen zur Untätigkeit verurteilt, und so trug sie, da ihr der gesellschaftliche Umgang und die Feste fehlten, alle Kümmernisse ihres Lebens in dieses Atelier.

Sie war die Tochter eines sehr reichen und gastfreundlichen Pariser Kaufmanns, der vor einigen Jahren gestorben war, und seiner immer kranken Frau, die die Sorge um ihre Gesundheit sechs von zwölf Monaten im Bett hielt; daher war sie schon sehr jung eine vollkommene Hausfrau geworden, die Gäste zu empfangen, zu lachen und die Leute zu durchschauen verstand, die unterscheiden konnte, was man jedem sagen mußte; hellsichtig und geschmeidig hatte sie sich ohne weiteres ins Leben gefunden. Als ihr der Graf de Guilleroy als Bräutigam präsentiert wurde, erkannte sie sehr bald die Vorteile dieser Heirat und ließ sie als ein intelligentes Mädchen, das sehr wohl weiß, daß man nicht alles haben kann und daß man Gut und Schlecht in jeder Situation gegeneinander abwägen muß, ohne jede Einschränkung gelten.

So war sie denn plötzlich in das gesellschaftliche Leben gestellt worden und überall gern gesehen, weil sie schön und geistreich war; sie sah viele Männer ihr den Hof machen, ohne daß sie auch nur ein einziges Mal die Ruhe ihres Herzens verloren hätte, das so vernünftig war wie ihr Geist.

Dabei war sie kokett, und zwar von einer herausfordernden und zugleich vorsichtigen Koketterie, die sich nie zu weit vorwagte. Die Komplimente gefielen ihr, das erweckte Begehren schmeichelte ihr, obwohl sie es nicht zu bemerken schien, und wenn sie einen ganzen Abend lang den Weihrauch der Huldigungen in einem Salon gespürt hatte, schlief sie gut und wohlig wie eine Frau, die ihre Mission auf Erden erfüllt hat. Dies Dasein, das jetzt seit sieben Jahren andauerte, ohne sie zu ermüden, ohne ihr eintönig vorzukommen, weil sie die unaufhörliche Unruhe der großen Gesellschaft gern hatte, ließ sie dennoch mitunter Sehnsucht nach anderem empfinden. Die Männer ihrer Umgebung, Politiker, Finanzleute oder müßiggängerische Klubangehörige, vertrieben ihr ein wenig die Zeit wie Schauspieler, und sie nahm sie niemals allzu ernst, obwohl sie ihre Funktionen, ihre Stellungen und ihre Titel schätzte.

Der Maler gefiel ihr vor allem um all des für sie Neuen willen, das ihm anhaftete. Sie war im Atelier stets guter Dinge, sie lachte von ganzem Herzen, kam sich geistreich vor und wußte ihm Dank für das Vergnügen, das ihr die Sitzungen bereiteten. Auch gefiel er ihr, weil er glänzend aussah, stark und berühmt war; denn keine Frau, was sie auch vorgeben mag, kann gegen körperliche Schönheit und Ruhm gleichgültig bleiben. Sie fühlte sich geschmeichelt, weil sie diesem Kenner aufgefallen war, und war geneigt, das ganz in Ordnung zu finden; sie hatte einen beweglichen und kultivierten Geist in ihm entdeckt, Geschmack, Phantasie, eine wahrhaft bezaubernde Intelligenz und eine farbige Sprechweise, die zu erhellen schien, was sie ausdrückte.

Rasch ergab sich eine Vertrautheit zwischen ihnen, und an dem Händedruck, den sie einander beim Kommen der Gräfin gaben, schienen ihre Herzen jeden Tag ein wenig mehr beteiligt zu sein.

Ohne irgendwelche Berechnung, ohne einen überlegten Entschluß, fühlte sie in sich das natürliche Verlangen wachsen, ihn zu fesseln, und dem gab sie nach. Sie hatte nichts vorausgesehen, nichts erwogen; sie wurde nur auf eine reizvollere Weise kokett, wie man es instinktiv einem Mann gegenüber ist, der einem besser gefällt als die anderen; und sie legte in ihr ganzes Verhalten, in ihre Blicke und in ihr Lächeln jenen Vogelleim der Verführung, mit dem die Frau sich umgibt, wenn der Wunsch in ihr erwacht, geliebt zu werden.

Sie sagte ihm schmeichelhafte Dinge, die bedeuteten: »Sie gefallen mir ungemein«, und ließ ihn lange reden, um ihm durch aufmerksames Zuhören zu zeigen, wieviel Teilnahme er ihr einflößte. Er hörte auf zu malen und setzte sich neben sie, und in der Überreizung des Geistes, die das berauschende Gefühl zu gefallen hervorruft, erging er sich, wie der Tag es mit sich brachte, in poetischen, drolligen oder philosophischen Ergüssen.

Sie freute sich, wenn er froh war; wenn er tiefsinnig war, bemühte sie sich, seinen Erörterungen zu folgen, ohne daß es ihr immer gelang; und während sie an etwas anderes dachte, schien sie mit so verständnisvoller Miene zu lauschen und seine Ausführungen so zu genießen, daß er sich beim Anblick der Zuhörerin noch steigerte, bewegt von dem Gedanken, eine zarte, offene und empfängliche Seele entdeckt zu haben, in die der Gedanke wie ein Saatkorn fiel.

Das Porträt machte Fortschritte und versprach sehr gut zu werden, da der Maler jenen Zustand der inneren Anteilnahme erreicht hatte, der unerläßlich ist, um alle Vorzüge seines Modells zu entdecken und sie mit der unerschütterlichen Inbrunst auszudrücken, in der die Inspiration des wahren Künstlers besteht.

Wenn er sich zu ihr hinneigte, jede Regung ihres Gesichts belauernd, alle Färbungen ihres Fleisches, alle Schatten der Haut, jeden Ausdruck und die Durchsichtigkeit ihrer Augen, alle Geheimnisse ihres Gesichts, war er durchtränkt von ihr wie ein voll Wasser gesogener Schwamm, und indem er auf seine Leinwand diese Ausströmung des sinnverwirrenden Reizes übertrug, den sein Blick einfing und der von seinem Kopf wie eine Welle in seinen Pinsel rann, wurde er davon taumelig und berauscht, als habe er Frauenanmut getrunken.

Sie spürte, wie er sich in sie verliebte, fand Gefallen an diesem Spiel, an diesem als immer sicherer erscheinenden Sieg, und geriet dabei selber in Hitze.

Etwas Neues gab ihrem Dasein eine neue Würze, erweckte in ihr eine geheimnisvolle Freude. Wenn sie von ihm sprechen hörte, schlug ihr Herz ein wenig rascher, und es gelüstete sie zu sagen – eins dieser Gelüste, die nie über unsere Lippen kommen –: »Er ist verliebt in mich.« Sie freute sich, wenn man sein Talent rühmte, und vielleicht noch mehr, wenn man fand, er sehe sehr gut aus. Wenn sie ganz allein, ohne von Zudringlichen belästigt zu werden, an ihn dachte, dann bildete sie sich wirklich ein, sie habe sich da einen guten Freund erworben, der sich stets mit einem herzlichen Händedruck begnügen werde.

Er dagegen legte oft mitten in der Sitzung plötzlich die Palette auf seinen Schemel, nahm die kleine Annette in die Arme und küßte sie zärtlich auf die Augen oder aufs Haar, wobei er die Mutter ansah, als wolle er sagen: »Ihnen, nicht dem Kind, gelten meine Küsse.«

Dann und wann ließ Madame de Guilleroy übrigens die Tochter zu Hause und kam allein. An solchen Tagen wurde kaum gearbeitet, doch um so mehr gesprochen.

Eines Nachmittags verspätete sie sich. Das Wetter war kalt. Es war gegen Ende Februar. Olivier war zeitig heimgekehrt, wie er es jetzt immer tat, wenn sie kommen sollte, weil er stets hoffte, sie könne sich früher einfinden. Während des Wartens ging er auf und ab, rauchte und fragte sich, verwundert, daß er sich diese Frage seit acht Tagen zum hundertstenmal stellte: Bin ich denn verliebt? Er wußte es nicht, weil er es im Grunde noch nie gewesen war. Er hatte sehr hitzige, sogar ziemlich lange Liebeleien gehabt, ohne sie je für Liebe gehalten zu haben. Heute staunte er über das, was er fühlte.

Liebte er sie? Sicherlich begehrte er sie kaum, da er über die Möglichkeit, sie zu besitzen, nicht nachgedacht hatte. Bis jetzt hatte ihn, sobald eine Frau ihm gefiel, sehr bald das Verlangen gepackt, so daß er die Hände nach ihr ausstrecken mußte, wie um eine Frucht zu pflücken, ohne jedoch im Innersten durch ihre Abwesenheit oder ihre Gegenwart beunruhigt zu werden.

Das Verlangen nach dieser Frau hatte ihn kaum gestreift und schien unter einem mächtigeren Gefühl, das noch dunkel und kaum erwacht war, geduckt und verborgen zu lauern. Olivier hatte geglaubt, daß die Liebe mit Träumen, mit poetischen Überspanntheiten begänne. Was er empfand, schien ihm im Gegenteil von einer unerklärlichen, mehr sinnlichen als geistigen Erregung herzurühren. Er war nervös, fahrig und unruhig, wie wir es sind, wenn eine Krankheit in uns keimt. Allerdings war nichts Schmerzhaftes an diesem Fieber des Bluts, das auch seinen Geist ansteckte und aufregte. Er wußte ganz genau, daß dies Übel von Madame de Guilleroy herrührte, von der Erinnerung, die sie ihm hinterließ, und der Erwartung auf ihr Kommen. Er fühlte sich nicht durch ein Aufwallen seines ganzen Wesens zu ihr hingezogen, fühlte sie jedoch in seinem Innern stets als gegenwärtig, wie wenn sie ihn nie verlassen könne; ging sie, so ließ sie etwas von sich zurück, etwas Kostbares und Unerklärliches. Wie? War das die Liebe? Er klomm jetzt in sein eigenes Herz hinab, um zu sehen und zu verstehen. Er fand sie reizvoll, aber sie entsprach nicht dem Idealtyp der Frau, den seine blinde Hoffnung sich erschaffen hatte. Wer die Liebe herbeiruft, hat eine Vorstellung von den geistigen Eigenschaften und physischen Gaben jener, die ihn bezaubern wird; und obwohl Madame de Guilleroy ihm unendlich gefiel, schien sie ihm nicht jene Frau zu sein.

Aber warum beschäftigte sie ihn so sehr, mehr als die anderen und auf eine andere Art und unablässig?

War er einfach in die gestellte Falle ihrer Koketterie geraten, die er seit langem gewittert und erkannt hatte, und erfuhr er nun im Garn dieser Kunstgriffe den Einfluß der besonderen Bezauberung, die den Frauen der Wunsch zu gefallen verleiht?

Er ging hin und her, setzte sich, stand wieder auf, zündete Zigaretten an und warf sie gleich wieder weg; und alle paar Augenblicke sah er nach dem Zeiger der Uhr, der sich langsam und nahezu unbeweglich der üblichen Stunde näherte.

Schon mehrere Male hatte er geschwankt, ob er nicht mit dem Fingernagel das Glas über den beiden sich drehenden Goldpfeilen aufheben und den großen Zeiger mit dem Finger bis zu der Zahl schieben sollte, der er sich so träge näherte.

Ihm schien, das müsse genügen, damit sich die Tür öffnete und die Erwartete, durch diese List getäuscht und herbeigerufen, auftauche. Dann begann er über diese Anwandlung zu lachen.

Schließlich fragte er sich: Könnte ich ihr Liebhaber werden? Dieser Gedanke dünkte ihn sonderbar, wenig wahrscheinlich und auch um der Komplikationen willen, die dadurch in sein Leben gebracht werden würden, kaum durchführbar.

Dennoch gefiel ihm diese Frau nur allzu sehr, und er kam zu dem Schluß: Jedenfalls befinde ich mich in einem merkwürdigen Zustand.

Die Uhr schlug, und der Glockenschlag ließ ihn zusammenfahren, weil er seine Nerven mehr als seine Seele erschütterte. Er erwartete sie mit jener Ungeduld, die sich bei einer Verspätung von Sekunde zu Sekunde steigert. Sie pflegte stets pünktlich zu sein; keine zehn Minuten, und er würde sie eintreten sehen. Als die zehn Minuten vorüber waren, fühlte er sich wie von einem herannahenden Kummer gepeinigt, dann war er ärgerlich, daß sie ihn Zeit verlieren ließ, und dann begriff er plötzlich, daß er leiden würde, wenn sie nicht käme. Was sollte er tun? Er würde warten! – Nein, er wollte ausgehen, damit sie, falls sie zufällig mit großer Verspätung kam, das Atelier leer fand.

Er wollte ausgehen, aber wann? Welche Frist sollte er ihr lassen? War es nicht besser, zu bleiben und ihr durch ein paar höfliche und kühle Worte zu verstehen zu geben, daß er nicht zu denen gehörte, die man unnütz warten lassen kann? Und wenn sie nicht kam? Dann hätte sie doch wohl einen Rohrpostbrief, eine Karte, einen Diener oder einen Boten geschickt? Was sollte er tun, wenn sie nicht kam? Es war ein verlorener Tag, er würde nicht mehr arbeiten können. Dann . . .? Dann würde er zu ihr gehen und sich erkundigen; denn sehen mußte er sie.

Wahrhaftig, er mußte sie sehen, er hatte ein tiefes, beklemmendes, quälendes Verlangen, sie zu sehen. Was war das? Liebe? Aber er fühlte weder eine übermäßige Erregung des Geistes noch der Sinne, noch ein Träumen der Seele, als er feststellte, daß er leiden würde, wenn sie heute nicht käme.

Die Glocke der Haustür hallte im Treppenflur des kleinen Hauses wider, und Olivier Bertin fühlte sich plötzlich ein wenig außer Atem und dann so fröhlich, daß er sich rasch auf dem Absatz um sich selbst drehte und seine Zigarette in die Luft warf.

Sie kam; sie war allein.

Sogleich packte ihn eine ungeheure Verwegenheit.

»Wissen Sie, was ich mir überlegte, als ich auf Sie wartete?«

»Nein, das weiß ich nicht.«

»Ich habe überlegt, ob ich nicht etwa in Sie verliebt bin.«

»In mich verliebt? Sie sind ja verrückt!«

Aber sie lachte, und ihr Lachen sagte: Das ist hübsch, das freut mich.

Laut jedoch antwortete sie: »Aber das ist doch nicht Ihr Ernst. Was soll dieser Scherz?«

»Im Gegenteil, es ist mein voller Ernst«, erwiderte er. »Ich beteure Ihnen nicht, daß ich in Sie verliebt sei, aber ich mache mir Gedanken, ob ich nicht auf dem besten Wege bin, mich in Sie zu verlieben.«

»Was veranlaßt Sie zu diesem Einfall?«

»Meine Aufregung, als Sie nicht erschienen, und mein Glück, als Sie kamen.«

Sie setzte sich.

»Oh, beunruhigen Sie sich nicht über dergleichen Kleinigkeiten. Solange Sie gut schlafen und mit Appetit essen, besteht keine Gefahr.«

Er begann zu lachen.

»Und wenn ich Schlaf und Appetit verliere?«

»Dann benachrichtigen Sie mich.«

»Und dann?«

»Dann werde ich Sie in aller Stille wieder gesund werden lassen.«

»Vielen Dank.«

Und über diese Liebe redeten sie den ganzen Nachmittag in gekünstelten Wendungen einher. An den folgenden Tagen war es nicht anders. Da sie es als eine geistreiche und bedeutungslose Spielerei gelten ließ, pflegte sie ihn beim Kommen launig zu fragen: »Wie geht es Ihrer Liebe heute?«

Und er erzählte ihr in ernsthaftem und dabei leichtem Ton von allen Fortschritten des Leidens, den unaufhörlich in seinem tiefsten Innern sich vollziehenden Auswirkungen der Leidenschaft, die geboren worden war und wuchs. Er analysierte sich vor ihr und parodierte dabei einen Professor, der eine Vorlesung hält; er legte mit minutiöser Genauigkeit Stunde für Stunde seit der Trennung am Vortag dar; und sie hörte interessiert, ein wenig gerührt, aber auch ein wenig verwirrt, dieser Geschichte zu; sie kam ihr vor wie ein Buch, dessen Heldin sie war. Wenn er in galanten und freimütigen Ausdrücken alle Nöte aufgezählt hatte, deren Beute er war, durchzitterte seine Stimme dann und wann beim Aussprechen eines Wortes oder auch nur bei einer Betonung das Weh seines Herzens.

Und immer fragte sie ihn, bebend vor Neugier, mit an ihm hängenden Blicken und lüsternen Ohren nach diesen Dingen, die ein wenig beunruhigend und dennoch so reizvoll anzuhören waren.

Mitunter, wenn er sich ihr näherte, um ihre Stellung zu korrigieren, nahm er ihre Hand und versuchte sie zu küssen. Mit einer raschen Bewegung riß sie ihre Finger von seinen Lippen und runzelte die Brauen.

»Nicht doch, arbeiten Sie lieber!« sagte sie.

Er begab sich wieder an die Arbeit, doch keine fünf Minuten vergingen, und sie stellte ihm abermals eine Frage, um ihn geschickt auf das einzige Thema zurückzuführen, das sie beide beschäftigte.

In ihrem Herzen fühlte sie jetzt Befürchtungen aufsteigen. Sie wollte zwar geliebt werden, aber nicht zuviel. In der Gewißheit, sich nicht hinreißen zu lassen, fürchtete sie, er könne zu weit gehen, und sie werde ihn verlieren, wenn sie gezwungen sein würde, ihn zurückzustoßen, nachdem sie ihn dem Anschein nach ermutigt hatte. Wenn sie indessen auf diese zärtliche und etwas erkünstelte Freundschaft hätte verzichten müssen, auf diese Plauderei, die sich in Bereiche der Liebe ergoß wie der Bach, dessen Sand voller Gold ist, dann hätte sie großen Kummer empfunden, einen Kummer, der einem Schmerz gleichkam.

Verließ sie das Haus, um zum Atelier des Malers zu gehen, so überflutete sie eine lebhafte, warme Freude und machte ihr das Herz leicht und froh. Wenn sie die Hand auf die Klingel von Oliviers Haus legte, klopfte ihr Herz vor Ungeduld, und einen weicheren Treppenläufer hatten ihre Füße nie betreten.

Aber Bertin wurde düster, leicht nervös, und oft war er gereizt. – Er litt unter einer sogleich unterdrückten, aber häufig wiederkehrenden Unruhe.

Als sie eines Tages gerade eingetreten war, setzte er sich, statt zu malen, neben sie und sagte:

»Madame, Sie können jetzt nicht mehr übersehen, daß es kein Scherz ist und daß ich Sie wahnsinnig liebe.«

Diese Einleitung beunruhigte sie; sie sah die gefürchtete Entscheidung kommen und versuchte, ihn zurückzuhalten, aber er hörte schon nicht mehr hin. Das Gefühl überwallte sein Herz, und bleich, zitternd und bang mußte sie ihm lauschen. Er sprach lange, ohne eine Zwischenfrage, zärtlich, traurig und mit untröstlicher Schicksalsergebenheit; und sie überließ ihm ihre Hände, die er in den seinen behielt. Er hatte sich auf die Knie geworfen, ohne daß sie dessen gewahr geworden wäre, und mit irrem Blick flehte er sie an, ihm kein Leid anzutun! Was für ein Leid denn? Sie verstand nicht und versuchte nicht zu verstehen; sie war wie betäubt von einem grausamen Schmerz, ihn leiden zu sehen, und dieser Schmerz war beinahe Glück. Plötzlich sah sie Tränen in seinen Augen und wurde so gerührt, daß sie »Oh!« rief und nahe daran war, ihn zu umarmen, wie man weinende Kinder umarmt. Er erwiderte mit sehr weicher Stimme: »Ach, ich leide allzusehr«, und da fühlte sie sich besiegt von diesem Schmerz und angesteckt von diesen Tränen; die Nerven verließen sie, und sie schluchzte mit bebenden Armen, die sich willig öffnen wollten.

Als sie sich dann von ihm umschlungen und leidenschaftlich auf die Lippen geküßt fühlte, wollte sie schreien, sich wehren, ihn zurückstoßen, aber sogleich erkannte sie, daß es um sie geschehen sei; denn widerstrebend willigte sie ein, im Sichsträuben ergab sie sich, und während sie noch: »Nein, nein, ich will nicht!« rief, umarmte sie ihn.

Danach war sie fassungslos und hielt das Gesicht mit den Händen bedeckt, dann stand sie jäh auf, nahm ihren auf den Teppich gefallenen Hut, setzte ihn auf und lief davon, trotz den flehenden Bitten Oliviers, der sie am Kleid zurückzuhalten versuchte.

Sobald sie auf der Straße war, hätte sie sich am liebsten auf einen Bordstein gesetzt, so vernichtet fühlte sie sich, so weich in den Knien. Eine Droschke kam vorüber, sie rief den Kutscher an und befahl ihm: »Fahren Sie langsam, fahren Sie mich spazieren, wohin Sie wollen.« Hastig stieg sie in den Wagen, schloß die Tür, kauerte sich in das Polster und fühlte sich nun allein hinter den hochgezogenen Fenstern, allein, um nachzudenken.

Einige Minuten lang hatte sie nichts im Kopf als das Geräusch der Räder und das Rütteln und Stoßen des Wagens. Mit leeren, blicklosen Augen sah sie auf die Häuser, die Fußgänger, die Insassen von Droschken und die Omnibusse; sie dachte an nichts, als lasse sie sich Zeit, als habe sie sich eine Frist zugestanden, ehe sie wagte, über das Vorgefallene nachzudenken.

Dann sagte sie sich mit ihrem raschen und niemals feigen Urteilsvermögen: »Ja, ich bin eine Verlorene.« Und einige Minuten lang blieb sie im Bann dieser Regung, im Bann der Gewißheit des nicht wiedergutzumachenden Unheils, still und erschrocken wie ein Mann, der vom Dach gefallen ist und sich noch nicht bewegt, weil er ahnt, daß er sich die Beine gebrochen hat, und es noch nicht wahrhaben will.

Doch anstatt sich in den Schmerz, dessen sie gewärtig war und dessen Griff sie fürchtete, zu verbohren, blieb ihr Herz am Ende dieser Katastrophe ruhig und unbeirrt; nach diesem Sturz, der ihre Seele betroffen hatte, schlug es langsam und leise und schien an der Bestürzung ihres Innern keinen Teil zu haben. – Mit lauter Stimme, wie um es zu hören und sich zu überzeugen, wiederholte sie: »Ja, ich bin eine Verlorene.« Kein Leidensecho in ihrem Körper antwortete auf diese Anklage ihres Gewissens.

Eine Zeitlang ließ sie sich durch die Bewegung der Kutsche wiegen, und dabei überdachte sie sofort die Schlußfolgerungen, die sie aus dieser grausigen Situation ziehen mußte. Nein, sie litt nicht. Sie fürchtete sich, nachzudenken, das war alles; sie fürchtete sich, zu wissen, zu begreifen und zu überlegen; dagegen schien sie in der dunklen, undurchdringlichen Seelenlage, die der ständige Kampf zwischen unseren Neigungen und unserem Willen in uns erschafft, eine unwahrscheinliche Ruhe zu fühlen.

Nach etwa einer halben Stunde dieser seltsamen Ruhe, als sie endlich begriff, daß sich die ersehnte Verzweiflung nicht einstellen werde, schüttelte sie die Betäubung ab und flüsterte: »Wie sonderbar, es tut mir fast gar nicht leid.«

Daraufhin begann sie sich Vorwürfe zu machen. Zorn gegen ihre Verblendung und ihre Schwachheit stieg in ihr auf. Warum hatte sie dies alles nicht geahnt? Warum nicht begriffen, daß die

Stunde jenes Kampfes kommen mußte? Daß ihr dieser Mann genug gefiel, um sie widerstandslos zu machen? Und daß durch die rechtlichsten Herzen das Begehren mitunter wie ein Windstoß fährt, der den Willen mit fortreißt?

Aber als sie sich so hart tadelte und verachtete, fragte sie sich auch mit Entsetzen, was nun kommen werde.

Ihr erster Entschluß war, mit dem Maler zu brechen und ihn nie wiederzusehen.

Aber kaum hatte sie diesen Entschluß gefaßt, als auch schon tausend Gründe dawider aufstanden.

Wie sollte sie dieses Zerwürfnis erklären? Was sollte sie ihrem Mann sagen? Würde nicht die vermutete Wahrheit zuerst geflüstert und dann überall verbreitet werden?

War es nicht, um den Schein zu retten, besser, vor Olivier Bertin selbst die heuchlerische Komödie der Gleichgültigkeit und Vergeßlichkeit zu spielen und ihm zu zeigen, daß sie diese Minute aus ihrer Erinnerung und ihrem Leben getilgt habe?

Aber würde sie das können? Würde sie die Verwegenheit aufbringen, so zu scheinen, als erinnere sie sich an nichts, und ihn mit empörter Verwunderung anzublicken, während sie sagte: »Was wollen Sie eigentlich von mir?«, diesen Mann, an dessen rascher und heftiger Erregung sie im Grunde teilgehabt hatte?

Sie überlegte lange und entschied sich dennoch dafür, weil ihr nichts anderes möglich schien.

Sie würde morgen beherzt zu ihm gehen und ihm unverhohlen zu verstehen geben, was sie wollte und was sie von ihm verlangte. Niemals durften ihr ein Wort, eine Andeutung oder ein Blick ihre Schande ins Gedächtnis zurückrufen.

Nachdem er gelitten hatte – denn auch er würde leiden –, würde er als ein wohlerzogener, billig denkender Mann sicherlich ihre Partei ergreifen und in Zukunft das bleiben, was er bislang gewesen war.

Sobald sie diesen neuen Entschluß gefaßt hatte, nannte sie dem Kutscher ihre Adresse und kehrte heim, überwältigt von einer tiefen Ermattung und dem Wunsch, sich niederzulegen, niemand zu sehen, zu schlafen und zu vergessen. Nachdem sie sich in ihrem Zimmer eingeschlossen hatte, blieb sie bis zum Essen träge auf dem Ruhebett liegen, nicht gewillt, ihr Inneres noch länger mit diesem Gedanken zu beunruhigen, in dem so viele Gefahren lauerten.

Pünktlich ging sie hinunter und wunderte sich, daß sie so gefaßt war und ihren Mann mit unverändertem Gesicht erwartete. Er erschien mit ihrer Tochter auf dem Arm; sie reichte ihm die Hand und küßte das Kind, ohne von irgendeiner Bangigkeit durchwogt zu werden.

Monsieur de Guilleroy fragte, was sie den Nachmittag über getan habe. Sie antwortete gleichgültig, sie habe wie gewöhnlich gesessen.

»Und ist das Porträt schön?« fragte er.

»Es wird herrlich.«

Dann erzählte er von seinen Angelegenheiten, über die er beim Essen zu reden pflegte, von der Sitzung in der Kammer und der Diskussion über den Gesetzentwurf gegen die Lebensmittelfälschungen.

Dies nichtige Gerede, das sie sonst ohne weiteres über sich ergehen ließ, ärgerte sie und ließ sie den etwas vulgären, zu hohlen Phrasen neigenden Mann, der sich für dergleichen Dinge interessierte, aufmerksamer betrachten; indessen lächelte sie während des Zuhörens und antwortete liebenswürdig, sogar nachsichtiger und gefälliger als sonst, auf seine Banalitäten. Während sie ihn ansah, dachte sie: Ich habe ihn betrogen. Er ist mein Mann, und ich habe ihn betrogen. Ist das nicht sonderbar? Nichts kann es mehr ändern, nichts kann es mehr auslöschen! Ich habe die Augen geschlossen. Ich habe einige Minuten lang, nur einige Minuten lang, den Kuß eines Mannes erwidert, und ich bin keine ehrbare Frau mehr. Einige Sekunden in meinem Leben, einige Sekunden, die sich nicht aufheben lassen, haben diesen nicht wiedergutzumachenden, so gewichtigen und so kurzen Vorfall herbeigeführt, ein Verbrechen, das für eine Frau schmählichste Verbrechen, und ich empfinde nicht eine Spur von Verzweiflung. Wenn man es mir gestern gesagt hätte – ich hätte es nicht geglaubt. Wenn man es unumstößlich behauptet hätte – ich hätte sofort an entsetzliche Gewissensbisse gedacht, von denen ich heute zerrissen sein würde. Und ich habe keine, beinahe keine.

Monsieur de Guilleroy ging nach dem Abendessen aus, wie er es fast alle Tage tat.

Sie nahm ihre kleine Tochter auf die Knie und weinte, indem sie sie küßte; sie weinte echte Tränen, Tränen, die ihr das Gewissen, aber nicht das Herz erpreßte.

Aber sie schlief kaum.

In der Finsternis ihres Zimmers quälte sie sich heftiger mit den Gefahren herum, die das Verhalten des Malers ihr bringen konnte, und Angst überkam sie bei dem Gedanken an die morgige Zusammenkunft und all das, was sie ihm ins Gesicht würde sagen müssen.

Sie stand früh auf, blieb den ganzen Vormittag auf dem Ruhebett liegen und versuchte, sich auszumalen, was sie zu befürchten hatte und was sie antworten mußte, um gegen alle Überraschungen gefeit zu sein.

Sie verließ zeitig das Haus, um noch unterwegs zu überlegen.

Er erwartete kaum, daß sie kommen werde, und fragte sich seit dem Vortag, was er tun solle, wenn sie ihm wieder gegenüberstand.

Seit sie gegangen war, seit dieser Flucht, der er sich nicht zu widersetzen gewagt hatte, war er allein geblieben und hörte noch, obwohl sie schon weit weg war, das Geräusch ihrer Schritte, ihres Kleides und der wild zugeschlagenen Tür.

Von einer glühenden, tiefen und lebhaften Freude erfüllt, stand er da. Er hatte sie genommen! Es war zwischen ihnen geschehen! War das möglich? Nach der Überraschung über diesen Triumph kostete er ihn aus, und um ihn besser zu genießen, setzte er sich, legte er sich fast auf das Ruhebett, auf dem er sie besessen hatte.

Dort blieb er lange Zeit, erfüllt von dem Gedanken, daß sie seine Geliebte sei und daß zwischen ihnen, zwischen dieser Frau, nach der er sich so gesehnt hatte, und ihm, innerhalb weniger Augenblicke das rätselhafte Band geknüpft worden war, das zwei Menschenwesen auf geheime Weise verbindet. In seinem noch bebenden Körper bewahrte er die ätzende Erinnerung an den flüchtigen Augenblick, da ihre Lippen einander begegnet waren, da ihre Leiber sich vereinigt und vermählt hatten, um gemeinsam unter dem erhabensten Schauer des Lebens aufzuzucken. – An diesem Abend blieb er daheim; um sich an dem Gedanken zu weiden, ging er, zitternd vor Glück, früh zu Bett.

Kaum war er am nächsten Tag erwacht, als er sich auch schon die Frage stellte: »Was soll ich tun?« Einer Kokotte, einer Schauspielerin hätte er Blumen oder sogar ein Geschenk geschickt; doch angesichts dieser neuen Situation peinigte ihn Ratlosigkeit.

Sicherlich mußte er ihr schreiben... Aber was? Er kritzelte etwas hin, strich es aus, zerriß es und begann zwanzig Briefe, die ihm samt und sonders verletzend, scheußlich und lächerlich vorkamen.

Er hatte in feinfühligen, zauberischen Worten die Dankbarkeit seines Herzens ausdrücken, von überschwenglicher Verliebtheit schreiben und Angebote ewiger Ergebenheit machen wollen; aber um diese leidenschaftlichen, an mannigfachen Nuancen reichen Dinge zu sagen, fand er nur längst bekannte Phrasen und banale, plumpe, kindische Ausdrücke.

Also verzichtete er darauf, zu schreiben, und beschloß statt dessen, sie zu besuchen, sobald die Stunde für die Sitzung vorüber sei; denn er glaubte nicht, daß sie kommen werde.

So blieb er denn also in seinem Atelier und begeisterte sich vor dem Bild, wobei ihn das Verlangen kitzelte, die Lippen auf das Gemälde zu drücken, in dem etwas von ihr verharrte, und alle Augenblicke sah er durchs Fenster auf die Straße hinab. Alle von weitem sichtbaren Gestalten verursachten ihm Herzklopfen. Zwanzigmal glaubte er, sie zu erkennen, und wenn die betreffende Frau vorüber war, setzte er sich einen Augenblick, wie von der Enttäuschung übermannt.

Plötzlich sah er sie, zweifelte, nahm sein Opernglas, erkannte sie und mußte sich, fassungslos vor heftiger Erregung, niedersetzen, um sie zu erwarten.

Als sie eintrat, stürzte er vor ihr auf die Knie und wollte nach ihren Händen greifen; aber sie zog sie brüsk zurück, und da er, von Angst gepackt und die Augen zu ihr erhoben, zu ihren Füßen verharrte, sagte sie hoheitsvoll zu ihm:

»Was treiben Sie da, Monsieur? Ihr Benehmen ist mir unverständlich!«

Er stammelte:

»Oh, Madame, ich bitte Sie...«

Sie unterbrach ihn schroff.

»Stehen Sie auf, Sie machen sich lächerlich.«

Er erhob sich bestürzt und murmelte: »Was haben Sie? Behandeln Sie mich doch nicht so, ich liebe Sie . . .!«

Darauf teilte sie ihm in einigen raschen, dürren Worten ihren Willen mit und brachte die Situation in Ordnung.

»Ich verstehe nicht, was Sie sagen wollen! Sprechen Sie mir nie wieder von Ihrer Liebe, oder ich verlasse dies Atelier und komme nie wieder her. Sollten Sie auch nur ein einziges Mal diese Bedingung für meine Anwesenheit hier vergessen, werden Sie mich nicht wiedersehen.«

Er blickte sie an, verstört ob dieser Härte, die er nicht vorausgesehen hatte; dann begriff er und flüsterte:

»Ich gehorche, Madame.«

Sie antwortete:

»Gut, das hatte ich von Ihnen erwartet. Jetzt arbeiten Sie; es dauert reichlich lange, bis das Porträt fertig wird.«

So nahm er denn also seine Palette und begann zu malen; aber seine Hand zitterte, und seine getrübten Augen starrten, ohne zu sehen; am liebsten hätte er geweint, so sterbenselend war ihm zumute.

Er versuchte, sich mit ihr zu unterhalten; sie antwortete kaum. Als er ihr eine Schmeichelei über ihren Teint sagen wollte, wies sie ihn rasch und in einem so schneidenden Ton zurück, daß er unvermittelt von einem der Wutanfälle gepackt wurde, die bei Verliebten die Liebe in Haß verwandeln. In seiner Seele und in seinem Körper vollzog sich eine nervöse Erschütterung, so daß er sie plötzlich übergangslos verabscheute. Ja, ja, so war sie, diese Frau! Sie war genau wie die andern, genauso! Warum auch nicht? Sie war falsch, wankelmütig und schwach wie alle. Sie hatte ihn an sich gelockt, durch Dirnenlist verführt und versucht, ihn zu betören, ohne danach etwas zu geben; sie hatte ihn herausgefordert, um sich ihm danach zu verweigern, hatte sich aller Manöver feiger Kokotten bedient, die immer bereit scheinen, sich auszuziehen, solange der Mann, den sie zu etwas wie einem Straßenköter machen, nicht vor Begierde keucht.

Nun, dann war ihr eben nicht zu helfen; er hatte sie besessen, er hatte sie gehabt. Sie konnte ihren Körper mit einem Schwamm abwaschen und ihm unverschämt antworten; aber sie konnte nichts auslöschen, und er, er würde sie vergessen. Wirklich, er hätte eine schöne Dummheit begangen, sich eine Geliebte auf den Hals zu laden, die sein Künstlerleben mit den launischen Zähnen einer hübschen Frau zernagen würde.

Er hatte Lust zu pfeifen, wie er es in Gegenwart seiner Modelle tat; doch da er seine Nervosität wachsen fühlte und eine Dummheit zu begehen fürchtete, kürzte er die Sitzung unter dem Vorwand einer Verabredung ab. Als sie einander zum Abschied die Hand reichten, glaubten sie sich sicherlich einer vom andern weiter entfernt als an dem Tag ihrer ersten Begegnung bei der Herzogin de Mortemain.

Sobald sie gegangen war, nahm er Hut und Mantel und ging hinaus. Eine frostige Sonne an einem blauen nebelverhangenen Himmel warf ihr bleiches, ein wenig trügerisches und trauriges Licht auf die Stadt.

Nachdem er einige Zeit mit raschem, unverdrossenem Schritt umhergewandert war, wobei er die Vorübergehenden angerempelt hatte, um nicht von seinem Kurs abzuweichen, zerbröckelte sein großer Zorn gegen sie in Verzweiflung und Bedauern. Sämtliche ihr gemachten Vorwürfe hatte er sich wiederholt und nun, während er andere Frauen vorbeigehen sah, mußte er daran denken, wie schön und wie verführerisch sie war. Gleich vielen andern, die es sich nicht eingestehen, hatte er von je auf die unmögliche Begegnung gewartet, die seltene, einmalige, poetische und leidenschaftliche Liebe, deren Traum über unseren Herzen schwebt. Hatte er sie sich nicht entgehen lassen? War nicht sie es, die ihm dies nahezu unmögliche Glück geschenkt hätte? Warum also sollte es nicht Wirklichkeit werden können? Warum also sollte man nicht ergreifen können, was man verfolgte, oder erreichte man immer nur die Bezirke, die diese Jagd nach Trugbildern noch schmerzhafter machten?

Er zürnte der jungen Frau nicht mehr, sondern lediglich dem Leben selbst, nun er darüber nachdachte, warum er ihr denn eigentlich hätte zürnen sollen. Was konnte er ihr denn schließlich vorwerfen? Daß sie liebenswürdig, gut und freundlich zu ihm gewesen war – während sie ihm vorwerfen konnte, er habe sich wie ein Tunichtgut aufgeführt!

Bekümmert kehrte er heim. Er hätte sie um Verzeihung bitten, sich für sie opfern mögen, damit sie vergesse, und er überlegte, was er versuchen könne, um ihr begreiflich zu machen, wie gefügig er ihrem Willen von nun an bis zum Tod sein werde.

Nun jedoch erschien sie am nächsten Tag in Begleitung ihrer Tochter und mit so trübem Lächeln und so kummervollem Gesicht, daß der Maler in ihren armen blauen Augen, die bislang so fröhlich dreingeschaut hatten, alle Pein, alle Gewissensnöte und alle Verzweiflung dieses Frauenherzens zu lesen glaubte. Er fühlte sich von Mitleid durchdrungen, und um sie vergessen zu machen, befleißigte er sich ihr gegenüber in feiner Zurückhaltung der zartesten Zuvorkommenheit. Sie antwortete darauf sanft und gütig in der müden und gebrochenen Haltung einer Frau, die leidet.

Und als er sie so betrachtete und abermals von der aberwitzigen Vorstellung gepackt wurde, sie zu lieben und geliebt zu werden, fragte er sich, warum sie nicht ärgerlicher sei, warum sie mit dieser gemeinsamen Erinnerung noch wiederkommen, ihm zuhören und ihm antworten könne.

Seit dem Augenblick, da sie es über sich brachte, ihn wiederzusehen, seine Stimme zu hören und Auge in Auge mit ihm diesen einzigen Gedanken, der sie nicht verließ, ertragen zu können, seitdem hatte dieser Gedanke seine hassenswerte Unerträglichkeit eingebüßt. Wenn eine Frau den Mann, der ihr Gewalt angetan hat, haßt, so kann sie ihm nicht mehr gegenübertreten, ohne daß dieser Haß sich entlädt. Aber noch weniger kann dieser Mann sie gleichgültig lassen. Sie muß ihn verabscheuen oder ihm verzeihen. Und wenn sie verzeiht, dann ist sie nicht weit vom Lieben entfernt.

Indem er langsam weitermalte, durchdachte er dies alles mittels deutlicher, klarer und sicherer kleiner Beweise; er fühlte sich hellsichtig, stark und für den Augenblick als Herr der Ereignisse.

Er brauchte nur klug, geduldig und opferbereit zu sein, dann würde er sie eines Tages wiedergewinnen.

Er verstand sich aufs Warten. Um sie zu beruhigen und wiederzuerobern, wandte er Listen an: unter zur Schau getragenen Gewissensbissen verborgene Zärtlichkeiten, zögernde Aufmerksamkeiten und gleichmütiges Verhalten. In der Gewißheit des nahen Glücks war er gelassen; es machte ihm nichts aus, ob es ihm ein bißchen früher oder später zuteil werden würde. Er empfand sogar ein absonderliches und gesteigertes Vergnügen darin, nichts zu überhasten, sondern sie zu belauern und sich, wenn er sie jeden Tag mit ihrem Kind kommen sah, zu sagen: »Sie hat Angst!«

Er fühlte, daß sich eine langsame, mühevolle Wiederannäherung zwischen ihnen anbahnte und daß in den Blicken der Gräfin etwas Seltsames, Erzwungenes, sanft Schmerzliches auftauchte, der Ruf einer mit sich ringenden Seele, eines Willens, der schwach wird und zu sagen scheint: »Aber zwing mich doch!«

Seine Zurückhaltung hatte sie sicher gemacht; nach einiger Zeit kam sie wieder allein. Fortan behandelte er sie als Freundin, als Kameradin und erzählte ihr wie einem Bruder von seinem Leben, seinen Plänen und seiner Kunst.

Durch diese Ungezwungenheit ließ sie sich verleiten; ergriff mit Freuden die Rolle der Ratgeberin und fühlte sich geschmeichelt, daß er sie vor anderen Frauen auf diese Weise auszeichnete; sie war überzeugt, daß sein Talent durch diese intellektuelle Intimität an Erlesenheit gewinnen werde. Doch dadurch, daß er sie zu Rate zog und sich nachgiebig zeigte, leitete er sie unmerklich von den Aufgaben der Ratgeberin zum heiligen Amt der Muse über. Sie fand es reizvoll, ihren Einfluß auf den großen Mann auf solcherlei Weise zu vergrößern, und war nahezu einverstanden, daß er sie als Künstler liebte, weil sie seine Werke inspirierte. – Eines Abends, nach einer langen Unterhaltung über die Geliebten berühmter Maler, geschah es, daß sie sich in seine Arme gleiten ließ. Diesmal verblieb sie darin, suchte nicht zu entfliehen und erwiderte seine Küsse.

Fortan empfand sie keine Gewissensbisse mehr, sondern einzig das unbestimmte Gefühl einer Rangerniedrigung, und um den Vorwürfen ihrer Vernunft zu begegnen, glaubte sie an ein Verhängnis. Sie wurde zu ihm hingezogen durch ihr Herz, das jungfräulich war, durch ihre Seele, in der niemand wohnte, und ihren Leib, den die langsam wirkende Macht der Liebesbezeigungen besiegte; und so blieb sie allmählich hängen, wie auf Zärtlichkeit erpichte Frauen hängenbleiben, die zum erstenmal lieben.

Bei ihm gedieh dies alles zu einer Krisis glühender, sinnlicher und poetischer Liebe. Mitunter war ihm, als sei er eines Tages mit ausgestreckten Händen davongeflogen und hätte mit weiten Armen den herrlichen Traum umschlungen, der stets hoch über unseren Hoffnungen schwebt.

Er hatte das Porträt der Gräfin beendet, sicherlich das beste, das er jemals gemalt hatte, denn er hatte verstanden, das Unbestimmte, Unaussprechliche zu erfassen und festzuhalten, das kaum je ein Maler enthüllt: den Widerschein, das Geheimnis, den Ausdruck der Seele, der ungreifbar über das Antlitz streift.

Danach gingen dann Monate und Jahre hin und vermochten kaum das Band zu lockern, das die Gräfin de Guilleroy an den Maler Olivier Bertin band. Bei ihm war es nicht mehr der himmelstürmende Überschwang der ersten Zeit, sondern eine beschwichtigte, tiefe Zuneigung, eine Art liebender Freundschaft, die ihm zur Gewohnheit geworden war.

Bei ihr dagegen wuchs unablässig die leidenschaftliche Anhänglichkeit, die eigensinnige Anhänglichkeit, mit der gewisse Frauen sich einem Mann ganz und gar und für immer hingeben. Sie sind ehrlich und anständig im Ehebruch, wie sie in der Ehe hätten sein können, und weihen sich einer einzigen Liebe, von der sie nichts abzubringen vermag. Nicht allein, daß sie ihren Freund lieben: sie *wollen* ihn auch lieben, und da ihre Augen ausschließlich auf ihn gerichtet sind, ist ihr Herz so sehr von dem Gedanken an ihn erfüllt, daß es nichts anderes mehr aufnehmen kann. Sie haben ihr Leben aus freiem Entschluß gefesselt, wie man sich die Hände fesselt, ehe man von einer Brücke herab ins Wasser springt, wenn man weiß, daß man schwimmen kann, und sterben will.

Aber von dem Zeitpunkt an, da sich die Gräfin auf solcherlei Weise hingegeben hatte, wurde sie von Ängsten über Olivier Bertins Beständigkeit heimgesucht. Nichts band ihn als sein männlicher Wille, seine Verliebtheit, seine flüchtige Neigung für eine Frau, die ihm eines Tages begegnete, wie ihm schon so viele andere begegnet waren! Sie hielt ihn, der wie alle Männer ohne Verpflichtungen, ohne feste Gewohnheiten und ohne Gewissensbisse lebte, für so unabhängig und so leicht verführbar! Er sah gut aus, war berühmt und begehrt, hatte das rasch aufflackernde Begehren aller Frauen von Welt mit ihrer hinfälligen Zurückhaltung und alle Betthäschen und Theaterdämchen zur Verfügung, die gegen Leute gleich ihm mit ihrer Gunst überaus verschwenderisch umgehen. Eine von ihnen konnte ihn eines Abends nach dem Souper nicht aus den Augen lassen, ihm gefallen, ihn nehmen und behalten.

Sie lebte somit in steter Bangnis, ihn zu verlieren, und überwachte seine Gepflogenheiten und sein Verhalten; sie geriet außer sich durch ein Wort, sie verging vor Furcht, sobald er eine andere Frau mit bewundernden Blicken bedachte, den Reiz eines Gesichts oder die Anmut eines Gehabens rühmte. Alles, was ihr von seinem Leben unbekannt blieb, ließ sie erbeben, und alles, was sie davon wußte, schuf ihr Angst. Bei jedem Beisammensein setzte sie ihre Erfindungskraft ein und fragte ihn aus, ohne daß er es merkte, um seine Meinung über Leute, die er gesehen, über Häuser, in denen er gespeist, über seine geringsten Eindrücke zu vernehmen. Sobald sie andeutungsweise jemandes Einfluß zu erwittern glaubte, bekämpfte sie ihn mit erstaunlicher Verschlagenheit und mit zahllosen Mitteln.

Wie oft ahnte sie die kurzen, acht oder vierzehn Tage dauernden Liebeleien ohne tiefe Wurzeln voraus, die hin und wieder, wie sie wußte, im Dasein jedes Künstlers von Ruf auftauchen.

Sie besaß sozusagen ein intuitives Witterungsvermögen für die Gefahr; denn noch ehe sie ein neues Begehren in Olivier erwachen spürte, warnte sie etwas Festliches in seinen Augen und in seinem ganzen Gesicht, wie verliebte Gedanken es erzeugen.

Dann begann sie auf der Stelle zu leiden; die Qualen des Zweifels störten ihren Schlummer. Um ihn zu überraschen, besuchte sie ihn unangemeldet, stellte ihm dem Anschein nach unverfängliche Fragen, tastete sein Herz ab und horchte auf seine Gedanken, wie man tastet und horcht, um die verborgene Krankheit eines Menschen zu erkunden.

Und sobald sie allein war, weinte sie, überzeugt davon, daß er ihr diesmal genommen, daß ihr diese Liebe gestohlen werden würde, an der sie festhielt, weil sie sich mit allem Willen, aller Liebeskraft, allen Hoffnungen und allen Träumen dafür eingesetzt hatte.

Und wenn sie ihn nach dergleichen flüchtigen Trennungen zu sich zurückkommen spürte und wie etwas Verlorenes und Wiedergefundenes aufs neue nehmen und besitzen durfte, dann empfand sie ein stummes, tiefes Glück, das sie mitunter, wenn sie an einer Kirche vorbeiging, hineingehen und sich auf die Knie werfen ließ, um Gott zu danken.

Die Sorge, ihm immer und mehr als eine andere zu gefallen und ihn trotz allen für sich zu behalten, hatte aus ihrem Leben einen unablässigen Wettstreit der Koketterie gemacht. In einem fort hatte sie durch Anmut, Schönheit und Eleganz um ihn gekämpft. Sie wollte, daß man überall, wo er von ihr sprechen hörte, ihren Zauber, ihren Geschmack, ihren Geist und ihre Art, sich zu kleiden, rühmte. Um seinetwillen wollte sie anderen gefallen und sie hinreißen, damit er stolz und eifersüchtig auf sie sei. Und jedesmal, wenn sie ihn eifersüchtig vermeinte, nachdem sie ihn ein wenig hatte leiden lassen, gönnte sie ihm einen Triumph, der seine Liebe belebte, indem er seine Eitelkeit reizte.

Im Wissen, daß ein Mann in der Gesellschaft jeden Tag einer Frau begegnen konnte, deren körperliche Verführung mächtiger sein konnte, weil sie neu war, nahm sie ihr Zuflucht zu andern Mitteln; sie schmeichelte ihm und verwöhnte ihn.

Auf taktvolle Weise überschüttete sie ihn unaufhörlich mit Lob, wiegte ihn mit Ausdrücken der Bewunderung ein und umhüllte ihn mit Schmeicheleien, damit er überall sonst die Freundschaft und sogar die Liebe ein wenig kühl und unvollkommen finde, damit er, wenn andere ihn ebenfalls liebten, zu dem Schluß kam, daß ihn keine so verstehe wie sie.

Sie machte aus ihrem Haus, aus ihren beiden Salons, die er so oft betrat, eine Stätte, zu der sich sein Künstlerstolz ebenso hingezogen fühlte wie sein Mannesherz, diejenige Stätte in Paris, die er am liebsten aufsuchte, weil dort ausnahmslos all seine Begehrlichkeiten gestillt wurden.

Nicht allein, daß sie all seine Neigungen entdecken lernte und sie in ihrem Hause befriedigte, um ihm ein Wohlbehagen zuteil werden zu lassen, das nichts zu ersetzen vermochte; sie verstand sich überdies darauf, neue zu wecken, ihm sinnliche oder geistige Leckerbissen jeder Art zu verschaffen und gewöhnte ihn an unauffällige Fürsorge, an Liebe, Bewunderung und Schmeichelei! Sie bemühte sich, seine Augen durch Eleganz, seinen Geruchssinn durch Parfüms, sein Ohr durch Komplimente und seinen Mund durch erlesene Speisen zu verführen.

Aber indem sie in Seele und Sinne dieses egoistischen und gefeierten Junggesellen eine Fülle kleiner, tyrannischer Bedürfnisse pflanzte, indem sie die Gewißheit erlangte, daß keine Geliebte soviel Sorgfalt wie sie darauf verwenden würde, sie zu überwachen und zu erhalten, um ihn durch all diese feinen Lebensgenüsse zu fesseln, bekam sie plötzlich Angst, als sie merkte, wie er sich voller Widerwillen von seinem eigenen Heim abwandte, unaufhörlich über sein einsames Leben jammerte und, weil er zu ihr nur mit der von der Gesellschaft erzwungenen Zurückhaltung kommen konnte, häufig in den Klub ging und überall nach Mitteln suchte, um sich seine Einsamkeit weniger fühlbar zu machen; sie fürchtete, daß er womöglich daran dachte, zu heiraten.

An manchen Tagen litt sie so sehr an all diesen Aufregungen, daß sie das Alter herbeiwünschte, damit ihre Ängste ein Ende hätten und sie sich in einer abgekühlten, stillen Zuneigung ausruhen könne.

Indessen gingen die Jahre hin, ohne die beiden auseinanderzubringen. Die von ihr zusammengefügte Kette war haltbar, und die Gräfin erneuerte die Glieder, je nachdem sie sich abnutzten. Doch sie war noch immer in Sorge; sie überwachte das Herz des Malers, wie man auf ein Kind aufpaßt, das eine sehr belebte Straße überquert, und nach wie vor fürchtete sie jeden Tag das unbekannte Geschehnis, dessen Drohung stets über uns hängt.

Der Graf hegte keinerlei Verdacht und war ohne Eifersucht; ihm erschien diese innige Freundschaft zwischen seiner Frau und einem berühmten Künstler, der überall mit großer Zuvorkommenheit empfangen wurde, als etwas ganz Natürliches. Und dadurch, daß die beiden Männer einander häufig sahen und sich aneinander gewöhnten, waren sie schließlich gute Freunde geworden.

## II

Als Bertin am Freitagabend zu seiner Freundin kam, von der er zu einem kleinen Festessen anläßlich Annette de Guilleroys Heimkehr geladen worden war, fand er in dem kleinen Louis-

Quinze-Salon nur Monsieur de Musadieu, der unmittelbar vor ihm gekommen war.

Monsieur de Musadieu war ein alter, geistvoller Herr, der vielleicht ein Mann von Bedeutung hätte werden können und sich nicht darüber hinwegtrösten konnte, daß er es nicht geworden war.

Obwohl ehemaliger Konservator der kaiserlichen Museen, hatte er dennoch Mittel und Wege gefunden, sich unter der Republik zum Leiter der Gemäldegalerien wiederernennen zu lassen, was ihn nicht hinderte, vor allem der Freund von Fürstlichkeiten, von Prinzen, Prinzessinnen und Herzoginnen der europäischen Aristokratie und der geschworene Gönner von Künstlern jeder Art zu sein. Er besaß eine rasche Auffassungsgabe und die Fähigkeit, mit einem flüchtigen Blick alles zu überschauen, war von großer Beredsamkeit, die ihm erlaubte, die belanglosesten Dinge auf eine angenehme Weise zu sagen, von einer Anpassungsfähigkeit, die ihm gestattete, sich in jedem Kreis wohlzufühlen, und überdies verfügte er über die feine Witterung des Diplomaten, so daß er die Leute beim ersten Sehen zu beurteilen vermochte; und so führte er denn seine unnütze und geschwätzige, aber funkelnde und aufgeklärte Betriebsamkeit Tag für Tag und Abend für Abend von Salon zu Salon spazieren.

Er war, so schien es, in allen Sätteln erfahren; er redete über alles mit dem Anschein fesselnder Zuständigkeit und einer Allgemeinverständlichkeit, die ihn bei den Frauen von Welt ungeheuer beliebt machte; er diente ihnen gewissermaßen als ein flie gender Basar gelehrten Wissens. Er wußte tatsächlich viel, ohne je etwas anderes als die unerläßlichsten Bücher gelesen zu haben; aber er stand auf bestem Fuß mit den fünf Akademien, mit allen Wissenschaftlern, allen Schriftstellern und allen Fachgelehrten, denen er mit wachem Unterscheidungsvermögen Gehör schenkte. Die allzu speziellen und für seine Zuhörer unbrauchbaren Ausdrücke wußte er rasch zu vergessen, die übrigen dagegen zu behalten und diesen zusammengestoppelten Kenntnissen eine gefällige, klare und wohlanständige Form zu verleihen, die sie so leicht verständlich machten wie phantastische Geschichten mit wissenschaftlichem Einschlag. Er wirkte wie ein Ideenspeicher, wie eins der riesigen Warenhäuser, in denen man nie seltene Dinge antrifft, dagegen alle sonstigen jeder Art und jeden Ursprungs, von Haushaltsgegenständen bis zu den gängigen Artikeln der unterhaltenden Physik oder der häuslichen Arzneikunst, im Überfluß und zu billigen Preisen.

Die Maler, mit denen er aufgrund seiner Dienststellung in Verbindung stand, machten sich über ihn lustig und fürchteten ihn. Übrigens erwies er sich ihnen gefällig; er sorgte für den Verkauf ihrer Bilder, führte sie in die große Welt ein, stellte sie gern vor, begönnerte sie, machte sie bekannt, schien sich einem geheimnisvollen Werk der Verschmelzung zwischen der guten Gesellschaft und den Künstlern zu weihen und rühmte sich, diese sehr gut zu kennen und mit jenen auf vertrautem Fuß zu stehen, mit dem Prinzen von Wales, der sich vorübergehend in Paris aufhielt, zu Mittag zu essen und am selben Abend mit Paul Adelmans, Olivier Bertin und Amaury Maldant zu speisen.

Bertin, der ihn recht gern hatte, fand ihn kurios und nannte ihn: »Die Enzyklopädie, von Jules Verne zusammengestellt und in Eselshaut gebunden!«

Die beiden Männer schüttelten sich die Hände und begannen über die politische Lage zu sprechen, über die Kriegsgerüchte, die Musadieu für beunruhigend hielt, weil Deutschland aus naheliegenden Gründen, die er beredt auseinandersetzte, das größte Interesse habe, Frankreich zu vernichten und diesen seit achtzehn Jahren von Herrn von Bismarck herbeigesehnten Augenblick zu beschleunigen; während Olivier Bertin durch unwiderlegliche Argumente bewies, daß diese Befürchtungen Hirngespinste seien, da Deutschland nicht so irrsinnig sein werde, seine Errungenschaften in einem stets zweifelhaften Abenteuer aufs Spiel zu setzen, und der Kanzler nicht so unklug, in seinen letzten Lebenstagen sein Werk und seinen Ruhm mit einem Schlag in Gefahr zu bringen. – Monsieur de Musadieu schien indessen Dinge zu wissen, die er nicht sagen wollte. Übrigens hatte er im Laufe des Tages einen Minister gesprochen und war am gestrigen Abend mit dem aus Cannes zurückgekehrten Großfürsten Wladimir zusammengetroffen.

Der Künstler verharrte auf seinem Standpunkt und focht mit gelassenem Spott die Kompetenz auch der bestinformierten

Leute an. Hinter all diesen Gerüchten würden lediglich einige Börsenmanöver vorbereitet! Allenfalls Herr von Bismarck mochte vielleicht eine feste Meinung darüber haben.

Jetzt trat Monsieur de Guilleroy ein, schüttelte ihnen eifrig die Hände und entschuldigte sich in salbungsvollen Worten, daß er sie allein gelassen habe.

»Und Sie, Herr Abgeordneter«, fragte der Maler, »was halten Sie von den Kriegsgerüchten?«

Monsieur de Guilleroy stürzte sich in eine Rede. Als Mitglied der Kammer wisse er davon mehr als irgend jemand anders, allerdings sei er nicht derselben Ansicht wie die meisten seiner Kollegen. Nein, er glaube nicht an die Wahrscheinlichkeit eines unmittelbar bevorstehenden Konflikts, zumindest nicht, wenn er nicht durch das französische Ungestüm und durch die Prahlereien der sogenannten Patrioten der Liga herausgefordert werde. Er entwarf von Herrn von Bismarck in großen Zügen ein Porträt im Stil Saint-Simons. Man wolle diesen Mann nicht verstehen, weil man anderen stets seine eigene Denkart zuschreibe und sie zu allem fähig glaube, was man selber an ihrer Stelle tun würde. Herr von Bismarck sei kein hinterhältiger, lügnerischer Diplomat, sondern geradezu und rücksichtslos, einer, der immer die Wahrheit laut herausschreie und seine Absichten stets im voraus ankündige. »Ich will den Frieden«, habe er gesagt; das sei wahr, er wolle den Frieden, nichts als den Frieden, und das zeige sich seit achtzehn Jahren auf eine in die Augen fallende Art und Weise in allem, in seinen Rüstungen, seinen Bündnissen, in dem Bund der Völker gegen unser Ungestüm. Monsieur de Guilleroy schloß in tief überzeugtem Ton: »Er ist ein großer Mann, ein sehr großer Mann, der die Ruhe wünscht, jedoch nur an Drohungen und Gewaltmittel glaubt, um sie zu erhalten. Alles in allem, meine Herren, ein großer Barbar.«

»Wer strebt nach dem Ziel, fragt nach den Mitteln nicht viel«, sagte Monsieur de Musadieu. »Ich räume Ihnen gern ein, daß er den Frieden wünscht, wenn Sie mir zugestehen, daß er, um ihn zu erhalten, immer zum Krieg aufgelegt ist. Es ist übrigens eine unbestreitbare, phänomenale Wahrheit, daß in dieser Welt nur für den Frieden Krieg geführt wird.«

Ein Diener meldete: »Die Frau Herzogin de Mortemain.«

In den beiden Flügeln der geöffneten Tür erschien eine große, füllige Dame, die würdevoll eintrat.

Guilleroy stürzte vor, küßte ihre Fingerspitzen und fragte: »Wie befinden Sie sich, Frau Herzogin?«

Die beiden anderen Männer begrüßten sie mit einer gewissen vornehmen Vertraulichkeit, denn die Herzogin hatte ein herzliches, wenn auch etwas barsches Wesen.

Sie war die Witwe des Generals Herzog de Mortemain, Mutter einer einzigen Tochter, die mit dem Prinzen von Salia verheiratet war, Tochter des Marquis de Farandal, von hoher Abkunft und königlich reich; sie empfing in ihrem Stadtpalais in der Rue de Varenne alle Berühmtheiten der ganzen Welt; sie trafen sich bei ihr und machten einander Komplimente. Keine Hoheit kam durch Paris, ohne bei ihr zu speisen, und kein Mann konnte von sich reden machen, ohne daß sie alsbald den Wunsch geäußert hätte, ihn kennenzulernen. Sie mußte ihn bei sich sehen, zum Reden bringen und beurteilen. Das vertrieb ihr die Zeit, brachte Bewegung in ihr Leben und nährte die Flamme hochmütiger und wohlwollender Neugier, die in ihr brannte.

Kaum hatte sie sich gesetzt, als derselbe Diener rief: »Baron und Baronin de Corbelle.« – Beide waren jung, der Baron kahl und dick, die Baronin zart, elegant und sehr braun.

Dieses Paar nahm eine besondere Stellung in der französischen Aristokratie ein, und es verdankte sie einzig und allein der peinlich genauen Wahl seines Umgangs. Sie gehörten dem kleinen Adel an, waren nichtig, ohne Geist und wurden in allem, was sie taten, lediglich von einer hemmungslosen Vorliebe für alles Feine, Schickliche und Vornehme angetrieben; dadurch, daß sie nur die fürstlichen Häuser besuchten, daß sie ihre königstreue, fromme und in höchstem Grade korrekte Gesinnung zur Schau trugen, daß sie alles verehrten, was verehrt werden muß, alles verachteten, was verachtet werden muß, und daß sie sich nie in einem Punkt der mondänen Glaubenssätze irrten und nie über eine Kleinigkeit der Etikette schwankten, war es ihnen gelungen, in den Augen der Gesellschaft als die erlesene Blüte der Hautevolee angesehen zu werden. Ihre Meinung bildete eine Art Kodex des Schicklichen, und ihre Anwesenheit in einem Haus gab diesem den wahren Beweis hochachtbaren Ranges.

Die Corbelles waren Verwandte des Grafen de Guilleroy.

»Nun«, fragte die Herzogin verwundert, »und Ihre Frau?«

»Einen Augenblick, einen kleinen Augenblick«, bat der Graf. »Es gibt eine Überraschung, sie wird gleich kommen.«

Als Madame de Guilleroy einen Monat verheiratet gewesen und in die Gesellschaft eingeführt worden war, wurde sie der Herzogin de Mortemain vorgestellt, die sie sofort ins Herz schloß, mit Beschlag belegte und begönnerte.

Seit zwanzig Jahren hatte sich an dieser Freundschaft nichts geändert, und wenn die Herzogin »mein liebes Kind« sagte, vernahm man in ihrer Stimme noch die Rührung ob dieser jäh über sie hereingebrochenen und beharrlichen Schrulle. In ihrem Hause hatte die Begegnung des Malers mit der Gräfin stattgefunden.

Musadieu war zu ihr getreten und fragte: »Haben Frau Herzogin die Ausstellung der Maßlosen gesehen?«

»Nein, was ist das?«

»Ein Kreis neuer Künstler, Impressionisten im Rauschzustand. Es befinden sich darunter zwei sehr starke Begabungen.«

Die große Dame murmelte geringschätzig:

»Für die Späße dieser Herren habe ich nichts übrig.«

Sie war autoritär und schroff, ließ kaum eine andere Meinung als ihre eigene gelten, gründete diese einzig und allein auf das Bewußtsein ihrer gesellschaftlichen Stellung und erblickte, ohne sich darüber Rechenschaft zu geben, in den Künstlern und Gelehrten geistige Mietlinge, die von Gott beauftragt sind, die vornehme Welt zu unterhalten oder ihr zu Diensten zu sein; und so fällte sie ihre Urteile nur nach dem Grad der Verwunderung und des unmittelbaren Vergnügens, die ihr der Anblick einer Sache, die Lektüre eines Buches oder der Bericht über eine Entdeckung bereiteten.

Sie war stattlich, stark, schwer, rot, hatte eine laute Stimme und galt als großzügig und überlegen, weil nichts sie aus der Fassung brachte, weil sie alles zu sagen wagte und alle Welt begönnerte; sie entthronte Fürsten durch die Empfänge ihnen zu Ehren und sogar den Allmächtigen durch ihre Spenden an die Geistlichkeit und ihre Gaben an die Kirchen.

Musadieu begann von neuem:

»Wissen Frau Herzogin, daß man den Mörder der Marie Lambourg hinter Schloß und Riegel zu haben glaubt?«

Da erwachte ihr Interesse, und sie antwortete:

»Nein, erzählen Sie mir davon!«

Und er berichtete die Einzelheiten. Er war hochgewachsen und sehr mager, trug eine weiße Weste und kleine Brillanten als Hemdknöpfe; er sprach ohne Handbewegungen und mit einem korrekten Ausdruck, der ihm erlaubte, die gewagtesten Dinge zu äußern, was seine Spezialität war. Er war sehr kurzsichtig und schien trotz seines Pincenez nie jemanden zu sehen, und wenn er sich setzte, hätte man meinen können, sein Knochengerüst biege sich der Form des Sessels entsprechend. Sein eingeknickter Oberkörper wurde ganz klein und sackte zusammen, als bestehe seine Wirbelsäule aus Gummi; seine übereinandergeschlagenen Beine sahen wie zwei zusammengewickelte Bänder aus, und seine langen Arme, die auf den Sessellehnen lagen, ließen bleiche Hände mit unendlich langen Fingern herabhängen. Sein Haar und sein Schnurrbart waren kunstvoll gefärbt, und die darin geschickt vergessenen weißen Strähnen bildeten den Gegenstand häufiger Spötterei.

Als er der Herzogin gerade auseinandersetzte, der mutmaßliche Mörder habe den Schmuck der ermordeten Prostituierten einem anderen Mädchen von leichten Sitten geschenkt, öffnete sich die Tür des großen Salons abermals ganz weit, und zwei blonde, einander wie zwei Schwestern verschiedenen Alters gleiche Damen in schaumigen Mechelner Spitzen, die eine etwas zu reif, die andere etwas zu jung, die eine etwas zu stark, die andere etwas zu schlank, traten Arm in Arm lächelnd ein.

Alle taten Ausrufe und klatschten Beifall. Keiner außer Olivier Bertin wußte um Annette de Guilleroys Heimkehr, und das Erscheinen des jungen Mädchens an der Seite der Mutter, die aus einiger Entfernung fast ebenso frisch und sogar schöner wirkte, denn in ihrer übervollen Erblühtheit erregte sie immer noch Aufsehen, während das kaum entfaltete Kind erst hübsch zu werden begann, brachte es mit sich, daß sie beide bezaubernd wirkten.

Die Herzogin klatschte entzückt in die Hände und rief: »Mein Gott! Wie entzückend und reizend eine neben der anderen! Sehen Sie nur, Monsieur de Musadieu, wie sie einander ähneln!«

Sie wurden verglichen, und alsbald bildeten sich zwei Meinungen. Nach Musadieu, den Corbelles und dem Grafen de

Guilleroy ähnelten sich die Gräfin und ihre Tochter nur im Teint, dem Haar und zumal den Augen, die bei beiden völlig gleich waren, nämlich mit schwarzen Pünktchen gesprenkelt, die wie winzige, auf die blaue Iris gespritzte Tintentropfen aussahen. Aber binnen kurzem, wenn das junge Mädchen zur Frau geworden war, würden sie einander kaum noch ähnlich sehen.

Dagegen waren sie nach Meinung der Herzogin und Olivier Bertins einander völlig ähnlich, und nur der Altersunterschied ließ sie ungleich erscheinen.

Der Maler sagte:

»Wie hat sie sich innerhalb dreier Jahre verändert! Ich hätte sie nicht wiedererkannt und würde es nicht mehr wagen, sie zu duzen.«

Die Gräfin begann zu lachen.

»Ach, warum nicht gar! Das möchte ich erleben, wenn Sie zu Annette Sie sagen.«

Das junge Mädchen, dessen künftige Mutwilligkeit schon hinter schüchtern-schalkhaften Zügen sichtbar wurde, erwiderte:

»Ich jedenfalls könnte es nicht mehr wagen, Monsieur Bertin zu duzen.«

Die Mutter lachte.

»Bleib nur bei dieser schlimmen Angewohnheit, ich erlaube es dir. Ihr werdet eure Bekanntschaft bald aufgefrischt haben.«

Aber Annette schüttelte den Kopf.

»Nein, nein. Da hätte ich Hemmungen.«

Nachdem die Herzogin sie geküßt hatte, unterzog sie als interessierte Kennerin das junge Mädchen einer Prüfung.

»Jetzt, mein Kind, schau mir mal ins Gesicht. Ja, du hast ganz genau denselben Blick wie deine Mutter; in einiger Zeit, wenn du etwas an Fülle gewonnen hast, wirst du nicht übel aussehen. Man muß dich ein wenig herausfüttern, nicht viel, aber ein bißchen; du bist ein Magerchen.«

Die Gräfin rief: »Oh, sagen Sie das nicht.«

»Und warum nicht?«

»Es ist so angenehm, schlank zu sein! Ich selber versuche ja abzumagern.«

Doch Madame de Mortemain wurde ärgerlich und vergaß in ihrem lebhaften Zorn, daß ein junges Mädchen anwesend sei.

»Immer dasselbe! Immer diese Haut-und-Knochen-Mode, weil sich die Knochen besser als das Fleisch behängen lassen. Ich gehöre zur Generation der üppigen Frauen! Heute ist die Generation der mageren Frauen dran. Das erinnert mich an die ägyptischen Kühe. Wahrhaftig, ich verstehe die Leute nicht, die so tun, als bewunderten sie eure Gerippe. Zu unserer Zeit wurde mehr verlangt.«

Sie verstummte, weil alle lächelten, und fuhr dann fort:

»Sieh dir deine Mama an, Kleines, sie wirkt vortrefflich, gerade recht, eifere ihr nach.«

Es wurde ins Eßzimmer hinübergegangen. Als alle Platz genommen hatten, nahm Musadieu die Unterhaltung wieder auf.

»Ich sage, die Männer sollten mager sein, weil sie für Arbeiten geschaffen sind, die Gewandtheit und Behendigkeit erfordern und mit einem Bauch unvereinbar sind. Bei den Frauen liegen die Dinge etwas anders. Ist das nicht auch Ihre Meinung, Corbelle?«

Corbelle war ratlos, da die Herzogin dick und seine eigene Frau mehr als schmächtig war! Aber die Baronin kam ihrem Gatten zu Hilfe und erklärte sich entschlossen für Schlankheit. Im vergangenen Jahr habe sie gegen eine beginnende Fülle ankämpfen müssen, deren sie indessen schnell Herr geworden sei.

Madame de Guilleroy fragte:

»Erzählen Sie mir doch, wie Sie das angefangen haben?«

Und die Baronin setzte ihr die von allen eleganten Frauen der heutigen Zeit angewandte Methode auseinander. Nicht zum Essen trinken. Nur eine Stunde nach der Mahlzeit dürfe man sich eine Tasse sehr heißen, kochendheißen Tee gestatten. Das wirke bei jedem. Sie führte erstaunliche Beispiele von dick gewordenen Frauen an, die innerhalb dreier Monate schmaler als Messerklingen geworden seien. Die im höchsten Grade aufgebrachte Herzogin rief:

»Mein Gott! Wie dumm, sich so zu quälen! Sie machen sich aus nichts, aber auch aus gar nichts etwas, nicht einmal aus Champagner. Hören Sie, Bertin, Sie sind Künstler, wie denken Sie darüber?«

»Ach, Madame, ich bin Maler, ich drapiere, mir ist es einerlei. Wenn ich Bildhauer wäre, würde ich die Hände ringen.«

»Und was ziehen Sie als Mann vor?«

»Ich ...? Eine ... etwas füllige Eleganz, das, was meine Köchin ein gut im Futter stehendes Huhn nennt. Nicht fett, aber rundlich und zart.«

Der Vergleich rief Gelächter hervor, aber die Gräfin musterte ungläubig ihre Tochter und flüsterte:

»Nein, nein, es ist sehr hübsch, schlank zu sein; Frauen, die schlank bleiben, altern nicht.«

Über diesen Punkt erhoben sich abermals unterschiedliche Meinungen, und wiederum teilte sich die Gesellschaft. Alle waren sich jedoch dahingehend einig, daß eine sehr füllige Frau nicht gar zu rasch abnehmen dürfe.

Diese Bemerkung bot Gelegenheit, bekannte Damen der Gesellschaft Revue passieren zu lassen und gab Anlaß zu neuen Streitereien über ihre Anmut, ihren Geschmack und ihre Schönheit. Musadieu hielt die blonde Marquise de Lochrist für unvergleichlich bezaubernd, während Bertin meinte, der mit ihr rivalisierenden Madame Mandelière mit der niedrigen Stirn, den dunklen Augen und dem ein wenig großen Mund, in dem die Zähne zu leuchten schienen, könne keine das Wasser reichen.

Er hatte sich neben das junge Mädchen gesetzt und wandte sich plötzlich an sie:

»Hör gut zu, Nannette. Alles, was wir hier reden, wirst du jede Woche mindestens einmal zu hören bekommen, bis du alt bist. Innerhalb von acht Tagen wirst du auswendig wissen, was man in der Gesellschaft über Politik, Frauen, Theaterstücke und alles übrige denkt. Man braucht bloß die Namen der Leute oder die Titel der Werke von Zeit zu Zeit auszutauschen. Wenn du uns alle unsere Meinung hast darlegen und verteidigen hören, dann brauchst du dir einfach unter denen, die man haben muß, deine eigene auszuwählen, und dann erübrigt es sich für dich, je wieder zu denken, und du kannst dich ausruhen.«

Ohne zu antworten, warf die Kleine ihm einen schelmischen Blick zu, in dem eine junge, wachsame Intelligenz lauerte; sie wurde noch am Gängelband geführt, war aber auf dem Sprung, sich frei zu machen.

Die Herzogin und Musadieu, die mit Gedanken spielten, wie man Ball spielt, ohne zu merken, daß sie einander stets dieselben

Bälle zuwarfen, protestierten im Namen des menschlichen Geistes und Tätigkeitsdranges.

Daraufhin bemühte sich Bertin, auseinanderzusetzen, wie bedeutungslos, ohne Nährkraft und ohne Tragweite die Intelligenz selbst der bestgebildeten Leute von Welt sei, wie armselig und wie schwach begründet ihre Anschauungen sein, und gleichzeitig die Beachtung, die sie allem Geistigen zollten, wie sprunghaft und zweifelhaft ihre Geschmacksrichtungen.

Es hatte ihn einer der Anfälle gerechter Entrüstung gegen das halb Wahre, halb Ausgesprochene gepackt, die zuerst das Verlangen zu reden hervorrufen und dann plötzlich ein klares Urteilsvermögen zum Aufleuchten bringen, das für gewöhnlich durch Wohlwollen verdunkelt wird; er legte dar, wie Leute, deren einzige Beschäftigung im Leben darin besteht, Besuche zu machen und in der Stadt zu Abend zu essen, durch ein unaufhaltsames Verhängnis zu angenehmen und hübschen, aber alltäglichen Geschöpfen würden, die sich irgendwie durch Sorgen, Meinungen und oberflächliche Neigungen antreiben ließen.

Er legte dar, daß nichts an ihnen tief, leidenschaftlich und ernsthaft, daß ihre geistige Entwicklung gleich Null und ihre Gelehrsamkeit nichts als ein simpler Firnis sei, und daß sie daher alles in allem Marionetten blieben, die den Anschein erweckten und so täten, als seien sie auserlesene Geschöpfe, was indessen durchaus nicht der Fall sei. Er bewies, daß sie, da die schwächlichen Wurzeln ihrer Instinkte in den Konventionen und nicht im wirklichen Leben steckten, daß sie nichts wahrhaft liebten, daß sogar der Luxus ihres Daseins nur eine Befriedigung der Eitelkeit und nicht eines raffinierten körperlichen Verlangens sei, denn man speise bei ihnen schlecht und man trinke schlechte, wenngleich sehr teuer bezahlte Weine.

»Sie leben neben allem her«, sagte er, »ohne etwas zu sehen und etwas zu ergründen; neben der Wissenschaft, von der sie keine Ahnung haben; neben der Natur, die sie nicht zu betrachten verstehen; neben dem Glück, weil sie außerstande sind, sich leidenschaftlich an etwas zu erfreuen; neben der Schönheit der Erde oder der Schönheit der Kunst, von der sie sprechen, ohne sie wahrgenommen zu haben und sogar ohne daran zu glauben, denn sie wissen nichts von dem Rausch, den der Genuß der Freuden des Lebens und des Geistes mit sich bringt. Sie sind außerstande, sich mit etwas so lange zu beschäftigen, bis sie es, und einzig dieses, lieben, und sich für etwas so lange interessieren, bis sie durch das Glück des Begreifens erleuchtet werden.«

Der Baron de Corbelle glaubte die gute Gesellschaft verteidigen zu müssen.

Er tat es mit haltlosen und leicht widerlegbaren Argumenten, mit Argumenten, die vor der Vernunft wie Schnee am Feuer schmelzen und die alles andere als handgreiflich sind, mit den abgeschmackten und jubelnden Argumenten eines Landgeistlichen, der das Dasein Gottes beweisen möchte. Am Ende verglich er die Herren und Damen der Gesellschaft mit Rennpferden, die im Grunde zu nichts dienten, aber den Ruhm der Pferderasse ausmachten.

Bertin, der vor diesem Gegner in Verlegenheit geriet, bewahrte jetzt ein geringschätziges, höfliches Schweigen. Doch plötzlich ärgerte ihn die Dummheit des Barons, und indem er sich geschickt in Corbelles Rede einschaltete, schilderte er, vom Aufstehen bis zum Schlafengehen und ohne etwas auszulassen, das Leben eines wohlerzogenen Mannes.

Alle diese fein erfaßten Einzelheiten zeichneten ein unwiderstehlich komisches Bild. Man sah den Herrn, nachdem er von seinem Kammerdiener angekleidet worden war, wie er zuerst gegenüber dem Friseur, der ihn rasieren kam, einige allgemeine Ideen äußerte, wie er dann vor Antritt des morgendlichen Spazierritts die Stallknechte über die Gesundheit der Pferde befragte, dann durch die Alleen des Bois trabte, einzig von der Sorge bewegt, zu grüßen und gegrüßt zu werden, dann mit seiner ihm gegenübersitzenden Frau zu Mittag aß, mit ihr ausfuhr, wobei sie diesmal neben ihm saß, und seine Unterhaltung mit ihr darauf beschränkte, die Namen der am Morgen gesehenen Leute aufzuzählen, dann bis zum Abend von Salon zu Salon ging, um seinen Geist im Gespräch mit seinesgleichen zu stählen, schließlich bei einem Fürsten zu Abend aß, wobei über die Lage Europas geredet wurde, und endlich den Abend im Ballettsaal der Oper beschloß, wo seine bescheidenen Ansprüche als Lebemann auf harmlose Weise durch den Anblick einer augenscheinlich zweideutigen Stätte befriedigt wurden.

Das Bild war so treffend, ohne mit seiner Ironie jemand zu verletzen, daß die ganze Tischgesellschaft lachte.

Die von der unterdrückten Heiterkeit einer beleibten Dame geschüttelte Herzogin bekam einen diskreten Schluckauf. Schließlich sagte sie: »Nein, wirklich, es ist zu komisch, Sie bringen mich um, so muß ich lachen.«

Bertin erwiderte sehr angeregt:

»Oh, Madame, in der guten Gesellschaft stirbt man nicht vor Lachen. Man lacht ja kaum. Taktvollerweise besitzt man die Gefälligkeit, so zu tun, als unterhalte man sich, und tut, als lache man. Man ahmt die Grimassen ziemlich gut nach, aber man tut es niemals wirklich. Gehen Sie in die volkstümlichen Theater, dort können Sie erleben, was lachen heißt. Gehen Sie zu den schlichten Bürgersleuten, wenn sie sich amüsieren, dort können Sie es erleben, daß gelacht wird, bis den Leuten die Luft wegbleibt! Gehen Sie in die Kasernenstuben, dort können Sie erleben, wie die Männer vor Lachen beinahe ersticken und sich, die Augen voller Tränen, bei den Witzen eines Spaßmachers auf dem Bett wälzen. Aber in unseren Salons wird nicht gelacht. Ich sage Ihnen, daß man dort den Anschein von allem zu erwecken versteht, selbst den des Lachens.«

Musadieu unterbrach ihn:

»Verzeihung, Sie sind sehr streng. Sie selber, mein Lieber, scheinen doch die Gesellschaft, über die Sie sich so trefflich lustig machen, nicht zu verachten.«

Bertin lächelte.

»Ich? Ich schwärme dafür.«

»Ja, und?«

»Ich verachte mich ein wenig, als sei ich ein Bastard von zweifelhafter Rasse.«

»Das alles ist nur Pose«, sagte die Herzogin.

Und als er das bestritt, beendete sie die Unterhaltung, indem sie erklärte, alle Künstler möchten den Leuten gern weismachen, der Teufel sei ein Eichhörnchen.

Die Unterhaltung wurde jetzt allgemein, streifte alltäglich und gelassen, freundschaftlich und taktvoll alles nur Erdenkliche, und da sich das Essen dem Ende näherte, rief die Gräfin und wies dabei auf die vor ihr stehenden vollen Gläser:

»Da, ich habe nichts getrunken, keinen Tropfen, jetzt werden wir sehen, ob ich abnehme.«

Die aufgebrachte Herzogin wollte sie zwingen, wenigstens einen Schluck Mineralwasser zu trinken, und da sie sich vergeblich bemühte, rief sie aus: »Oh, wie dumm von ihr! Ihre Tochter wird ihr noch den Kopf verdrehen. Ich flehe Sie an, Guilleroy, verhindern Sie, daß Ihre Frau diese Dummheit begeht.«

Der Graf, der eben dabei war, Musadieu das System einer in Amerika erfundenen Dreschmaschine zu erklären, hatte nicht zugehört.

»Welche Dummheit denn, Frau Herzogin?«

»Die Dummheit, abnehmen zu wollen.«

Er warf seiner Frau einen wohlwollenden und gleichgültigen Blick zu. – »Leider bin ich es nicht gewohnt, ihr zu widersprechen.«

Die Gräfin hatte sich erhoben und den Arm ihres Nachbarn genommen, der Graf bot den seinen der Herzogin, und so gingen sie in den großen Saal hinüber, da das anstoßende Boudoir den Tagesempfängen vorbehalten war.

Der Salon war ein sehr großer und sehr heller Raum. An den vier Wänden erhielten große und schöne Bespannungen von blaßblauer Seide mit altertümlichen Mustern in weiß-goldenen Rahmen durch das Licht der Lampen und des Kronleuchters einen sanften und zugleich lebhaften bleichen Glanz. In der Mitte der Hauptwand schien das von Olivier Bertin gemalte Porträt der Gräfin heimisch zu sein und das Zimmer zu beleben. Es war dort zu Hause und teilte sogar der Luft im Salon das Lächeln der jungen Frau, den Zauber ihres Blickes und den lieblichen Reiz ihres blonden Haars mit. Übrigens war es fast eine Gewohnheit, eine Art Bekundung der Höflichkeit geworden – wie man beim Besuch von Kirchen das Kreuz schlägt –, dem Modell vor dem Werk des Malers jedesmal, wenn man davor stehenblieb, Komplimente zu machen.

Musadieu versäumte es nie. Da seine Meinung als staatsbevollmächtigter Kenner den Wert eines amtlichen Gutachtens hatte, machte er es sich zur Pflicht, häufig mit überzeugenden Worten die Unübertrefflichkeit des Gemäldes zu bestätigen.

»Wirklich«, sagte er, »es ist das schönste Porträt unserer Zeit, das ich kenne. Es atmet erstaunlich viel Leben.«

Der Graf de Guilleroy, bei dem durch die Gewohnheit, das Gemälde rühmen zu hören, sich die feste Überzeugung eingewurzelt hatte, er besitze ein Meisterwerk, trat näher, um ihn noch zu überbieten, und ein oder zwei Minuten lang häuften sie alle gebräuchlichen Fachausdrücke, um die augenscheinlichen und vermeintlichen Vorzüge des Bildes zu rühmen.

Aller Augen blickten zur Wand hinauf und schienen verzückt vor Bewunderung, und Olivier Bertin, der an diese Lobreden gewöhnt war und ihnen kaum mehr Beachtung schenkte als Fragen über die Gesundheit, wenn man sich auf der Straße trifft, rückte derweile die Lampe vor das Bild, um es besser zu beleuchten, weil der Diener sie aus Nachlässigkeit ein wenig abseits gestellt hatte.

Dann setzten sich alle, und die Herzogin sagte zu dem Grafen, der sich zu ihr gesellt hatte:

»Ich glaube, mein Neffe wird mich abholen und Sie um eine Tasse Tee bitten.«

Seit einiger Zeit waren sie einander in ihren Wünschen begegnet und hatten sie erraten, ohne daß sie sich auch nur andeutungsweise anvertraut hätten.

Der Bruder der Herzogin de Mortemain, der Marquis de Farandal, war, nachdem er sich fast völlig durch das Spiel ruiniert hatte, durch einen Sturz vom Pferd gestorben und hatte eine Witwe und einen Sohn hinterlassen. Mit seinen jetzt achtundzwanzig Jahren war jener junge Mann einer der begehrtesten Anführer Europas beim Kotillon und wurde mitunter nach Wien oder nach London eingeladen, um fürstliche Bälle durch seine Walzerdrehungen zu krönen; und obwohl er fast ohne Vermögen war, blieb er doch dank seiner Stellung, seiner Familie, seinem Namen und seinen beinahe königlichen Anverwandten einer der meistumworbenen und meistbeneideten Männer von Paris.

Dieser zu junge, tänzerische und sportliche Ruhm mußte befestigt und nach einer reichen, sehr reichen Heirat der gesellschaftliche Erfolg durch den politischen ersetzt werden. Sobald er Abgeordneter war, würde der Marquis allein durch diese Tatsache zu einer Säule des künftigen Throns werden, zu einem Ratgeber des Königs und einem der Häupter der Partei.

Die Herzogin, die sich gründlich erkundigt hatte, wußte Bescheid über das ungeheure Vermögen des Grafen de Guilleroy, dieses verständigen Geldanhäufers, der in einer einfachen Wohnung hauste, während er als großer Herr in einem der schönsten Pariser Stadtpalais hätte leben können. Sie wußte von seinen stets glücklichen Spekulationen, kannte seine feine Witterung als Finanzmann, seinen Anteil an den einträglichsten Geschäften der letzten zehn Jahre, und so war ihr der Gedanke gekommen, ihren Neffen mit der Tochter des normannischen Abgeordneten zu verheiraten, dem diese Vermählung entscheidenden Einfluß in der aristokratischen Gesellschaft um die Fürsten einräumen würde. Guilleroy, der eine reiche Heirat gemacht hatte und durch seine Geschicklichkeit ein hübsches Privatvermögen vervielfacht hatte, hegte jetzt andere ehrgeizige Pläne.

Er glaubte an die Rückkehr des Königs und wollte an diesem Tag imstande sein, aus dem Ereignis auf die vollkommenste Weise Nutzen zu ziehen.

Als einfacher Abgeordneter zählte er nicht viel. Als Schwiegervater des Marquis de Farandal, dessen Ahnen treue und bevorzugte Günstlinge des französischen Königshauses gewesen waren, stieg er in die erste Reihe empor.

Die Freundschaft der Herzogin zu seiner Frau verlieh dieser Verbindung überdies den Charakter einer ungemein kostbaren, innigen Beziehung, und aus Furcht, ein anderes junges Mädchen könne unversehens dem Marquis begegnen und ihm gefallen, hatte er, um die Ereignisse zu beschleunigen, seine Tochter zurückkommen lassen.

Madame de Mortemain ahnte seine Pläne, erriet sie und förderte sie in stillschweigender Mithilfe, und an diesem Tag hatte sie, obwohl sie von der plötzlichen Heimkehr des jungen Mädchens nicht benachrichtigt worden war, ihren Neffen zu den Guilleroys gebeten, um ihn nach und nach daran zu gewöhnen, dies Haus öfters aufzusuchen.

Zum erstenmal sprachen der Graf und die Herzogin in versteckten Worten über ihre Wünsche, und als sie geendet hatten, war ein Ehevertrag geschlossen worden.

Am anderen Ende des Salons wurde gelacht. Monsieur de Musadieu hatte gerade der Baronin de Corbelle vom Empfang einer

Negergesandtschaft beim Präsidenten der Republik erzählt, als der Marquis de Farandal gemeldet wurde.

Er erschien in der Tür und blieb stehen. Durch eine rasche, ungezwungene Handbewegung setzte er ein Monokel in sein rechtes Auge, wie um den Salon, den er betrat, besser sehen zu können, und vielleicht auch, um den dort anwesenden Leuten Zeit zu geben, daß sie ihn anblickten und seinen Eintritt beachteten. Dann ließ er durch eine unmerkliche Bewegung der Wange und Braue das Stückchen Glas an einer schwarzen Seidenschnur fallen und näherte sich rasch Madame de Guilleroy, der er mit einer tiefen Verneigung die dargebotene Hand küßte. Ebenso begrüßte er seine Tante und schüttelte darauf den übrigen die Hand, indem er mit eleganter Ungezwungenheit von einem zum andern ging.

Er war ein hochgewachsener junger Herr mit rostrotem Schnurrbart, schon ein wenig kahl, mit einer Offizierstaille und den Manieren eines englischen Sportsmannes. Man empfand bei seinem Anblick, daß er einer der Männer war, deren Glieder geübter sind als ihr Kopf, und die sich nur zu solchen Dingen hingezogen fühlen, bei denen sie physische Kraft und Gewandtheit an den Tag legen können. Dennoch besaß er Bildung, denn er hatte mit großer geistiger Anspannung gelernt und lernte noch jeden Tag alles, was ihm später zu wissen nützlich sein konnte: Geschichte, indem er sich wild auf die Daten stürzte und bei den Tatsachen irrte, die Grundkenntnisse der politischen Ökonomie, die für einen Abgeordneten notwendig sind, das Abc der Soziologie zum Gebrauch der führenden Klassen.

Musadieu schätzte ihn und sagte: »Der wird einmal ein Mann von Bedeutung.« Bertin erkannte seine Gewandtheit und seine Lebenskraft an. Sie besuchten denselben Fechtboden, jagten zusammen und begegneten sich zu Pferd in den Alleen des Bois. Es hatte sich zwischen ihnen eine Sympathie des gemeinsamen Geschmacks angebahnt, jene instinktive Freimaurerei, die zwei Männer auf ein Gesprächsthema bringt, das dem einen wie dem andern angenehm ist.

Als der Marquis Annette de Guilleroy vorgestellt wurde, ahnte er jäh die Absichten seiner Tante, und nachdem er sich verneigt hatte, prüfte er sie mit raschem Kennerblick.

Er fand sie hübsch und vor allen Dingen sehr vielversprechend, denn er hatte so viele Kotillontänze angeführt, daß er sich in jungen Mädchen auskannte und die künftige Entwicklung ihrer Schönheit sicher voraussagen konnte, wie ein Fachmann, der einen noch zu jungen Wein kostet.

Er wechselte nur ein paar unbedeutende Worte mit ihr und setzte sich dann in die Nähe der Baronin de Corbelle, um leise mit ihr zu hecheln.

Die Gäste entfernten sich früh, und als alle fort, das Kind zu Bett geschickt worden war, die Lampen gelöscht und die Dienstboten oben in ihren Zimmern waren, ging der Graf de Guilleroy in dem nur von zwei Kerzen erhellten Salon auf und ab und hielt die schlaftrunken in einem Sessel sitzende Gräfin noch lange zurück, um über seine Hoffnungen zu sprechen, die zu beachtende Haltung in allen Einzelheiten festzulegen und sich sämtliche Verkettungen der Umstände, Glücksfälle und Vorsichtsmaßnahmen auszumalen.

Es war spät, als er sich, entzückt von dieser Abendgesellschaft, zurückzog und leise sagte:

»Ich glaube, es ist jetzt eine abgemachte Sache.«


# III

»Wann kommen Sie, lieber Freund? Ich habe Sie seit drei Tagen nicht gesehen, und das erscheint mir sehr lang. Meine Tochter beschäftigt mich viel, aber Sie wissen, daß ich nicht mehr ohne Sie sein kann.«

Der Maler, der, ständig auf der Suche nach einem neuen Thema, mit dem Zeichenstift skizzierte, las das Billett der Gräfin noch einmal und öffnete dann die Schublade eines Schreibtisches, wo er es zu einem Haufen anderer Briefe tat, die dort seit dem Beginn ihrer Liebschaft verschlossen lagen.

Dank der Ungezwungenheit des mondänen Lebens hatten sie sich daran gewöhnt, einander fast jeden Tag zu sehen. Hin und wieder kam sie zu ihm und nahm, ohne ihn in seiner Arbeit zu stören, für ein oder zwei Stunden in dem Sessel Platz, in dem sie ihm einst Modell gesessen hatte. Doch da sie ein bißchen

Angst vor Bemerkungen der Dienstboten hatte, zog sie es für ihre täglichen Begegnungen, für das Kleingeld der Liebe, vor, ihn bei sich zu empfangen oder ihn in irgendeinem Salon zu treffen.

Sie bewahrten bei diesen Zusammentreffen, die Monsieur de Guilleroy nach wie vor ganz natürlich erschienen, einige Zurückhaltung.

Mindestens zweimal in der Woche aß der Maler mit irgendwelchen Freunden bei der Gräfin zu Abend; am Montag begrüßte er sie regelmäßig in ihrer Loge in der Oper, und überdies begegneten sie einander in diesem oder jenem Haus, wohin sie der Zufall zur selben Stunde führte. Er wußte, an welchen Abenden sie nicht ausging, und erschien dann, um bei ihr eine Tasse Tee zu trinken und sich in ihrer Nähe heimisch zu fühlen, so zärtlich und geborgen war er in diese reife Liebe gebettet, so gefangen von der Gewohnheit, sie irgendwo zu finden, ein paar Augenblicke in ihrer Gesellschaft zu verbringen, ein paar Worte mit ihr zu wechseln und ein paar Gedanken einzuflechten, daß er, obwohl die lebendige Flamme seiner Liebe sich seit langem beschwichtigt hatte, ein unaufhörliches Verlangen empfand, sie zu sehen.

Der Wunsch nach Familie, einem belebten, bewohnten Haus, nach gemeinsamen Mahlzeiten, Abenden, an denen man ohne Ermüdung mit einem seit langem bekannten Menschen spricht, der Wunsch nach Kontakt, nach Ellbogennähe und Vertraulichkeit, der in jedem Menschenherzen schlummert und der jeden alten Junggesellen von Tür zu Tür zu seinen Freunden hingeleitet, wo er dann ein wenig von sich zurückläßt, lieh seiner Zuneigung etwas Egoistisches. In diesem Haus, wo er geliebt und verwöhnt wurde, wo er alles fand, konnte er zudem noch ausruhen und seine Einsamkeit hätscheln.

Seit drei Tagen hatte er seine Freunde, die ja die Rückkehr der Tochter sehr beschäftigen mußte, nicht wiedergesehen, und er langweilte sich bereits, er war sogar ein wenig verärgert, daß sie ihn nicht eher hatten rufen lassen, und es bedurfte des Einsatzes einer gewissen Diskretion, daß er nicht darum bat, sie möchten ihn empfangen.

Der Brief der Gräfin ließ ihn aufspringen wie unter einem

Peitschenhieb. Es war drei Uhr nachmittags. Er beschloß, sich sofort auf den Weg zu ihr zu machen, um sie noch anzutreffen, ehe sie ausging. – Auf ein Klingelzeichen hin erschien der Diener.

»Was für Wetter, Joseph?«

»Sehr schönes.«

»Warm?«

»Ja.«

»Weiße Weste, blaues Jackett, grauer Hut.«

Er kleidete sich immer sehr elegant, doch obwohl er von einem Schneider angezogen wurde, der sich an korrekten Stil hielt, schien allein schon die Art, wie er seine Kleidung trug und wie er ging – den Bauch in eine weiße Weste gezwängt, den steifen grauen Hut ein wenig nach hinten gerückt –, sogleich zu verraten, daß er ein Künstler und Junggeselle sei.

Als er zur Gräfin kam, wurde ihm gesagt, sie mache sich für eine Spazierfahrt im Bois fertig. Er war ungehalten und wartete.

Wie gewöhnlich begann er im Salon auf und ab zu wandern und ging in dem großen, durch Vorhänge verdunkelten Raum von einem Sessel zum andern, von den Fenstern zu den Wänden. Auf den leichten Tischen mit den vergoldeten Füßen lagen allerlei unnütze, hübsche und kostspielige Kleinigkeiten in raffinierter Unordnung. Antike, goldziselierte Kästchen, winzige Tabatieren, Elfenbeinstatuetten, nach dem Zeitgeschmack gearbeitete Gegenstände aus mattem Silber, von kunstvoller Nichtigkeit, die den englischen Geschmack offenbarten: ein winziger Küchenherd und darunter eine aus einem Schüsselchen trinkende Katze; ein Zigarettenetui, das einem Brotlaib nachgebildet war, eine Kaffeekanne, die Streichhölzer enthielt, und ein Schmuckkästchen mit dem ganzen Schmuck einer Puppe, Halsketten, Armbändern, Ringen, Broschen und Ohrboutons mit Brillanten, Saphiren, Rubinen und Smaragden, mikroskopische Traumgebilde, die von Goldschmieden im Lande Liliput angefertigt zu sein schienen.

Dann und wann berührte er einen Gegenstand, den er zu irgendeinem Geburtstag selber geschenkt hatte, nahm ihn auf, betastete ihn, untersuchte ihn mit geistesabwesender Gleichgültigkeit und stellte ihn dann wieder an seinen Platz zurück.

In einer Ecke lagen ein paar selten aufgeschlagene, aber luxuriös gebundene Bücher auf einem Nippestisch mit nur einem Bein vor einem kleinen, geschweiften Kanapee. Auf demselben Tischchen war überdies die ›Revue des Deux Mondes‹ wahrzunehmen, ein wenig zerknittert, abgegriffen und mit Eselsohren, als sei sie wieder und wieder gelesen worden, außerdem ein paar noch nicht aufgeschnittene Zeitschriften, die ›Arts modernes‹, die man allein des Preises wegen halten mußte, denn das Abonnement kostete jährlich vierhundert Francs; sowie, mit einem winzigen Schildchen auf dem blauen Umschlag, die ›Feuille libre‹, in der sich die jüngsten Poeten, die ›Matten‹, verbreiteten.

Zwischen den Fenstern stand der Schreibtisch der Gräfin, ein zierliches Möbelstück aus dem letzten Jahrhundert, an dem sie Antworten auf eilige Anfragen schrieb, die während der Empfänge an sie gelangt waren. Auch auf jenem Schreibtisch lagen einige Bücher, oft gelesene Bücher, die bezeichnend für Geist und Herz der Frau waren: Musset, ›Manon Lescaut‹ und ›Werther‹; und, um zu zeigen, daß man auch den komplizierten Gemütsregungen und den Geheimnissen der Psychologie nicht fremd sei: die ›Blumen des Bösen‹, ›Rot und Schwarz‹, ›Die Frau im achtzehnten Jahrhundert‹ und ›Adolphe‹.

Neben den Büchern lag auf einem viereckigen Stück gestickten Samtes, mit dem Glas nach unten, damit die seltene Gold- und Silberarbeit auf der Rückseite bewundert werden könne, ein zauberhafter Handspiegel, ein Meisterwerk der Goldschmiedekunst.

Bertin nahm ihn und beschaute sich darin. Seit ein paar Jahren alterte er entsetzlich, und obwohl er sein Gesicht jetzt eindrucksvoller als früher fand, fingen seine Hängebacken und die Falten der Haut an, ihm Kummer zu machen.

Hinter ihm öffnete sich eine Tür.

»Guten Tag, Monsieur Bertin«, sagte Annette.

»Guten Tag, Kleine, wie geht's?«

»Sehr gut, und Ihnen?«

»Was, du willst mich wirklich nicht duzen?«

»Nein, wirklich nicht, ich habe dabei Hemmungen.«

»Aber hör mal!«

»Ja, ich habe Hemmungen. Sie schüchtern mich ein.«

»Warum denn?«

»Weil ... weil Sie nicht jung genug und nicht alt genug sind ...!«

Der Maler begann zu lachen.

»Vor solch einem Grund gebe ich klein bei.«

Plötzlich wurde sie rot bis zu der weißen Haut unterm Haaransatz und sagte ein wenig verwirrt:

»Mama hat mich geschickt, damit ich Ihnen sage, daß sie gleich herunterkommen wird, und Sie frage, ob Sie mit uns in den Bois de Boulogne fahren möchten.«

»Gewiß, gern. Seid ihr allein?«

»Nein, mit der Herzogin de Mortemain.«

»Gut, ich fahre mit.«

»Dann erlauben Sie jetzt, daß ich meinen Hut aufsetze?«

»Geh nur, mein Kind!«

Als sie fort war, trat die Gräfin ein, verschleiert und zur Ausfahrt bereit. Sie ergriff seine Hände.

»Wir sehen Sie ja gar nicht mehr, Olivier? Was haben Sie getrieben?«

»Ich wollte Sie gegenwärtig nicht stören.«

In die Art, wie sie »Olivier« aussprach, legte sie alle Vorwürfe und ihre ganze Zuneigung.

»Sie sind die beste Frau von der Welt«, sagte er, gerührt durch die Betonung seines Namens.

Als dieser kleine Herzensstreit beendet und beigelegt war, schlug sie wieder einen leichten Plauderton an: »Wir wollen die Herzogin in ihrem Haus abholen und dann eine Fahrt durch den Bois machen. Nannette muß all das zu sehen bekommen.«

Der Landauer wartete unter dem Torweg.

Bertin nahm den beiden Damen gegenüber Platz, und unter dem Lärm der stampfenden Pferde, der unterm Torbogen widerhallte, setzte der Wagen sich in Bewegung.

Auf dem großen Boulevard, der bis zur Madeleinekirche hinunterführte, schien die ganze Fröhlichkeit des jungen Frühlings vom Himmel auf die Menschen herabgefallen zu sein.

Die laue Luft und die Sonne liehen den Männern etwas Festliches, den Frauen etwas Liebenswertes, ließen die Gassenbuben und die weißen Bäckerjungen, die ihre Körbe auf die Bänke gestellt hatten, um mit ihren Brüdern, den kleinen Straßenlümmeln, um die Wette zu laufen und zu spielen, tolle Sprünge machen; alle Hunde schienen es eilig zu haben, die Kanarienvögel der Portiersfrau trillerten laut, und nur die alten Gäule vor den Droschken trotteten wie immer, fast zu Boden gedrückt, in ihrem Sterbetrab.

Die Gräfin sagte leise:

»Oh, dieser schöne Tag, wie herrlich ist es, zu leben!«

Der Maler betrachtete im vollen Tageslicht die Mutter und die Tochter, wie sie da nebeneinandersaßen. Freilich, sie waren verschieden, aber zugleich einander so ähnlich, daß diese die Weiterführung jener zu sein schien, aus demselben Blut, demselben Fleisch geschaffen und beseelt von demselben Leben. Vor allem ihre Augen, jene blauen, mit schwarzen Tüpfelchen gesprenkelten Augen – von einem frischen Blau bei dem jungen Mädchen und ein wenig farblos bei der Mutter –, richteten sich mit demselben Blick auf ihn, wenn er zu ihnen sprach, so daß er gewärtig war, sie dieselben Dinge antworten zu hören. Und als er sie zum Lachen und Plaudern brachte, war er ein wenig überrascht, feststellen zu müssen, daß er zwei sehr verschiedene Frauen vor sich hatte: eine, die gelebt hatte, und eine, die erst leben wollte. Nein, er ahnte nicht, was aus diesem Kind werden würde, wenn sich sein junger Verstand unter dem Einfluß der noch schlummernden Neigungen und Triebe inmitten des ereignisreichen gesellschaftlichen Lebens entfalten würde. Sie war eine hübsche kleine Person, bereit zu Wagnissen und zur Liebe, noch unbekannt und ahnungslos; sie verließ wie ein Schiff den Hafen, wogegen ihre Mutter, nachdem sie ihr Dasein durchlaufen hatte und geliebt worden war, dorthin zurückkehrte.

Es überkam ihn Rührung bei dem Gedanken, daß er es sei, den sie erwählt hatte und jetzt noch bevorzugte, diese noch immer hübsche, in der lauen Luft des Frühlings vom Schwanken des Landauers gewiegte Frau.

Als er ihr einen Blick voller Dankbarkeit zuwarf, erriet sie, was er sagen wollte, und er glaubte eine Erkenntlichkeit im Rascheln ihres Kleides zu spüren.

Auch er sagte jetzt leise:

»Oh, ja, was für ein schöner Tag!«

Als die Herzogin in der Rue de Varenne abgeholt worden war, fuhren sie zum Invalidendom, überquerten die Seine und gelangten auf die Avenue des Champs-Elysées, auf der sie mitten im Fluten der Wagen zum Arc de l'Etoile hinauffuhren.

Das junge Mädchen saß jetzt auf dem Rücksitz neben Olivier und sah sich den Wagenstrom mit begierigen und unbefangenen Augen an. Von Zeit zu Zeit, wenn die Herzogin und die Gräfin mit einer knappen Kopfbewegung einen Gruß erwiderten, fragte sie: »Wer ist das?« Er nannte die Namen der »Pontaiglins« oder der »Puicelcis« oder der »Gräfin de Lochrist« oder der »schönen Madame Mandelière«.

Sie fuhren jetzt die Avenue du Bois de Boulogne entlang, mitten durch den Lärm und das Rollen der Räder. Die etwas weniger eng als am Arc de Triomphe nebeneinander herfahrenden Wagen schienen in einem endlosen Rennen zu liegen. Die Droschken, die schweren Landauer, die eleganten achtfedrigen Wagen fuhren abwechselnd aneinander vorüber und wurden plötzlich von einer mit einem einzigen Traber bespannten, flinken Viktoriachaise überholt; sie trug mit wahnsinniger Schnelligkeit durch diese rollende bürgerliche oder aristokratische Menge aller Klassen, aller Schichten und aller Rangordnungen eine junge, gleichmütige Frau, deren helle, gewagte Robe in die Wagen, die sie streifte, den seltsamen Duft unbekannter Blumen wehte.

»Wer ist diese Dame?« fragte Annette.

»Ich weiß es nicht«, erwiderte Bertin, indessen die Herzogin und die Gräfin ein Lächeln tauschten.

Die Blätter sproßten, die in diesem Pariser Park heimischen Nachtigallen sangen schon in dem jungen Grün, und als sich die ganze Wagenreihe im Schritt dem See näherte, gab es von Wagen zu Wagen ein unaufhörliches Grüßen und Lächeln und einen Austausch liebenswürdiger Worte, wenn die Räder einander berührten. Das Ganze glich jetzt dem Dahingleiten einer Flotte von Booten, in denen sehr ehrbare Damen und Herren saßen. Die Herzogin, deren Kopf sich alle Augenblicke vor gezogenen Hüten oder gesenkten Stirnen neigte, schien eine Parade abzunehmen und sich zu vergegenwärtigen, was sie wußte, was sie dachte und was sie von den Leuten hielt, die an ihr vorüberzogen.

»Da, Kleines, sieh: da ist wieder die schöne Madame Mande-lière, die Schönheit der Republik.«

In einem leichten, zierlichen Wagen ließ sich die Schönheit der Republik, anscheinend gleichgültig gegen diesen unbestrittenen Ruhm, mit ihren großen dunklen Augen, ihrer niedrigen Stirn unter einer Flut schwarzen Haars und dem eigenwilligen, ein wenig zu üppigen Mund bewundern.

»Tatsächlich sehr schön«, sagte Bertin.

Die Gräfin hatte es nicht gern, wenn sie ihn andere Frauen rühmen hörte. Sie hob leicht die Schultern und antwortete nichts.

Aber das junge Mädchen, bei dem sofort der Instinkt der Rivalität erwachte, wagte zu sagen:

»Das finde ich aber ganz und gar nicht.«

Der Maler wandte sich ihr zu.

»Wie? Du findest sie nicht schön?«

»Nein, sie sieht aus wie in Tinte getunkt.«

Die Herzogin lachte entzückt.

»Bravo, mein Kind! Und seit sechs Jahren fällt mindestens die Hälfte der Pariser Männer aus Leidenschaft vor dieser Negerin in Ohnmacht! Ich glaube, sie machen sich über uns lustig. Da, sieh dir lieber die Gräfin de Lochrist an.«

Sie saß mit einem weißen Pudel allein in einem Landauer und grüßte mit einem auf den Lippen eingefrorenen Lächeln herüber, zart wie eine Miniatur, eine Blondine mit braunen Augen, deren feine Züge sich seit fünf oder sechs Jahren nicht verändert hatten und ihren Anhängern ein ständiges Thema der Bewunderung boten.

Aber auch jetzt zeigte Nannette sich nicht begeistert.

»Oh«, sagte sie, »sie ist nicht mehr ganz jung.«

Bertin, der sonst in den täglich wiederkehrenden Gesprächen über diese beiden Rivalinnen durchaus nicht für die Gräfin de Lochrist eintrat, ärgerte sich plötzlich über die Unduldsamkeit dieses Backfischs.

»Zum Henker«, sagte er, »ob man sie nun mehr oder weniger gern hat, auf alle Fälle ist sie reizend, und ich wünsche dir nur, daß du mal ebenso hübsch wirst wie sie.«

»Lassen Sie sie doch«, unterbrach die Herzogin, »Ihnen fallen die Frauen erst auf, wenn sie die Dreißig überschritten haben.

Das Kind hat recht, Sie haben nur für die etwas Verwelkten Lobesworte übrig.«

»Aber erlauben Sie«, rief er, »eine Frau ist erst in späten Jahren wirklich schön, erst, wenn ihr ganzer Ausdruck zum Vorschein kommt.«

Und er legte dar, daß frische Jugendlichkeit lediglich der Firnis der reifenden Schönheit sei; er versuchte zu beweisen, daß Männer von Welt nicht im Irrtum befangen seien, wenn sie jungen Frauen in ihrer ersten Blüte nur wenig Aufmerksamkeit schenken, und daß sie recht hätten, sie erst in der letzten Periode ihrer Entfaltung als »schön« zu preisen.

Die Gräfin fühlte sich geschmeichelt und sagte leise:

»Er kommt der Wahrheit nahe, er urteilt als Künstler. Ein junges Gesicht ist sehr hübsch, aber immer ein bißchen banal.«

Und der Maler ließ nicht locker; er deutete an, in welchem Augenblick ein Gesicht, das nach und nach den unbestimmten Reiz der Jugend verliert, seine endgültige Form, seinen Charakter und seinen wesentlichen Ausdruck gewinnt.

Und zu jedem Satz sagte die Gräfin mit einer überzeugten kleinen Kopfbewegung »Ja«; und je mehr er mit der Hitze eines plädierenden Rechtsanwalts, mit der Erregung eines Verdächtigen, der seine Sache vertritt, bekräftigte, um so mehr bewies sie ihm mit Blick und Haltung, wie sehr sie beide verbunden seien und sich gegen eine Gefahr behaupten, sich gegen eine bedrohliche falsche Meinung verteidigen konnten. Annette hörte ihnen kaum zu; sie war vollauf damit beschäftigt, sich alles anzuschauen. Ihr oft zum Lachen neigendes Gesicht war ernst geworden, und übermannt von der Freude über diesen Trubel, war sie verstummt. Die Sonne, die Blätter, die Wagen und das ganze schöne, reiche und fröhliche Leben, all das war einzig und allein für sie da.

Tag für Tag würde sie so ausfahren können, dann auch schon ihrerseits bekannt, gegrüßt und beneidet; und die Männer würden sie sich gegenseitig zeigen und vielleicht von ihr sagen, sie sei schön. Sie suchte diejenigen heraus, die ihr am elegantesten erschienen, Herren und Damen, und fragte nach ihren Namen, ohne sich um etwas anderes als diese zusammengetragenen Silben zu kümmern, die mitunter einen Widerhall der Achtung oder der Bewunderung in ihr erweckten, da sie manche bereits in Zeitungen oder Geschichtsbüchern gelesen hatte. Dies Vorübergleiten von Berühmtheiten war ihr etwas Ungewohntes, und sie konnte nicht einmal recht glauben, daß sie es wirklich seien; ihr schien, als wohne sie einer Theateraufführung bei. Die Droschken flößten ihr eine mit Widerwillen gemischte Geringschätzung ein; sie störten und ärgerten sie, und so sagte sie unvermittelt:

»Ich finde, hier dürften nur herrschaftliche Wagen fahren.«

Bertin antwortete:

»Ja, und was soll dann aus der Gleichheit, Freiheit und Brüderlichkeit werden?«

Sie schnitt eine Grimasse, als wolle sie sagen: Die ist für die andern!, und antwortete:

»Es müßte ein Bois für die Droschken eingerichtet werden, zum Beispiel der von Vincennes.«

»Du bist hinter der Zeit zurückgeblieben, liebes Kind; du weißt noch nicht, daß wir mitten in der Demokratie schwimmen. Wenn du übrigens den Bois ganz rein von jeder Beimischung sehen willst, dann komm am Morgen; dann wirst du nur die Blüte, die erlesene Blüte der Gesellschaft vorfinden.«

Und sogleich entwarf er ein Bild, eins der Bilder, die ihm so gut gelangen, vom morgendlichen Bois mit seinen Reitern und Reiterinnen, von jener Gemeinschaft der Auserwählten, in der sich alle Welt bei Namen und Vornamen, nach Verwandtschaft, Titeln, Vorzügen und Mängeln kannte, als lebten alle im selben Viertel oder in derselben Kleinstadt.

»Kommen Sie häufig morgens her?« fragte sie.

»Sehr häufig; es ist wirklich das Reizendste in ganz Paris.«

»Dann reiten Sie also am Morgen?«

»Gewiß!«

»Und dann, am Nachmittag, machen Sie Besuche?«

»Ja.«

»Und wann arbeiten Sie?«

»Aber ich arbeite ja ... hin und wieder, und wenn ich eine meinen Neigungen entsprechende Besonderheit gefunden habe. Da ich ein Maler schöner Frauen bin, muß ich sie doch sehen und ihnen fast überallhin folgen.«

Immer noch mit ernster Miene, fragte sie leise:

»Zu Fuß und zu Pferd?«

Er warf ihr von der Seite her einen zufriedenen Blick zu, der zu sagen schien: Sieh mal einer an, schon geistreich; du wirst gut, tatsächlich!

Ein kalter Luftzug wehte von weither heran, von dem weiten, noch kaum wiedererwachten Land, und der ganze Bois, dieser zierlich gewachsene, fröstelnde, mondäne Bois, erschauerte.

Ein paar Sekunden lang ließ dieser eisige Hauch die spärlichen Blättchen an den Bäumen und die Stoffe auf den Schultern beben. Alle Frauen zogen mit fast der gleichen Bewegung den nach hinten herabgerutschten Umhang über die Arme und den Hals. Und die Pferde begannen von einem zum anderen Ende der Allee zu traben, als habe sie dieser schneidend wehende Windhauch mit seiner Berührung angepeitscht.

Unter dem silberhellen Geklirr der geschüttelten Kinnketten und einem schrägen roten Platzregen, den das Licht der untergehenden Sonne bildete, kehrten sie rasch heim.

»Wollen Sie jetzt nach Hause?« fragte die Gräfin den Maler, dessen Gewohnheiten sie kannte.

»Nein, ich gehe in den Klub.«

»Dann können wir ja dort vorbeifahren und Sie absetzen.«

»Das wäre reizend, vielen Dank.«

»Und wann laden Sie uns und die Herzogin zum Mittagessen ein?«

»Wann würde es Ihnen passen?«

Dieser im Blickpunkt der Pariserinnen stehende Maler, den seine Bewunderer einen ›realistischen Watteau‹ getauft hatten und den seine Verächter den ›Kleider- und Mantelfotografen‹ nannten, erhielt oft, sei es zum Mittagessen oder zum Abendessen, Besuch von schönen Frauen, deren Züge er nachgeschaffen hatte, und auch von anderen, allen Berühmten, allen Bekannten, die sich auf diesen kleinen Festen im Haus eines Junggesellen gut unterhielten.

»Übermorgen. Übermorgen ist Ihnen doch recht, liebste Herzogin?« fragte Madame de Guilleroy.

»Nur zu gern, reizend von Ihnen! Monsieur Bertin denkt bei seinen Gastereien nie an mich. Daran merkt man, daß ich nicht mehr jung bin.«

Die Gräfin, die gewohnt war, das Haus des Künstlers als ihr eigenes zu betrachten, sagte:

»Nur wir vier, wir vier hier im Landauer, die Herzogin, Annette, ich und Sie, nicht mehr, großer Meister?«

»Nur wir«, sagte er beim Aussteigen, »und ich werde Ihnen Krebse auf elsässische Art zubereiten lassen.«

»Oh, Sie werden in Annette Leidenschaften erwecken!«

Er stand vor dem Kutschenschlag, grüßte und trat dann rasch durch die große Tür des Klubhauses in die Halle, warf seinen Mantel und seinen Stock der Kompanie von Lakaien zu, die sich bei seinem Eintreten wie Soldaten beim Eintreten eines Offiziers erhoben hatten, stieg die breite Treppe hinauf, ging an einer zweiten Dienerbrigade in Kniehosen vorbei, stieß eine Tür auf und fühlte sich sogleich aufgekratzt wie ein Jüngling, als er vom Ende des Flurs den fortgesetzten Lärm klirrender Floretts, das Doppelstampfen der Füße und die lauten Rufe hörte: »Berührt. – Für mich. – Gefehlt. – Jetzt Sie. – Berührt. – Genug.«

Im großen Fechtsaal standen, in graues Leinen gekleidet, die Fechter mit ihrer Lederweste, ihren an den Knöcheln zugebundenen Hosen, einer Art Schurz, der über den Bauch fiel, einen Arm mit angewinkelter Hand in der Luft und in der anderen Hand, ungeheuer vergrößert durch den Handschuh, das dünne, geschmeidige Florett; sie fielen aus und traten zurück mit der abrupten Behendigkeit aufgezogener Spielzeuge.

Andere ruhten sich aus und plauderten, noch ein wenig außer Atem, rot, schwitzend und ein Taschentuch in der Hand, um sich Stirn und Hals zu trocknen; und wieder andere saßen auf den Bänken, die sich um den ganzen großen Saal zogen, und sahen den Kämpfenden zu. Liverdy gegen Landa, und Taillade, der Fechtmeister des Klubs, gegen den großen Rocdiane.

Bertin lächelte, er war in seinem Element, er schüttelte Hände.

»Ich belege Sie mit Beschlag«, rief ihm der Baron de Baverie zu.

»Einverstanden, mein Lieber.«

Und dann ging er in das Ankleidezimmer, um sich umzuziehen.

Seit langer Zeit hatte er sich nicht so behende und lebenskräftig gefühlt, und da er ahnte, daß er einen vortrefflichen

Kampf liefern werde, beeilte er sich mit der Ungeduld eines Schuljungen, der spielen möchte. Sobald er vor seinem Gegner stand, griff er ihn mit ungewöhnlicher Kühnheit an, und innerhalb von zehn Minuten hatte er ihn elfmal berührt und so müde gemacht, daß der Baron um Gnade bat. Dann machte er noch einen Gang mit Punisimont und einen mit seinem Kollegen Amaury Maldant.

Die kalte Dusche danach, die seinen dampfenden Körper eisig überströmte, erinnerte ihn an die Bäder, die er genommen, als er zwanzig Jahre alt gewesen war und mitten im Herbst von den Vorortbrücken aus Kopfsprünge in die Seine vollführt hatte, um die braven Bürger zu schrecken.

»Ißt du hier zu Abend?« fragte ihn Maldant.

»Ja.«

»Wir haben einen Tisch mit Liverdy, Rocdiane und Landa. Mach rasch; es ist schon Viertel nach sieben.«

Der Speisesaal war voller Männer und summte und brodelte.

Es waren dort alle Nachtschwärmer von Paris versammelt, Müßiggänger und Fleißige, alle, die nach sieben Uhr abends nicht mehr wußten, was sie anfangen sollten, und die im Klub aßen, um sich dank einer zufälligen Begegnung an etwas oder jemanden zu hängen.

Als sich die fünf Freunde gesetzt hatten, sagte der Bankier Liverdy, ein kräftiger, stämmiger Vierziger, zu Bertin:

»Sie waren heute abend wie toll.«

Der Maler antwortete: » Ja, heute könnte ich Erstaunliches tun.«

Die anderen lachten, und der Landschaftsmaler Amaury Maldant – er war ein wenig dünn und kahl und hatte einen grauen Bart –, sagte mit unbeschreiblichem Ausdruck:

»Auch in mir steigt im April immer der Saft hoch; dann bringe ich ein paar Blätter hervor, höchstens ein halbes Dutzend, und dann geht alles in Gefühl unter und trägt keine Früchte mehr.«

Der Marquis de Rocdiane und der Graf de Landa bedauerten ihn. Beide waren älter als er, ohne daß ein geübtes Auge ihr Alter hätte schätzen können; sie gehörten dem Klub an und waren Reiter und Fechter; unaufhörliche Körperübungen hatten sie gestählt; und so prahlten sie damit, alles in allem jünger zu sein als die schwächlichen Schlingel der jungen Generation.

Rocdiane, ein Mann von guter Abkunft, war häufig in den Salons anzutreffen, stand jedoch in dem Verdacht, in üble Geldgeschichten aller Art verstrickt zu sein, was nicht weiter erstaunlich sei, wie Bertin meinte, nachdem er sich in allen Spielsälen herumgetrieben, geheiratet, sich von seiner Frau getrennt hatte und von ihr ein Jahresgeld erhielt; als Bevollmächtigter belgischer und portugiesischer Banken trug er auf seinem energischen Don-Quichotte-Gesicht die ein wenig befleckte Ehre eines zu allem fähigen Gentleman zur Schau, der sich von Zeit zu Zeit das Blut durch einen Treffer im Duell reinigt.

Der Graf de Landa, ein gutmütiger Riese, stolz auf seine Taille und seine Schultern, konnte sich, obwohl verheiratet und Vater zweier Kinder, nur schwer entschließen, dreimal in der Woche daheim zu Abend zu essen; an den anderen Tagen war er nach den Übungen im Fechtsaal mit seinen Freunden im Klub anzutreffen.

»Der Klub ist eine Familie«, sagte er, »die Familie jener, die noch keine haben, jener, die niemals eine haben werden, und jener, die sich in der eigenen langweilen.«

Die Unterhaltung wechselte, nachdem sie das Kapitel Frauen verlassen hatte, von Anekdoten zu Erinnerungen über und von Erinnerungen zu Aufschneidereien und indiskreten Geständnissen.

Der Marquis de Rocdiane ließ seine Geliebten, Damen der Gesellschaft, deren Namen er niemals verriet, durch deutliche Merkmale mutmaßen, damit sie desto besser erraten werden konnten. Der Bankier Liverdy bezeichnete die seinen durch ihre Vornamen. Er erzählte zum Beispiel: »Ich stand mich damals gut mit der Frau eines Diplomaten. Nun, eines Abends, beim Abschied, sagte ich zu ihr: ›Liebe kleine Marguerite ...‹« Er hielt inne, weil alle lachten, und fuhr dann fort: »Ach, da ist mir etwas entschlüpft. Man muß es sich wirklich zur Gewohnheit machen, alle Frauen Sophie zu nennen.«

Olivier Bertin war sehr zurückhaltend und erklärte gewöhnlich, wenn er gefragt wurde:

»Ich begnüge mich mit meinen Modellen.«

Alle taten, als glaubten sie ihm, und Landa, ein Schürzenjäger, wie er im Buche steht, geriet in Begeisterung bei dem Gedanken an all die hübschen Bissen, die durch die Straßen wandern, und an all die hübschen Frauenzimmer, die sich für zehn Francs die Stunde vor dem Maler auszogen.

Je mehr Flaschen sie leerten, desto mehr Feuer fingen diese Grauköpfe, wie sie von den jungen Klubmitgliedern genannt wurden; ihre Gesichter röteten sich, und sie wurden von hitzigen Wünschen und gärenden Begierden geschüttelt.

Rocdiane verfiel nach dem Kaffee in noch wahrheitsgetreuere Indiskretionen und vergaß die Damen der Gesellschaft, um die simplen Kokotten zu rühmen.

»Paris«, sagte er, ein Glas Kümmel in der Hand, »ist die einzige Stadt, in der ein Mann nicht altert, die einzige, in der er noch mit fünfzig Jahren, vorausgesetzt, daß er bei guter Gesundheit ist und noch erträglich aussieht, jeden Tag eine Range von achtzehn Jahren, hübsch wie ein Engel, für die Liebe findet.«

Landa, der merkte, daß nach den Likören sein Rocdiane wieder ganz der alte wurde, stimmte begeistert zu und zählte die kleinen Mädchen auf, die ihn heute noch anbeteten.

Liverdy jedoch, der skeptischer war und ganz genau zu wissen behauptete, was die Frauen wert seien, brummte:

»Ja, das sagen sie Ihnen, daß sie Sie anbeten.«

Landa widersprach:

»Sie beweisen es mir, mein Lieber.«

»Solche Beweise zählen nicht.«

»Mir genügen sie.«

Rocdiane rief:

»Aber sie glauben es tatsächlich, zum Teufel noch mal! Meinen Sie denn, daß ein hübsches kleines Weibsstück von zwanzig Jahren, das schon seit fünf oder sechs Jahren sein Leben genießt, und zwar in Paris, wo all unsere Schnurrbärte es das Küssen gelehrt und ihm den Geschmack daran verdorben haben, noch einen Mann von Dreißig von einem Mann von Sechzig zu unterscheiden wüßte? Geht mir doch! Was für eine Dummheit! Sie hat zuviel Männer gesehen und zu viele kennengelernt. Ich gehe jede Wette ein, daß sie im Grunde ihres Herzens einen alten Bankier lieber hat, wahrhaftig lieber hat, als ein junges Bürschlein. Weiß sie das, denkt sie darüber nach? Haben die Männer hier ein Alter? Ach, mein Lieber, wir verjüngen uns, wenn wir grau werden, und je grauer wir werden, um so mehr wird uns gesagt, daß man uns liebt, um so mehr wird es uns gezeigt, und um so mehr glaubt man es.«

Sie erhoben sich vom Tisch, hochrot und aufgepeitscht durch den Alkohol, bereit, sich in alle Eroberungen zu stürzen, und begannen nun zu beratschlagen, wie sie den Abend verbringen sollten; Bertin sprach vom Zirkus, Rocdiane vom Hippodrom, Maldant vom Eden und Landa von den Folies-Bergères, als das leise, ferne Geräusch von Geigen, die gestimmt wurden, an ihr Ohr drang.

»Siehe da, heute gibt es Musik im Klub«, sagte Rocdiane.

»Ja«, erwiderte Bertin, »wollen wir nicht noch zehn Minuten bleiben, ehe wir gehen?«

»Los, hin!«

Sie durchschritten einen Salon, das Billardzimmer, einen Spielsaal und kamen dann in eine Art Loge oberhalb der Galerie, auf der die Musiker saßen. Vier Herren saßen in ihre Sessel zurückgelehnt und warteten schon mit gesammeltem Ausdruck, während sich unten, in den Rängen mit den sehr breiten Sesseln, ein paar Dutzend andere sitzend oder stehend unterhielten.

Der Kapellmeister klopfte mit seinem Taktstock ein paarmal an das Pult, und es begann. – Olivier Bertin liebte Musik, wie man Opium liebt. Sie ließ ihn träumen.

Sobald ihn der klingende Strom der Instrumente erfaßte, fühlte er sich von einer Art nervöser Trunkenheit davongetragen, die seinen Körper und seinen Geist auf unglaubhafte Weise in Schwingungen versetzte. Seine von den Melodien berauschte Phantasie erging sich wie närrisch geworden in verlockenden Vorstellungen und angenehmen Gaukelbildern. Mit geschlossenen Augen, übereinandergeschlagenen Beinen und schlaff herabhängenden Armen lauschte er den Tönen und sah vielerlei an seinen Augen und in seinem Innern vorüberziehen.

Das Orchester spielte eine Symphonie von Haydn, und sobald der Maler die Lider gesenkt hatte, sah er wieder den Bois vor sich, das Wagengedränge ringsum und sich gegenüber im Landauer die Gräfin und ihre Tochter. Er hörte ihre Stimme, folgte ihren Worten, spürte die Bewegung des Wagens und atmete die vom Geruch der jungen Blätter erfüllte Luft.

74

Dreimal redete sein Nachbar ihn an und unterbrach diese Vision, die dreimal wiederkehrte wie nach einer Seefahrt das Schlingern des Schiffs im Bett wiederkehrt, obwohl dieses sich nicht bewegt.

Dann erlosch die Vision, zerfloß in eine weite Reise mit den beiden Frauen, die immer noch vor ihm saßen, bald in der Eisenbahn, bald an der Tafel ausländischer Hotels. Durch die ganze Musik begleiteten sie ihn so, als hätten sie bei jener Spazierfahrt in der strahlenden Sonne das Bild ihrer Gesichter, in den Grund seiner Augen geprägt, zurückgelassen.

Schweigen; dann verjagte das Geräusch von Sesselrücken und Stimmen diesen Traumnebel, und er gewahrte neben sich seine vier schlummernden Freunde in einfältigen Stellungen des Zuhörens, das in den Schlaf übergegangen war.

Als er sie geweckt hatte, fragte er:

»Na, und was tun wir jetzt?«

»Ich«, erwiderte Rocdiane unumwunden, »möchte am liebsten hier noch ein bißchen schlafen.«

»Und ich auch«, sagte Landa.

Bertin erhob sich:

»Ich gehe heim, ich bin ein bißchen abgekämpft.«

Dabei fühlte er sich sehr angeregt, wollte aber gehen, aus Furcht vor dem Abschluß solcher Abende, den er genauso gut wie den Bakarattisch im Klub kannte.

Also ging er heim, und nach einer unruhigen Nacht, einer der Nächte, die die Künstler in den als Inspiration bezeichneten Zustand der Gehirntätigkeit versetzen, beschloß er, nicht auszugehen, sondern bis zum Abend zu arbeiten.

Es wurde ein wunderbarer Tag, ein mühelos schöpferischer Tag, da die Idee in die Hände zu fließen und sich von selbst auf der Leinwand darzustellen schien.

Die Türen waren geschlossen, er war in der Stille des gegen alle gesicherten Hauses, in dem freundlichen Frieden des Ateliers von der Welt abgeschieden, und mit klarem Auge, hellsichtigem Geist, übererregt und wachsam kostete er dies Glück aus; denn nur den Künstlern ist es gegeben, ihr Werk leicht und fröhlich zur Welt zu bringen. In diesen Arbeitsstunden existierte für ihn nichts als das Stück Leinwand, auf dem unter den liebevollen

Strichen seiner Pinsel ein Bild entstand; und in solchen Über-
schwängen der Fruchtbarkeit hatte er die seltsame, wohltuende
Empfindung des überströmenden Lebens, das berauscht und sich
ausbreitet. Am Abend war er erschöpft wie nach einer gesunden
Anstrengung und legte sich mit dem angenehmen Gedanken an
seine morgige Mittagsgesellschaft zu Bett.

Der Tisch war mit Blumen geschmückt, die Speisefolge für
Madame de Guilleroy, eine verwöhnte Kennerin, sorgfältig zusammengestellt, und trotz energischen, aber kurzen Widerstan-
des zwang der Maler seine Gäste, Champagner zu trinken.

»Die Kleine wird betrunken!« meinte die Gräfin.

Doch die nachsichtige Herzogin entgegnete:

»Mein Gott, einmal muß es ja das erste Mal sein.«

Bei der Rückkehr ins Atelier fühlten sich alle von einer un-
gezwungenen Fröhlichkeit beschwingt, die einen emporhebt, als
hätte sie den Füßen Flügel verliehen.

Die Herzogin und die Gräfin, die an einer Sitzung des Komi-
tees der französischen Mütter teilnehmen wollten, mußten das
junge Mädchen heimfahren, ehe sie sich in das Verbandsgebäude
begaben; aber Bertin schlug vor, mit ihr einen Spaziergang zu
machen und sie über den Boulevard Malesherbes nach Hause zu
begleiten; und so gingen die beiden gemeinsam fort.

»Wir wollen den längsten Weg nehmen«, sagte sie.

»Möchtest du im Park Monceau umherschlendern? Da ist es
sehr hübsch, wir können uns die Babys und ihre Ammen anschauen.«

»O ja, sehr gern.«

Sie gingen von der Avenue Velasquez aus durch das monu-
mentale vergoldete Gittertor, das Aushängeschild und der Ein-
gang zu diesem Musterstück eines eleganten Parks, der mitten
in Paris, mitten in einem Gürtel fürstlicher Stadtpalais, seine
künstlich grünende Anmut entfaltet.

Längs der breiten Parkwege, die sich in kunstvollen Windun-
gen durch die Rasenflächen und das Gesträuch ziehen, sitzen
Frauen und Männer auf Eisenstühlen und betrachten die Vorübergehenden, während auf den kleinen, unter dem schattigen
Laubwerk eingeschnittenen Pfaden, die sich wie Bäche schlän-
geln, vor den gleichgültigen Blicken der Ammen und den unruhi-

gen der Mütter, Kinder im Sand wühlen, laufen und Seil springen. Die riesigen Bäume runden sich zu Kuppeln und sehen aus wie aus Blättern bestehende Bauwerke; die mächtigen Kastanienbäume, deren schweres Grün mit roten und weißen Traubenkerzen gefleckt ist, die vornehmen Sykomoren und die dekorativen Platanen mit ihren klüglich gestutzten Kronen schmücken in hinreißenden Perspektiven die weichen, gewellten Rasenflächen.

Es ist warm, Turteltauben gurren im Laub und unterhalten sich nachbarlich von Wipfel zu Wipfel, und die Spatzen baden sich in dem Regenbogen, den die Sonne aus dem feinen Wasserstaub der Rasensprenger erschimmern läßt. Die weißen Statuen auf ihren Sockeln scheinen sich in diesem frischen Grün glücklich zu fühlen. Ein kleiner Knabe aus Marmor zieht aus seinem Fuß einen unauffindbaren Dorn, den er sich wohl eben eingetreten hat, als er Diana nachlief, die dort unten zu dem kleinen, in Gesträuch eingeschlossenen See geflohen ist, wo auch die Ruine eines Tempels Schutz sucht.

Andere Statuen, verliebt und kühl, vor grünen Büschen, tauschen Küsse oder träumen, die Hand auf dem Knie. Ein Wasserfall schäumt und sprudelt über hübsche Felsen. Ein Baum, dessen Stamm wie eine Säule aufragt, ist von Efeu umwunden; ein Grabmal trägt eine Inschrift. Die im Rasen aufgerichteten Steinsäulen erinnern kaum mehr an die Akropolis als dieser elegante kleine Park an einen Urwald.

Es ist eine kunstvolle, bezaubernde Stätte, wo die Städter in Treibhäusern gezogene Blumen betrachten, und, wie man im Theater das Schauspiel des Lebens bewundert, mitten in Paris diese liebenswürdige Nachbildung der schönen Natur bewundern können.

Olivier Bertin suchte seit Jahren fast jeden Tag diesen seinen Lieblingsort auf, um die Pariserinnen in dem ihnen gemäßen Milieu sich bewegen zu sehen. »Es ist ein Park, der für große Toilette gemacht ist«, pflegte er zu sagen; »schlechtgekleidete Leute flößen einem dort Abscheu ein.« Und so schlenderte er stundenlang umher und kannte außer allen Pflanzen sämtliche Spaziergänger, die häufig dort hinkamen.

An Annettes Seite ging er die Wege entlang; sein Blick wurde durch das bunte, abwechslungsreiche Leben abgelenkt, das im Park herrschte. – »Ach, wie lieb!« rief sie.

Sie betrachtete einen kleinen, blondgelockten Jungen, der sie erstaunt und entzückt aus seinen blauen Augen ansah.

Dann nahm sie alle andern Kinder in Augenschein, und das Vergnügen, das sie beim Anblick dieser geputzten lebenden Puppen empfand, machte sie geschwätzig und mitteilsam.

Sie ging mit kleinen Schritten und unterhielt Bertin mit ihren Bemerkungen und Gedanken über die Kleinen, über die Ammen und über die Mütter bestens. Die dicken Kinder entlockten ihr fröhliche Ausrufe, und die blassen erregten ihr Mitleid.

Er hörte ihr zu, mehr angetan von ihr als von den Kindern, doch vergaß er die Malerei nicht und flüsterte vor sich hin: »Das ist köstlich!«, weil ihm einfiel, daß er ein wunderbares Bild malen könne: eine Ecke des Parks mit einer Schar von Ammen, Müttern und Kindern. Warum war ihm das nicht früher eingefallen?

»Hast du diese kleinen Schlingel gern?«

»Schrecklich gern.«

Und als er ihr zusah, wie sie die Kinder beobachtete, merkte er, daß sie Lust hatte, sie hochzuheben, zu küssen und zu befühlen; das war die sinnliche und zärtliche Lust der künftigen Mutter, und er staunte über den geheimen, in diesem Frauenkörper verborgenen Instinkt.

Da sie gesprächig geworden war, fragte er sie über ihre Neigungen aus. Sie gestand ihm mit reizender Unbefangenheit Hoffnungen auf gesellschaftlichen Erfolg und Ruhm ein, äußerte Wünsche nach schönen Pferden, in denen sie sich fast wie ein Roßtäuscher auskannte, denn mit Pferdezucht befaßte sich ein Teil der Pachthöfe in Roncières, und machte sich über den künftigen Verlobten nicht viel mehr Sorge als über eine Wohnung, die man in der Fülle der zur Vermietung freistehenden Stockwerke immer finden würde.

Sie kamen an den See, auf dem zwei Schwäne und sechs Enten sanft dahinzogen; sie waren so sauber und still wie Vögel aus Porzellan; sie schwammen an einer jungen Frau vorüber, die auf einem Stuhl saß, ein offenes Buch auf den Knien hielt und mit traumbefangener Seele vor sich hin schaute.

Sie rührte sich genauso wenig wie eine Wachsfigur. Sie war häßlich, dürftig und wie ein einfaches Mädchen gekleidet, das nicht zu gefallen hofft; vielleicht war sie eine Lehrerin und durch einen Satz oder durch ein Wort, das ihr Herz bezaubert hatte, in den Traum eingegangen. Sicherlich führte sie, dem Drang ihrer eigenen Wünsche folgend, das in dem Buch begonnene Abenteuer weiter fort.

Bertin blieb überrascht stehen.

»Wie schön«, sagte er, »sich so zu versenken.«

Sie waren an ihr vorübergegangen. Sie kehrten um und kamen zurück, immer noch ohne von ihr bemerkt zu werden, so gefesselt war sie durch den in die Ferne schweifenden Flug ihrer Gedanken.

Der Maler sagte zu Annette:

»Sag mal, Kleines, würde es dich langweilen, mir ein- oder zweimal zu sitzen?«

»O nein, im Gegenteil!«

»Dann sieh dir das Fräulein da, das in einer Traumwelt lustwandelt, gut an.«

»Die dort, auf dem Stuhl?«

»Ja. Du sollst ebenso auf einem Stuhl sitzen, sollst ein Buch auf deinen Knien aufschlagen und dich bemühen, alles so zu machen wie sie. Hast du manchmal mit offenen Augen geträumt?«

»Freilich.«

»Was denn?«

Und er versuchte, sie zu einem Geständnis über ihre Wanderungen durch erträumte Gefilde zu bewegen, aber sie wollte nicht mit der Sprache heraus, wich seinen Fragen aus, schaute zu den Enten hin, die nach dem von einer Dame hingeworfenen Stück Brot schwammen und schien verlegen, als habe er sie an einer sehr empfindlichen Stelle getroffen.

Um das Thema zu wechseln, erzählte sie von ihrem Leben in Roncières und plauderte von ihrer Großmutter, der sie jeden Tag eine geraume Zeit vorgelesen habe und die jetzt sehr allein und sehr traurig sein müsse.

Im Zuhören fühlte sich der Maler fröhlich wie ein Vogel, fröhlich, wie er nie gewesen war. Alles, was sie vorbrachte, all die kleinen, flüchtigen und belanglosen Einzelheiten dieses schlichten Mädchendaseins, erheiterten und interessierten ihn.

»Komm, wir wollen uns hinsetzen«, sagte er.

Sie setzten sich in die Nähe des Wassers. Und die beiden Schwäne schwammen vor ihnen in der Hoffnung auf einen Bissen hin und her.

Bertin fühlte in sich Erinnerungen erwachen, jene verschwundenen, in der Vergessenheit ertrunkenen Erinnerungen, die plötzlich, man weiß nicht warum, wiederkehren. Sie tauchten rasch auf, unterschiedlicher Art, und so zahlreich und gleichzeitig, daß ihm war, als rühre eine Hand in der Schale seines Gedächtnisses.

Er versuchte, sich darüber klarzuwerden, warum sein vergangenes Leben auf einmal emporsprudelte, wie er es schon einige Male zuvor, doch weniger als heute, empfunden und festgestellt hatte. Es gab stets einen Grund für solcherlei plötzliche Auferstehungen, einen greifbaren und einfachen Grund, häufig einen Geruch oder ein Parfüm. Wie oft hatte ihm der verwehende Duft einer Essenz aus dem Kleid einer vorübergehenden Frau die Erinnerung an ausgelöschte Ereignisse wiedererstehen lassen! Auch am Boden alter Flacons auf dem Toilettentisch hatte er oft Bereiche seines Daseins wiedergefunden; und alle schwebenden Gerüche, die der Straße, der Felder, der Häuser, der Möbel, die lieblichen und die üblen, die warmen Gerüche von Sommerabenden, die kalten von Winterabenden, belebten bei ihm stets aufs neue ferne Erinnerungen, als bewahrten die Gerüche in sich tote Dinge einbalsamiert auf, wie wohlriechende Stoffe die Mumien konservieren.

War es das feuchte Gras oder waren es die Kastanienblüten, was jetzt das ›Früher‹ wiederauferstehen ließ? Nein. Was also dann? Lag es an seinen Augen, daß er wach geworden war? Was hatte er gesehen? Nichts. Unter den Frauen, denen er begegnet war, hatte ihn vielleicht eine an ein Gesicht von früher erinnert, und dadurch, ohne daß er es wiedererkannte, in seinem Herzen alle Glocken der Vergangenheit ertönen lassen.

War es nicht eher ein Ton? Wie oft hatten ein zufällig gehörtes Klavier, eine unbekannte Stimme, sogar eine Drehorgel, die auf irgendeinem Platz ein altmodisches Lied spielte, ihn jäh in die

Zeit zurückgeführt, da er zwanzig Jahre alt gewesen war, und ihm die Brust mit längst vergessenen Regungen geschwellt.

Aber der Anruf verharrte und hörte nicht auf, ungreifbar und fast aufreizend. Kam er aus seiner Umgebung, aus seiner Nähe, um auf diese Weise erloschene Empfindungen wiederzubeleben?

»Es wird ein bißchen kühl«, sagte er, »wir wollen weitergehen.«

Sie standen auf und schlenderten weiter.

Er sah auf den Bänken die Armen sitzen, solche, für die das Mieten eines Stuhls eine zu große Ausgabe war.

Auch Annette fielen sie jetzt auf, und sie dachte über ihr Dasein, ihren Beruf nach und verwunderte sich, warum sie, da sie doch so elend aussahen, in diesem schönen öffentlichen Park herumfaulenzten.

Und mehr noch als augenblicks zuvor, wurde Olivier auf hingeschwundene Jahre gelenkt. Er hatte das Gefühl, als schwirre eine Fliege an seinen Ohren und erfülle sie mit dem wirren Gesumm längst vergangener Tage.

Das junge Mädchen gewahrte seine Gedankenverlorenheit und fragte: »Was haben Sie? Es ist, als seien Sie traurig.«

Und da erschauerte er bis ins Herz. Wer hatte das gesagt? Sie oder ihre Mutter? Nein, nicht ihre Mutter mit ihrer jetzigen Stimme, sondern mit ihrer Stimme von damals, so verändert, daß er sie gerade noch wiedererkannt hatte.

Lächelnd antwortete er:

»Es ist nichts, du unterhältst mich sehr gut, du bist sehr nett zu mir, du erinnerst mich an deine Mama.«

Warum war ihm nicht schon früher dies sonderbare Echo der so vertrauten Worte von einst aufgefallen, das jetzt von diesen jungen Lippen kam?

»Sprich weiter«, sagte er.

»Worüber?«

»Erzähl mir von deinen Erzieherinnen, und was sie dich gelehrt haben. Hattest du sie gern?«

Sie begann von neuem zu plaudern.

Und er wurde von einer wachsenden Unruhe gepackt; er hörte ihr zu und lauerte und wartete bei den Sätzen dieses seinem Herzen fast fremden Mädchens auf ein Wort, einen Klang, ein Lachen, die seit der Jugend ihrer Mutter in ihrer Kehle verblieben zu sein schienen. Manche Betonungen ließen ihn erschauern vor Verwunderung. Gewiß, zwischen den Worten der beiden fanden sich Verschiedenheiten, bei denen er nicht sofort die Ähnlichkeit bemerkte, die er überhaupt nicht verwechselte; aber dieser Unterschied machte das jähe Auftauchen der mütterlichen Redeweise nur noch erschütternder. Bis jetzt hatte er die Ähnlichkeit ihrer beider Gesichter mit freundschaftlichem und neugierigem Blick festgestellt, aber jetzt brachte das Geheimnis dieser wieder lebendig gewordenen Stimme die beiden auf eine solche Weise durcheinander, daß er sich mit abgewandtem Kopf, um das junge Mädchen nicht zu sehen, ein paar Augenblicke lang fragte, ob es nicht die Gräfin sei, zwölf Jahre früher, die zu ihm sprach.

Als diese Erinnerung seine Sinne täuschte, wandte er sich ihr zu und verspürte, indem er ihrem Blick begegnete, sogar ein wenig von dem Schwachwerden, in das während der ersten Zeit ihrer Liebschaft der Blick der Mutter ihn versetzt hatte.

Sie waren bereits dreimal durch den ganzen Park gegangen, immer an denselben Leuten, denselben Ammen und denselben Kindern vorüber.

Annette schaute sich jetzt die den Park umstehenden Stadtpalais an und fragte nach den Namen ihrer Bewohner.

Sie wollte alles über alle diese Leute wissen, fragte mit gieriger Neugier, schien ihr Frauengedächtnis mit Auskünften anzufüllen und lauschte mit einem vor brennender Teilnahme leuchtenden Gesicht ebenso mit den Augen wie mit den Ohren.

Doch als sie zu dem Pavillon kamen, der zwischen den beiden Toren zum äußeren Boulevard liegt, merkte Bertin, daß es auf vier Uhr ging.

»Oh«, sagte er, »wir müssen zurück.«

Und so kamen sie langsam auf den Boulevard Malesherbes.

Als er sich von dem jungen Mädchen verabschiedet hatte, begab sich der Maler zur Place de la Concorde, um am andern Ufer der Seine einen Besuch zu machen.

Er trällerte vor sich hin, hatte Lust zu laufen und wäre gern über die Bänke gesprungen, so angeregt fühlte er sich. Paris dünkte ihm strahlender und schöner denn je. ›Entschieden überzieht der Frühling alles mit einem neuen Firnis‹, dachte er.

Es war für ihn eine der Stunden, in denen der angeregte Geist alles mit größerer Lust begreift, in denen das Auge besser sieht, aufnahmefähiger und hellsichtiger erscheint, da man beim Sehen und Fühlen eine lebendigere Freude empfindet, als habe eine allmächtige Hand alle Farben der Erde aufgefrischt, alle Regungen der Geschöpfe belebt und wie bei einer stehengebliebenen Uhr, die aufgezogen worden ist, unser Empfindungsleben wieder in Tätigkeit gesetzt.

Während sein Blick tausend unterhaltsame Dinge erhaschte, dachte er: ›Sich sagen zu müssen, daß es Augenblicke gibt, da ich kein Thema zum Malen finde!‹

Und er fühlte sich innerlich so frei und klar, daß ihm sein ganzes künstlerisches Werk banal vorkam und er eine neue, wahrhaftigere und originellere Art, das Leben auszudrücken, konzipierte. Und plötzlich packte ihn die Lust, heimzukehren und zu arbeiten; er machte kehrt und schloß sich in seinem Atelier ein.

Doch sobald er allein vor dem angefangenen Bild stand, legte sich mit einemmal der Eifer, der ihm eben noch das Blut erhitzt hatte. Er fühlte sich erschöpft, setzte sich auf seinen Diwan und begann vor sich hinzuträumen.

Die glückliche Gleichgültigkeit, in der er lebte, die Unbeschwertheit eines zufriedengestellten Mannes, dessen Wünsche fast sämtlich gestillt worden sind, wich ganz sacht aus seinem Herzen, als fehle ihm etwas. Sein Haus kam ihm leer vor und sein großes Atelier öde. Dann, als er sich umblickte, schien es ihm, als sehe er den Schatten einer Frau vorübergleiten, deren Gegenwart ihm beglückend war. Seit langem lag die Ungeduld des Liebhabers, der das Kommen einer Geliebten erwartet, hinter ihm, und jetzt plötzlich fühlte er, wie weit sie sich von ihm entfernt hatte, und er sehnte sie mit der hilflosen Schwäche eines jungen Mannes herbei.

Er wurde gerührt bei dem Gedanken, wie oft sie einander geliebt hatten, und entdeckte in dieser leeren Wohnung, in die sie so häufig gekommen war, unzählige Erinnerungen an sie, an ihre Bewegungen, ihre Worte und ihre Küsse. Er erinnerte sich gewisser Tage, gewisser Stunden und gewisser Augenblicke; ihm war, als streiften ihre Liebkosungen von damals über ihn hin.

Er stand wieder auf, weil er nicht stillsitzen konnte, und begann auf und ab zu gehen, und abermals fiel ihm ein, daß er trotz dieser Liebschaft, die sein Dasein ausgefüllt hatte, ganz allein sei, immer allein. Nach den langen Arbeitsstunden, wenn er, betäubt durch das Erwachen eines ins Leben zurückkehrenden Menschen, Umschau hielt, sah und spürte er in Reichweite seiner Hand und seiner Stimme nichts als Wände. Er hatte, da er keine Frau in seinem Haus hatte und der, die er liebte, nur mit den Vorsichtsmaßnahmen eines Diebes begegnen konnte, seine Mußestunden an allen öffentlichen Orten verbringen müssen, wo man irgendwelche Mittel zum Totschlagen der Zeit findet und kauft. Er ging in den Klub, er ging in den Zirkus und ins Hippodrom und an bestimmten Tagen in die Oper, er ging fast überallhin, um nicht zu Hause bleiben zu müssen, wo er zweifellos mit Freuden geblieben wäre, wenn er dort mit ihr hätte zusammenleben können.

Früher hatte er in gewissen Stunden zärtlicher Torheit auf grausame Art gelitten, daß er sie nicht nehmen und bei sich behalten konnte; als dann sein Glühen sich minderte, hatte er ihrer beider Getrenntsein und seine Freiheit ohne Empörung hingenommen, und jetzt bedauerte er beides von neuem, als habe er von neuem angefangen, sie zu lieben.

Und dies Wiedererwachen der Liebe überflutete ihn so ungestüm und fast ohne Grund, weil draußen schönes Wetter war und vielleicht weil er eben die verjüngte Stimme jener Frau wiedererkannt hatte. Welcher Geringfügigkeiten bedarf es, um das Herz eines Mannes, eines alternden Mannes, zu erregen, bei dem die Erinnerung zu schmerzlicher Sehnsucht wird!

Wie früher stieg in ihm der Wunsch auf, sie wiederzusehen, und erfaßte seinen Geist und seinen Körper wie ein Fieber, und er begann ein wenig in der Art eines jungen Verliebten an sie zu denken, indem er sie in seinem Herzen übersteigerte und sich selber in sein Gefühl hineinsteigerte, um noch mehr nach ihr zu verlangen; danach entschloß er sich dann, obwohl er sie am Vormittag gesehen hatte, noch am selben Abend auf eine Tasse Tee zu ihr zu gehen.

Die Stunden dünkten ihm lang, und als er das Haus verließ und zum Boulevard Malesherbes gehen wollte, überkam ihn lebhaft ein Angstgefühl, sie nicht anzutreffen und gezwungen zu sein, auch diesen Abend, wie so viele andere, allein zu verbringen.

Auf seine Frage: »Ist die Frau Gräfin daheim?« antwortete der Diener: »Ja! Monsieur«, und bereitete ihm damit eine große Freude.

In strahlendem Ton sagte er: »Schon wieder mal ich«, als er auf der Schwelle des kleinen Salons erschien, wo die beiden Damen unter dem rosa Schirm einer Lampe aus Neusilber, die von einem hohen, sehr dünnen Schaft getragen wurde, handarbeiteten.

Die Gräfin rief:

»Ach, Sie sind es! Wie schön!«

»Ja, ich. Ich fühlte mich sehr einsam, und deshalb bin ich gekommen.«

»Wie hübsch!«

»Erwarten Sie jemand?«

»Nein ... vielleicht ... ich weiß es nie.«

Er setzte sich und betrachtete mit geringschätziger Miene die graue, grobwollene Strickarbeit, an der sie mit langen Holznadeln eifrig arbeiteten.

»Was ist denn das?« fragte er.

»Decken.«

»Für Arme?«

»Ja, natürlich.«

»Wie häßlich sieht das aus.«

»Es hält schön warm.«

»Möglich, aber es ist sehr häßlich, zumal in einer Wohnung im Louis-Quinze-Stil, wo alles und jedes dem Auge schmeichelt. Wenn schon nicht für die Armen, so müßten Sie Ihrer Freunde wegen Ihre Barmherzigkeit etwas eleganter gestalten.«

»Lieber Gott, die Männer!« sagte sie und zuckte dabei mit den Achseln. »Solche Decken werden jetzt überall gearbeitet.«

»Das weiß ich, das weiß ich nur zu gut. Man kann keinen Abendbesuch mehr machen, ohne dieses greuliche, graue Gelump auf den hübschesten Kleidern und auf den zierlichsten Möbeln herumliegen zu sehen. In diesem Frühling wird einer geschmacklosen Wohltätigkeit gehuldigt.«

Um selber beurteilen zu können, ob er die Wahrheit spreche,

breitete die Gräfin die Strickarbeit, die sie in Händen hatte, auf dem freien Stuhl neben sich aus und stellte dann gleichgültig fest:

»Wirklich, es ist sehr häßlich.«

Und dann machte sie sich wieder an die Arbeit. Die beiden Köpfe unter den beiden ganz nahen Lichtquellen waren von einem rosigen Schein übergossen, der zunächst das Haar traf und sich auch über die Gesichter, die Kleider und die sich regenden Hände ausbreitete, und beide blickten mit der flüchtigen und ausdauernden Aufmerksamkeit von Frauen, die an Handarbeiten gewöhnt sind, auf ihre Beschäftigung nieder, der die Augen folgen, ohne daß sich der Geist mit ihnen befaßt.

In den vier Ecken des Zimmers brannten auf altertümlichen Säulen von vergoldetem Holz vier weitere Lampen aus chinesischem Porzellan und tauchten die Wandbespannung in ein sanftes, gleichmäßiges Licht, das durch über die Lampenglocken gestülpte Spitzenschirme gedämpft wurde.

Bertin nahm einen sehr niedrigen Sessel, einen Zwergenstuhl, auf dem er gerade noch sitzen konnte, den er jedoch beim Plaudern mit der Gräfin von je bevorzugt hatte, und saß dort beinahe zu ihren Füßen.

Sie sagte:

»Sie haben vorhin mit Nané einen langen Spaziergang durch den Park gemacht.«

»Ja, wir haben geschwatzt wie alte Freunde. Ich habe Ihre Tochter recht gern. Sie ist Ihnen außerordentlich ähnlich. Wenn sie gewisse Sätze spricht, könnte man meinen, Sie hätten Ihre Stimme in ihrem Mund liegenlassen.«

»Das hat mein Mann auch schon ziemlich oft gesagt.«

Er sah ihnen zu, wie sie, vom Licht der Lampen überflutet, arbeiteten, und der Gedanke, der ihn so oft quälte, der ihn den ganzen Tag über gequält hatte, und die Trostlosigkeit seines öden, reglosen, schweigenden und frostigen Hauses, was für Wetter auch immer sein und ob Feuer im Kamin brennen und die Heizung angestellt sein mochte, stimmten ihn trübsinnig, als begreife er zum erstenmal seine Einsamkeit.

Wie gern hätte er der Gatte dieser Frau und nicht ihr Geliebter sein mögen! Früher hatte er den Wunsch verspürt, sie diesem

Mann zu entreißen, zu nehmen, sie ihm ganz und gar zu stehlen. Heute beneidete er diesen betrogenen Ehemann, der im steten Einerlei ihres Hauses und der Nichtigkeit ihrer Beziehungen für immer seinen Platz an ihrer Seite hatte. Während er sie anschaute, fühlte er sein Herz ganz erfüllt von alten, wiederauferstandenen Dingen, die er ihr gern gesagt hätte. Wirklich, er liebte sie noch, heute sogar ein wenig mehr, viel mehr als seit langem; und der Drang, ihr von dieser Verjüngung zu erzählen, über die sie sich sehr freuen würde, ließ ihn wünschen, das junge Mädchen möge so rasch wie möglich zu Bett geschickt werden.

Wie besessen von diesem Verlangen, mit ihr allein zu sein, an ihre Knie heranzurücken, auf die er seinen Kopf legen würde, und ihre Hände zu nehmen, aus denen dann die Armendecke und die Holznadeln gleiten und das Wollknäuel am Ende eines abgewickelten Fadens unter einen Sessel rollen würde, blickte er auf die Uhr, sprach kaum noch und fand, es sei wirklich unrecht, Backfischen anzugewöhnen, daß sie den Abend mit den Erwachsenen verbrachten.

Schritte störten die Stille des benachbarten Salons, und der Diener, dessen Kopf im Türspalt erschien, meldete:

»Monsieur de Musadieu.«

Olivier Bertin mußte einen kleinen Wutanfall unterdrücken, und als er die Hand des Museumsdirektors schüttelte, fühlte er große Lust, ihn bei den Schultern zu packen und hinauszuwerfen.

Musadieu strotzte vor Neuigkeiten: das Ministerium werde gestürzt werden, und es werde von einem Skandal im Zusammenhang mit dem Marquis de Rocdiane gemunkelt. Mit einem Blick auf das junge Mädchen fügte er hinzu: »Davon werde ich später erzählen.«

Die Gräfin blickte zur Uhr auf und stellte fest, daß es bald zehn Uhr war.

»Es ist Zeit zum Schlafengehen, mein Kind«, sagte sie zu ihrer Tochter.

Annette legte ohne zu antworten ihre Strickarbeit zusammen, rollte die Wolle auf, küßte ihre Mutter auf die Wangen, reichte den beiden Herren die Hand und entfernte sich so eilig, als gleite sie hinaus, ohne die Luft im Vorübergehen zu bewegen.

Als sie gegangen war, fragte die Gräfin:

»Nun, und Ihr Skandal?«

Es wurde behauptet, der Marquis von Rocdiane, der in gütlicher Trennung von seiner Frau lebte, wofür sie ihm ein für ihn nicht ausreichendes Jahresgeld zahlte, habe, um dieses zu verdoppeln, ein sicheres und einzigartiges Mittel gefunden. Die Marquise, die er überwachen ließ, habe sich von ihm in flagranti ertappen lassen und durch eine neue Rente von dem polizeikommissarisch aufgenommenen Protokoll loskaufen müssen.

Die Gräfin lauschte mit begierigem Blick; ihre reglosen Hände hielten die unterbrochene Arbeit auf den Knien fest.

Bertin, den Musadieus Anwesenheit seit dem Fortgehen des jungen Mädchens aufs höchste aufbrachte, ärgerte sich und erklärte mit der Entrüstung eines Mannes, der Bescheid weiß und zu niemand über eine solche Verleumdung hat sprechen wollen, all das sei eine abscheuliche Lüge, eins der schändlichen Gerüchte, das Leute der guten Gesellschaft weder anhören noch je wiederholen dürften. Er stand jetzt vor dem Kamin und war wütend und trug das erregte Gesicht eines Mannes zur Schau, der durchaus geneigt ist, diese Geschichte zu einer persönlichen Frage zu machen.

Rocdiane sei sein Freund, und wenn man ihm in gewissen Fällen seine Leichtfertigkeit vorwerfen könne, so dürfe man ihn doch einer wirklich anrüchigen Tat weder beschuldigen noch auch nur verdächtigen. Musadieu war überrascht und verlegen, verteidigte sich, nahm zurück und entschuldigte sich.

»Erlauben Sie«, sagte er, »ich habe diese Angelegenheit gerade bei der Herzogin de Mortemain gehört.«

Bertin fragte: »Und wer hat Ihnen davon erzählt? Sicherlich doch eine Frau?«

»Nein, durchaus nicht, sondern der Marquis de Farandal.«

Heftig entgegnete der Maler:

»Das wundert mich nicht von ihm!«

Ein Schweigen entstand. Die Gräfin begann wieder zu stricken. Dann sagte Olivier mit ruhiger Stimme:

»Ich weiß ganz bestimmt, daß es nicht wahr ist.«

Er wußte nichts, weil er zum erstenmal von diesem Abenteuer hatte sprechen hören.

Musadieu bereitete seinen Rückzug vor, da ihm die Situation gefährlich schien, und deutete schon an, daß er gehen wolle, um noch einen Besuch bei den Corbelles zu machen, als der Graf de Guilleroy vom Essen in der Stadt heimkehrte.

Bertin setzte sich wieder, entmutigt und im Augenblick ohne Hoffnung, daß er sich den Ehemann vom Halse schaffen könnte.

»Wissen Sie eigentlich«, fragte der Graf, »was für ein Riesenskandal heute abend im Umlauf ist?«

Da niemand antwortete, fuhr er fort: »Anscheinend hat Rocdiane seine Frau bei strafbarem Umgang überrascht und läßt sich diese Unbedachtsamkeit sehr teuer bezahlen.«

Darauf legte Bertin mit tieftraurigem Gesicht, Kummer in der Stimme und in seiner Bewegung, eine Hand auf Guilleroys Knie und wiederholte ihm in freundschaftlichen und leisen Sätzen, was er eben noch Musadieu gewissermaßen ins Gesicht geschleudert hatte.

Und der Graf, halb überzeugt und verärgert, daß er eine zweifelhafte und vielleicht kompromittierende Sache so leichtfertig wiederholt hatte, entschuldigte sich mit seiner Unwissenheit und seiner Harmlosigkeit. Es würden ja tatsächlich so viele falsche und boshafte Dinge erzählt!

Plötzlich waren sich alle darüber einig: Die Gesellschaft beschuldigt, verdächtigt und verleumdet mit einer bedauerlichen Leichtfertigkeit. Und alle vier schienen wenigstens fünf Minuten lang überzeugt davon, daß all diese Tuscheleien erlogen seien, daß die Frauen niemals die Liebhaber hätten, deren man sie verdächtige, daß die Männer niemals die Schlechtigkeiten begingen, die man ihnen andichte, und daß alles in allem die Oberfläche schlechter sei als der Kern.

Bertin, der, seit Guilleroy gekommen war, nicht mehr auf Musadieu böse war, sagte ihm schmeichelhafte Dinge, brachte ihn auf seine Lieblingsthemen und öffnete die Schleusen seiner Beredsamkeit. Und der Graf schien zufrieden wie jemand, der überall Beruhigung und Herzlichkeit verbreitet.

Zwei Diener, die mit leisen Schritten über die Teppiche kamen, brachten den Teetisch, auf dem das kochende Wasser in einem hübschen, blitzblanken Gerät über der blauen Flamme eines Spirituskochers dampfte.

Die Gräfin stand auf, bereitete das heiße Getränk mit der Behutsamkeit und der Sorgfalt, die wir von den Russen übernommen haben, reichte dann Musadieu eine Tasse, Bertin eine andere und darauf Teller mit Gänseleberpastetensandwiches und kleinem, österreichischem und englischem Gebäck.

Der Graf hatte sich dem Rolltisch genähert, auf dem in Reih und Glied Fruchtsäfte, Liköre und Gläser standen, mischte sich einen starken Grog, schlüpfte dann heimlich in das Nebenzimmer und verschwand.

Bertin fand sich also von neuem Musadieu gegenüber, und abermals überkam ihn der Wunsch, diesen Störenfried hinauszuwerfen, der jetzt in Schwung geraten war und hochtrabend daherredete, Anekdoten zum besten gab und Witze in der Ich-form erzählte. Und die Augen des Malers hingen beharrlich an der Uhr, deren großer Zeiger immer näher an die Mitternachtsstunde heranrückte. Die Gräfin fing seinen Blick auf, verstand, daß er mit ihr sprechen wolle und verbreitete mit jener Geschicklichkeit der Frauen von Welt, die es gewohnt sind, durch feine Abschattungen den Ton einer Unterhaltung und die Atmosphäre in einem Salon zu verändern, um ohne ein Wort begreiflich zu machen, ob man bleiben dürfe oder gehen müsse, allein durch ihre Haltung, den Ausdruck ihres Gesichts und die Langeweile in ihren Augen eine Kälte um sich, als sei ein Fenster geöffnet worden.

Musadieu fühlte, wie diese Luftströmung seine Gedanken vereiste, und ohne daß er sich fragte warum, empfand er plötzlich selber den Wunsch, aufzustehen und zu gehen.

Bertin bewies Lebensart und ahmte seine Bewegung nach. So zogen sich die beiden Männer zusammen zurück und durchschritten die beiden Salons, gefolgt von der Gräfin, die dabei ausschließlich mit dem Maler sprach. Auf der Schwelle des Vorzimmers hielt sie ihn um irgendeiner Erklärung willen zurück, während Musadieu, dem ein Lakai dabei half, seinen Mantel anzog. Da Madame de Guilleroy immer noch mit Bertin sprach, entschloß sich der Museumsdirektor, nachdem er ein paar Sekunden vor der durch einen anderen Diener offengehaltenen Haustür gewartet hatte, allein zu gehen, um nicht neben dem Diener herumzustehen.

Die Tür wurde sacht hinter ihm geschlossen, und die Gräfin sagte mit vollkommener Unbefangenheit zu dem Künstler:

»Aber wirklich, warum wollen Sie so schnell gehen? Es ist noch nicht Mitternacht. Bleiben Sie doch noch ein wenig.«

So kehrten sie zusammen in den kleinen Salon zurück.

Sobald sie sich gesetzt hatten, sagte er:

»Mein Gott, hat mich dieser Trottel aufgeregt!«

»Und warum?«

»Er hat mir etwas von Ihnen weggenommen.«

»Oh, nicht viel.«

»Möglich, aber er störte mich.«

»Sind Sie eifersüchtig?«

»Man ist nicht eifersüchtig, wenn man einen Mann lästig findet.«

Er hatte sich wieder auf seinen kleinen Sessel gesetzt, und nun er ganz dicht neben sie gerückt war, betastete er den Stoff ihres Kleides, während er ihr erzählte, welch ein warmer Hauch an diesem Tag sein Herz getroffen hatte.

Überrascht und entzückt hörte sie ihm zu, legte sacht eine Hand auf sein weißes Haar und streichelte es leise, wie um ihm zu danken.

»Ich möchte so gern in Ihrer unmittelbaren Nähe leben!« sagte er.

Er mußte immer an den zu Bett gegangenen Ehemann denken, der zweifellos in einem Nebenzimmer schlief, und sagte dann:

»Einzig die Ehe kann zwei Menschenleben vereinen.«

»Armer, lieber Freund!« flüsterte sie, voller Mitleid mit ihm und auch mit sich.

Er hatte seine Wange an die Knie der Gräfin geschmiegt und sah sie liebevoll mit ein wenig schwermütiger, ein wenig schmerzlicher und weniger brennender Liebe als eben noch an, als er durch ihre Tochter, ihren Gatten und Musadieu von ihr getrennt gewesen war.

Lächelnd und während sie noch immer die leichten Finger über Oliviers Kopf gleiten ließ, sagte sie:

»Lieber Gott, wie weiß Sie sind! Ihre letzten schwarzen Haare sind verschwunden.«

»Ach ja, ich weiß, das geht schnell.«

Sie fürchtete, ihn traurig gestimmt zu haben.

»Oh«, sagte sie, »grau waren Sie übrigens schon sehr früh. Ich habe Sie immer meliert gekannt.«

»Ja, das stimmt.«

Um völlig den Anhauch von Kummer auszulöschen, den sie heraufbeschworen hatte, beugte sie sich vor, hob seinen Kopf mit den Händen an und drückte auf seine Stirn langsame, zärtliche Küsse, jene langen Küsse, die niemals zu enden scheinen.

Dann schauten sie einander an und suchten im Grunde ihrer Augen den Widerschein ihrer Liebe zu erblicken.

»Ich möchte so gern einmal einen ganzen Tag mit Ihnen verbringen«, sagte er.

Er fühlte sich dunkel durch ein unerklärliches Verlangen nach Vertraulichkeit gepeinigt.

Eben noch hatte er geglaubt, das Verschwinden der Menschen, die dagewesen waren, würde genügen, um die seit dem Morgen erwachte Sehnsucht zu verwirklichen, und jetzt, nun er mit seiner Geliebten allein war, nun er auf seiner Stirn die laue Wärme ihrer Hände und durch das Kleid hindurch an seiner Wange die laue Wärme ihres Körpers fühlte, gewahrte er in sich dieselbe Unruhe, dasselbe unbekannte und flüchtige Liebesverlangen.

Und da bildete er sich ein, außerhalb dieses Hauses, vielleicht im Walde, wo sie ganz allein wären und niemand weit und breit, könne die Unruhe seines Herzens befriedigt werden und zur Ruhe kommen.

»Was für ein Kind Sie sind!« antwortete sie. »Wir sehen einander doch fast jeden Tag.«

Er bat sie flehentlich, sich irgendeinen Vorwand auszudenken, damit sie morgen mittag mit ihm essen könne, irgendwo in der Umgegend von Paris, wie sie es früher schon vier- oder fünfmal getan hatten.

Sie wunderte sich über diesen Einfall, der jetzt, nun ihre Tochter heimgekommen war, so schwer zu verwirklichen war.

Indessen wolle sie es versuchen, sobald ihr Mann nach Roncières fuhr; aber das werde erst nach der Eröffnung der Ausstellung der Fall sein, die am nächsten Sonntag stattfinden sollte.

»Und wann werde ich Sie inzwischen sehen?« fragte er.

»Morgen abend, bei den Corbelles. Außerdem kommen Sie

Donnerstag um drei Uhr her, wenn Sie frei sind, und am Freitag, glaube ich, essen wir zusammen bei der Herzogin zu Abend.«

»Ja, ganz recht.«

Er stand auf.

»Adieu.«

»Adieu, lieber Freund.«

Er blieb lieber stehen, ohne sich zum Fortgehen entschließen zu können, weil er fast noch nichts von alledem gesagt hatte, was er ihr hatte sagen wollen, und weil ihm der Kopf nach wie vor voll war von unausgesprochenen Dingen und unklaren Ergüssen, die nicht laut geworden waren.

Er nahm ihre Hände und sagte nochmals: »Adieu.«

»Adieu, mein Freund.«

»Ich liebe Sie.«

Sie warf ihm ein Lächeln zu, mit dem eine Frau einem Mann innerhalb einer einzigen Sekunde alles zu zeigen vermag, was sie ihm gegeben hat.

Mit bebendem Herzen wiederholte er zum drittenmal: »Adieu.«

Und damit ging er.


# IV

Man hätte meinen können, daß sämtliche Pariser Wagen an diesem Tag eine Wallfahrt zum Industriepalast unternähmen. Seit neun Uhr morgens kamen sie durch alle Straßen, alle Avenuen und über alle Brücken zu der Kunstausstellung, wohin die Maler von ganz Paris das ganze mondäne Paris eingeladen hatten, an der Vorbesichtigung der dreitausendvierhundert Bilder teilzunehmen.

Eine Riesenmenge drängte durch die Türen und stieg, die Bildhauerwerke mit Verachtung strafend, sofort zu den Gemäldegalerien hinauf. Schon während sie Stufe um Stufe bewältigten, hoben sie die Augen zu den Bildern auf, die im Treppenhaus dargeboten wurden, wohin man die besondere Kategorie der Vestibülmaler zu hängen pflegt, die Werke von ungewöhnlichen Proportionen oder solche eingesandt hatten, die zurückzuweisen man nicht gewagt hatte. In dem viereckigen Saal brodelte eine wimmelnde und geräuschvolle Menge. Die bis zum Abend anwesenden Maler waren an ihrer Geschäftigkeit, dem dröhnenden Klang ihrer Stimmen und ihrem gebieterischen Gehaben zu erkennen. Sie zogen Freunde am Ärmel zu Bildern, auf die sie mit Ausrufen und dem nachdrücklichen Mienenspiel des Kenners hinwiesen. Man sah alle nur erdenklichen: große mit langem Haar, mit weichen grauen oder schwarzen Hüten von unbeschreiblicher Form, breit und rund wie Dächer und mit heruntergebogenen Krempen, die den ganzen Oberkörper des betreffenden Mannes beschatteten. Andere waren klein, ständig in Bewegung, schmächtig oder stämmig, trugen ein seidenes Tuch um den Hals und kurze Jacketts oder waren in sonderbare, für die Klasse der Malbeflissenen bezeichnende Anzüge gekleidet.

Es gab den Clan der Eleganten, der Modenarren, der Boulevardkünstler; den Clan der Akademiker, die korrekt gekleidet und je nach ihrer Auffassung von Eleganz und gutem Ton mit riesigen oder mikroskopisch kleinen roten Rosetten geschmückt waren, und den Clan der bürgerlichen Maler, die von der ganzen, den Vater wie ein Triumphchor umgebenden Familie umringt wurden.

Die der Ehre dieses viereckigen Saals teilhaftig gewordenen Bilder an den vier riesigen Wänden verblüfften schon beim Eintreten durch die Pracht des Kolorits und das Glänzen und Blitzen der Rahmen, durch die Grellheit neuer Farben, die durch den Firnis noch lebhafter wurden und unter dem von oben herabfallenden brutalen Tageslicht geradezu blendeten.

Das Porträt des Präsidenten der Republik hing gegenüber der Tür, während sich an einer anderen Wand ein mit Gold überladener General mit einem Straußenfederhut und roten Tuchhosen befand und gute Nachbarschaft mit völlig nackten Nymphen unter Weidenbäumen und einem Schiff in Seenot hielt, das fast von einer Woge verschlungen wurde. Ein Bischof aus alten Zeiten, der einen Barbarenkönig exkommunizierte, eine von Pestleichen strotzende orientalische Straße und Dantes Gestalt auf dem Weg ins Inferno packten und fesselten den Blick durch eine unwiderstehliche Gewalt des Ausdrucks.

Außerdem sah man in dem riesigen Saal eine Kavallerieattacke; Schützen in einem Wald; Kühe auf einer Weide; zwei adlige Herren des vorigen Jahrhunderts, die sich an einer Straßenecke duellierten; eine Wahnsinnige, die auf einem Eckstein saß; einen Priester, der einen Sterbenden versah; Schnitter; Flüsse; einen Sonnenuntergang; eine Mondscheinlandschaft; Proben mithin von allem, was sich malen läßt, was gemalt wird und was die Maler bis zum Jüngsten Tag malen werden.

Olivier stand in einer Gruppe berühmter Kollegen, Mitglieder der Akademie und der Jury, und tauschte mit ihnen Meinungen aus. Ein Unbehagen bedrückte ihn, eine Unruhe über sein ausgestelltes Werk, das er trotz der eifrigen Glückwünsche als nicht völlig gelungen empfand.

Dann stürzte er vor. In der Eingangstür erschien die Herzogin de Mortemain.

»Ist die Gräfin noch nicht hier?« fragte sie.

»Ich habe sie nicht gesehen.«

»Und Monsieur de Musadieu?«

»Ebensowenig.«

»Er hat mir versprochen, um zehn Uhr oben an der Treppe zu sein, um mich durch die Säle zu führen.«

»Wollen Sie mir erlauben, ihn zu ersetzen, Frau Herzogin?«

»Nein, nein. Ihre Freunde brauchen Sie. Wir sehen uns gleich wieder; ich rechne damit, daß wir zusammen zu Mittag essen.«

Musadieu kam herbeigeeilt. Er war ein paar Minuten bei den Bildhauerwerken aufgehalten worden und entschuldigte sich; er war bereits außer Atem.

»Hier, Frau Herzogin, wir fangen hier auf der rechten Seite an«, sagte er.

Sie waren gerade in einem Strudel von Köpfen verschwunden, als die Gräfin de Guilleroy, ihre Tochter am Arm, eintrat und mit den Blicken Olivier Bertin suchte.

Er sah sie, ging auf sie zu und begrüßte sie: »Mein Gott, wie schön Sie beide sind! Wirklich, Nannette wird immer hübscher. Innerhalb von acht Tagen hat sie sich völlig verändert.«

Er musterte sie mit seinen forschenden Augen. Dann fügte er hinzu:

»Die Linien sind weicher, gelöster, der Teint leuchtender. Sie ist schon viel weniger kleines Mädchen und viel mehr Pariserin.«

Aber plötzlich kam er auf das große Tagesereignis zurück.

»Wir wollen auf der rechten Seite anfangen, dann treffen wir die Herzogin.«

Die Gräfin, in allem, was die Malerei betraf, auf dem laufenden und besorgt wie ein Maler, der selber ausgestellt hat, fragte:

»Was sagt das Publikum?«

»Eine schöne Ausstellung. Bemerkenswerter Bonnat, zwei hervorragende Carolus Duran, ein wunderbarer Puvis de Chavannes, ein höchst erstaunlicher und sehr neuartiger Roll, ein ausgezeichneter Gervex und vieles andere, von Béraud, Cazin, Duez, überhaupt eine Menge guter Sachen.«

»Und Sie?« fragte sie.

»Es werden mir Komplimente gemacht, aber ich bin nicht zufrieden.«

»Sie sind nie zufrieden.«

»Doch, manchmal. Aber heute glaube ich wirklich, daß ich recht habe.«

»Warum?«

»Das weiß ich nicht.«

»Lassen Sie uns sehen.«

Als sie zu dem Bild kamen – zwei kleinen Bauernmädchen, die in einem Bach badeten –, stand eine bewundernde Gruppe davor. Sie freute sich und sagte ganz leise:

»Aber das ist doch zauberhaft, es ist ein Juwel. Sie haben nie etwas Besseres gemacht.«

Er drängte sich an sie, weil er sie liebte und für jedes Wort dankbar war, das ein Leiden beschwichtigte, eine Wunde verband. Und blitzschnell durchglitten ihn mancherlei Erwägungen und versuchten ihn zu überzeugen, daß sie recht habe, daß sie mit ihren klugen Pariserinnenaugen richtig sehe. Um seine Befürchtungen zu beschwichtigen, vergaß er, daß er ihr seit zwölf Jahren vorwarf, allzusehr die Künstlichkeiten, die eleganten Leckerbissen, die zum Ausdruck gebrachten Gefühle, die mit der Mode gehenden falschen Feinheiten zu bewundern und niemals die Kunst, die Kunst an sich, die von Ideen, Tendenzen und gesellschaftlichen Vorurteilen losgelöste Kunst.

Er zog sie weiter, in den nächsten Saal. »Wir wollen uns das übrige ansehen«, sagte er. Und so führte er sie lange, sehr lange von Saal zu Saal und zeigte ihnen die Bilder und erklärte die Themen, glücklich mit ihnen und glücklich durch sie.

Plötzlich fragte die Gräfin: »Wie spät ist es?«

»Halb eins.«

»Oh! Höchste Zeit, zum Essen zu gehen. Die Herzogin wartet bei Ledoyen auf uns und hat mich beauftragt, Sie mitzubringen, falls wir sie in den Sälen nicht treffen sollten.«

Das Restaurant stand mitten in einer Insel von Bäumen und Sträuchern und schwirrte wie ein zu voller, vibrierender Bienenstock. Ein wirres Summen von Stimmen, Rufen, Gläser- und Tellerklirren flatterte umher und drang aus allen Fenstern und all den großen, geöffneten Türen. Die gedrängt vollen Tische, an denen Leute beim Essen saßen, standen in langen Reihen in den Seitenwegen rechts und links von dem schmalen Durchgang, durch den betäubt und wie närrisch, große Platten mit Fleisch, Fischen oder Früchten balancierend, die Kellner liefen.

Unter der umlaufenden Galerie saßen so viele Männer und Frauen, daß sie wie eine lebendige Teigmasse wirkten. All das lachte, rief, trank und aß, wurde angeheitert durch den Wein und überflutet von einer Fröhlichkeit, die an gewissen Tagen mit der Sonne auf Paris herabfällt.

Ein Kellner führte die Gräfin, Annette und Bertin in den reservierten Salon, wo die Herzogin sie erwartete.

Als sie eintraten, erblickte der Maler neben dessen Tante den Marquis de Farandal, der übereifrig und lächelnd beide Arme ausstreckte, um die Schirme und Mäntel der Gräfin und ihrer Tochter in Empfang zu nehmen. Bertin empfand ein solches Mißfallen, daß er unvermittelt Lust bekam, aufreizende und brutale Dinge zu sagen.

Die Herzogin erklärte das Zusammentreffen mit ihrem Neffen und das Entschwinden Musadieus, der durch den Minister, dem die Künste unterstanden, weggeführt worden sei, und Bertin wurde schwach bei dem Gedanken, daß dieser Geck von einem Marquis Annette heiraten solle, daß er nur ihretwegen gekommen sei, daß er jetzt schon die für sein Bett Auserwählte in ihr sah, und empörte sich, als habe man seine Rechte, geheimnisvolle und geheiligte Rechte, mißachtet und geschändet.

Sobald sie am Tisch Platz genommen hatten, beschäftigte sich der Marquis mit dem jungen Mädchen, neben dem er saß, in der eifrigen Art von Leuten, die ermächtigt sind, den Hof zu machen.

Er hatte neugierige Augen, die den Maler verwegen und forschend anmuteten, ein fast zärtliches und befriedigtes Lächeln, eine vertrauliche und zugleich korrekte Höflichkeit. In seinem Betragen und in seinen Worten zeigte sich bereits etwas Entschiedenes wie die Ankündigung einer baldigen Besitzergreifung.

Die Herzogin und die Gräfin schienen das Benehmen des Bewerbers zu fördern und gutzuheißen und blinzelten einander wie in geheimer Mitwisserschaft zu.

Sobald das Essen beendet war, kehrten sie in die Ausstellung zurück. In den Sälen war ein solches Menschengewimmel, daß es schier undurchdringlich schien. Körperwärme und der muffige Geruch am Leib gealterter Frauenkleider und Männeranzüge mischten sich zu einer widerlichen, schweren Luft. Man betrachtete nicht mehr die Bilder, sondern die Gesichter und die Kleider und suchte außerdem Bekannte; und mitunter gab es ein Geschubse in dieser dichten Menge, sie öffnete sich für einen Augenblick, um die hohe Trittleiter der Lackierer mit ihrem: »Achtung, meine Herren, Achtung, meine Damen!« durchzulassen.

Nach fünf Minuten gewahrten die Gräfin und Olivier, daß sie von den anderen getrennt seien. Er wollte sie suchen, aber sie stützte sich auf ihn und sagte:

»Ist es nicht ganz gut so? Lassen Sie doch die andern, es ist doch verabredet, daß wir uns um vier Uhr am Büfett treffen, falls wir uns verlieren.«

»Ja, richtig«, erwiderte er.

Aber er verbohrte sich in die Vorstellung, wie der Marquis Annette begleitete und in seiner galanten Geckenhaftigkeit weiter fades Zeug schwatzte.

»Sie lieben mich also immer noch?« flüsterte die Gräfin.

Mit abwesendem Gesicht antwortete er:

»Selbstverständlich, gewiß doch.«

Und über die Köpfe hinweg suchte er nach Monsieur de Farandals grauem Hut.

Sie spürte, wie zerstreut er war, wollte seine Gedanken zu sich zurücklenken und sagte:

»Wenn Sie wüßten, wie sehr mir Ihr diesjähriges Bild gefällt. Es ist Ihr Meisterwerk.«

Er lächelte, vergaß plötzlich die jungen Leute und mußte an seine Sorge von heute morgen denken.

»Wirklich? Finden Sie?«

»Ja, es gefällt mir von allen am besten.«

»Es hat mir viel Unbehagen bereitet.«

Mit schmeichelnden Worten ging sie ihm von neuem um den Bart, weil sie seit langer Zeit nur zu gut wußte, daß nichts so viel Macht über einen Künstler hat wie liebevolle, unaufhörliche Schmeichelei. Gefangen, belebt und aufgeheitert durch diese freundlichen Worte, begann er zu sprechen und sah nichts als sie und hörte nichts als sie in diesem hin und her flutenden Gewühl.

Um ihr zu danken, flüsterte er in ihr Ohr:

»Ich habe wahnsinnige Lust, Sie zu küssen.«

Ein warmer Schauer durchlief sie, sie hob ihre glänzenden Augen zu ihm, und wiederholte ihre Frage:

»Sie lieben mich also immer noch?«

Und jetzt antwortete er mit der Betonung, die sie hatte hören wollen und die sie vor wenigen Minuten nicht gehört hatte:

»Ja, meine liebe Any, ich liebe Sie.«

»Sie müssen mich abends oft besuchen«, sagte sie. »Jetzt, wo meine Tochter da ist, werde ich nur noch selten ausgehen.«

Seit sie dies unerwartete Wiederaufleben der Liebe in ihm spürte, empfand sie ein großes Glück. Angesichts seines weißen Haars und der Beschwichtigung durch sein Alter fürchtete sie jetzt weniger, daß er durch eine andere Frau verlockt werde, hatte jedoch entsetzliche Angst, daß er sich aus Furcht vor der Einsamkeit verheiraten könne. Diese schon lange gehegte Angst wuchs unablässig und ließ in ihr unausführbare Pläne entstehen, wie sie ihn möglichst nahe bei sich haben und es vermeiden könne, daß er lange Abende in der frostigen Einsamkeit seines leeren Hauses verbringe. Da sie ihn nicht immer heranziehen und zurückhalten konnte, schlug sie ihm Zerstreuungen vor, schickte ihn ins Theater, trieb ihn in die Gesellschaft, weil es ihr lieber war, ihn unter Frauen als in der Trostlosigkeit seines Hauses zu wissen.

Als Antwort auf ihre geheimen Gedanken sagte sie:

»Ach, wenn ich Sie immer um mich haben könnte, wie würde ich Sie verwöhnen! Versprechen Sie mir, sehr oft zu kommen, weil ich kaum mehr ausgehe.«

»Ich verspreche es Ihnen.«

Dicht an ihrem Ohr flüsterte eine Stimme: »Mama.«

Die Gräfin zuckte zusammen und wandte sich um. Annette, die Herzogin und der Marquis kamen auf sie zu.

»Es ist vier Uhr«, sagte die Herzogin, »ich bin sehr müde und möchte am liebsten gehen.«

Die Gräfin antwortete:

»Ich möchte ebenfalls gehen, ich kann nicht mehr.«

Sie gelangten zur Innentreppe, die die Galerien mit den aneinandergereihten Skizzen und Aquarellen teilt und den ungeheuren Wintergarten mit den ausgestellten Bildhauerwerken beherrscht.

Vom obersten Treppenabsatz überblickte man von einem Ende zum anderen das riesige Treibhaus, wo überall in den Gängen um Gruppen von grünen Büschen Plastiken aufgestellt waren und hoch über die Menge ragten, die den Boden der Wege wie ein hin und her wogender schwarzer Strom bedeckte. Aus diesem dunklen Teppich von Hüten und Schultern ragten die Marmorbilder und durchbohrten ihn an tausend Stellen; sie wirkten wie von innen erleuchtet, so weiß waren sie.

Als sich Bertin an der Tür von den Frauen verabschiedete, fragte ihn Madame de Guilleroy ganz leise:

»Sie kommen also heute abend?« – »Freilich.«

Und dann ging er in die Ausstellung zurück und plauderte mit den Künstlern über die Eindrücke des Tages.

Die Maler und die Bildhauer standen in Gruppen um die Skulpturen oder vor dem Büfett und diskutierten wie jedes Jahr, indem sie die gleichen Gedanken mit den gleichen Argumenten über die fast gleichen Werke verfochten oder angriffen. Olivier, den diese Unterhaltungen für gewöhnlich anregten, weil er rasch und mit verwirrenden Ausfällen zu erwidern wußte und im Ruf eines geistreichen Theoretikers stand, worauf er stolz war, bemühte sich, leidenschaftlich zu werden; aber das, was er aus Gewohnheit antwortete, interessierte ihn nicht mehr als das, was er hörte, und er wäre gern gegangen, um nicht mehr zu hören, nicht mehr zu vernehmen, was er von vornherein wußte und was auf all diese alten Fragen der Kunst, die er in allen ihren Formen kannte, geäußert wurde.

Dennoch hatte er dies alles gern und hatte es auf eine beinahe ausschließliche Weise gern gehabt; doch heute war er durch eine leichte und anhaltende Befangenheit nicht bei der Sache, eine der kleinen Besorgnisse, die uns nicht zu berühren scheinen und die trotzdem da sind, was man auch sagen und was man auch tun möge, die sich in unseren Geist bohren, wie ein unsichtbarer Dorn ins Fleisch dringt.

Er hatte sogar seine Unruhe über seine ›Badenden‹ vergessen, um lediglich an das unangenehme Verhalten des Marquis gegenüber Annette denken zu können. Aber was ging ihn das schließlich an? War er dazu berechtigt? Warum sollte er diese sorgfältig vorbereitete, von vornherein abgemachte und in jeder Hinsicht passende Eheschließung verhindern? Doch keine vernünftige Überlegung vermochte den Eindruck des Unbehagens und des Mißfallens auszulöschen, der ihn überkommen hatte, als er Farandal wie einen Verlobten hatte reden und lächeln und mit seinem Blick das Gesicht des jungen Mädchens liebkosen sehen.

Als er am Abend zu der Gräfin kam und sie allein antraf, mit ihrer Tochter, immer noch mit der Strickerei für die Armen beschäftigt, kostete es ihn große Mühe, sich spöttischer und boshafter Bemerkungen über den Marquis zu enthalten und nicht Annette dessen ganze, unter einer eleganten Außenseite verborgene Alltäglichkeit vor Augen zu führen.

Seit langem schon bewahrte er bei diesen Besuchen nach dem Essen ein etwas schläfriges Schweigen und die nachlässige Haltung eines alten Freundes, der sich nicht mehr geniert. Mit übereinandergeschlagenen Beinen, den Kopf nach hinten zurückgelehnt, hockte er auf seinem Sessel, träumte er beim Sprechen und ruhte in dieser stillen Vertraulichkeit Körper und Geist aus. Doch jetzt erwachte in ihm mit einemmal die Lebendigkeit und Geschäftigkeit von Männern, die sich in Unkosten stürzen, um zu gefallen, die sich unentwegt überlegen, was sie sagen müssen, und die vor gewissen Leuten die glänzendsten oder seltensten Worte suchen, um ihre Gedanken auszuschmücken und besonders anziehend herzurichten. Er ließ das Gespräch sich nicht länger hinschleppen, sondern hielt es aufrecht und belebte es, peitschte es mit seinem Künstlerschwung an und empfand, wenn er bei der Gräfin und ihrer Tochter ein Lächeln hervorgelockt hatte oder sie gerührt sah oder beobachtete, wie sie ihre überraschten Augen auf ihn richteten, oder wenn sie aufhörten zu stricken, um ihm zuzuhören, ein Lustgefühl, einen kleinen Beifallsschauer, der seine Mühe belohnte.

Er kam jetzt immer, wenn er sie allein wußte, und vielleicht hatte er nie zuvor so angenehme Abende verbracht.

Madame de Guilleroy, die bei solcher Pflichttreue ihre ständigen Befürchtungen schwinden fühlte, tat, was in ihren Kräften stand, um ihn an sich zu ziehen und dazubehalten. Sie sagte Einladungen zum Abendessen in der Stadt, Bälle und repräsentative Verpflichtungen ab, um sich beim Ausgehen um drei Uhr die Freude zu gönnen, einen kleinen blauen Umschlag in den Rohrpostbriefkasten zu stecken; er enthielt nur die Worte: »Auf bald.« In der ersten Zeit schickte sie, um ihm möglichst rasch das ersehnte ungestörte Beisammensein zu gewähren, die Tochter zu Bett, sobald es zehn Uhr zu schlagen begann. Dann jedoch, als sie eines Tages bemerkt hatte, wie er sich wunderte und lächelnd fragte, ob Annette nicht wie ein unartiges kleines Kind behandelt werde, gab sie eine Viertelstunde, darauf eine halbe und schließlich eine ganze Stunde zu. Übrigens blieb er nicht mehr sehr lange da, wenn das junge Mädchen gegangen war, als entferne sich mit ihr die Hälfte des Zaubers, der ihn in diesem Salon festhielt. Doch sogleich rückte er den niedrigen kleinen Sessel, den er bevorzugte, in ihre Nähe, ließ sich zu Füßen der Gräfin nieder und lehnte für ein paar Augenblicke mit einer schmeichlerischen Bewegung eine Wange an ihr Knie. Sie gab ihm eine Hand, die er dann in der seinen festhielt, und plötzlich ließ seine fiebrige Erregung nach, er hörte auf zu sprechen und schien sich in einem zärtlichen Schweigen von der Anstrengung, der er sich unterzogen hatte, auszuruhen.

Nach und nach begriff sie mit ihrem weiblichen Witterungsvermögen nur zu gut, daß ihn Annette fast ebenso anzog wie sie selber. Sie war deswegen nicht böse, sondern glücklich, daß er bei ihnen etwas wie eine kleine Familie fand, der sie ihn beraubt hatte, und hielt ihn soviel wie möglich bei ihnen beiden gefangen, indem sie die Mama spielte, damit er sich beinahe für den Vater halten mochte und damit eine neue Variation liebevoller Zuneigung zu dem hinzutrat, was ihn an dies Haus fesselte.

Ihre immer wache, aber seit einiger Zeit von Beunruhigungen erfüllte Gefallsucht wurde lebhafter, da sie wie fast noch kaum spürbare Stiche die unzähligen Angriffe des Alters fühlte. Um ebenso schlank wie Annette zu werden, versagte sie sich weiterhin Getränke, und das wirklich einsetzende Dünnerwerden ihrer Taille lieh ihr die Figur eines jungen Mädchens, so daß man die beiden, sah man sie von hinten, kaum unterscheiden konnte; ihr abgemagertes Gesicht hatte jedoch unter den bösen Folgen zu leiden. Die locker gewordene Haut bekam Falten und wurde etwas gelblich, was die wunderbare Frische des Kindes noch augenfälliger machte. Sie begann, ihr Gesicht zu pflegen und zu behandeln wie eine Schauspielerin, und wenn sie dadurch auch bei Tageslicht eine etwas verdächtig weiße Haut bekam, so erzielte sie bei Lampenbeleuchtung doch jene bezaubernde künstliche Farbe, die gutgeschminkten Frauen einen unvergleichlichen Teint gibt.

Die Feststellung dieses Verfalls und die Anwendung dieser künstlichen Mittel änderten fortan ihre Gewohnheiten. Sie vermied soviel wie möglich Vergleiche mit andern in der strahlenden Sonne und suchte sie statt dessen bei Lampenlicht, das ihr ein vorteilhafteres Aussehen schuf. Wenn sie sich matt, blaß und älter als sonst fühlte, litt sie unter willkommenen Migränen, die sie von Ballen oder Theaterbesuchen fernzuhalten vermochten; dagegen triumphierte sie an Tagen, an denen sie sich schön fühlte und spielte die große Schwester mit der würdevollen Bescheidenheit einer stolzen Mutter. Um immer fast gleich gekleidet zu sein wie die Tochter, ließ sie dieser Toiletten wie für eine junge Frau anfertigen; sie waren ein wenig zu ernst für sie; aber Annette, bei der sich mehr und mehr ein munterer und zum Lachen neigender Charakter offenbarte, trug sie mit sprühender Lebhaftigkeit, und die machte sie noch hübscher. Sie gab sich bereitwillig für die koketten Manöver ihrer Mutter her, stellte mit ihr, rein aus Instinkt, anmutige kleine Szenen dar, verstand im passenden Augenblick zu küssen, zärtlich um die Taille zu fassen und wußte durch eine Bewegung, eine Liebkosung oder einen klug ersonnenen Einfall zu zeigen, wie hübsch sie beide seien und wie sehr sie einander glichen.

Wenn er sie so beisammen sah und ohne Unterlaß miteinander verglich, geschah es Olivier Bertin manchmal, daß er sie in manchen Augenblicken beinahe verwechselte. Bisweilen, wenn das junge Mädchen zu ihm sprach und er gerade woanders hinsah, war er gezwungen zu fragen: »Wer hat das eben gesagt?« Oft, wenn sie alle drei allein in dem Salon mit den Louis-Quinze-Wandbespannungen saßen, hatte er seinen Spaß daran, dies Spiel der Verwirrung zu spielen. Er schloß dann die Augen und bat sie, ihm eine nach der anderen die gleiche Frage zu stellen und dann die Reihenfolge zu wechseln, um zu sehen, ob er ihre Stimmen erkenne. Das probierten sie mit so viel Geschicklichkeit beim Herausfinden derselben Betonung, beim Aussprechen derselben Sätze mit demselben Heben und Senken der Stimme, daß er es häufig nicht erriet. Sie hatten es fertiggebracht, sich so ähnlich auszudrücken, daß die Dienstboten »Ja, Madame« zu dem jungen Mädchen sagten und »Ja, Mademoiselle« zur Mutter.

Und weil sie einander aus purem Vergnügen nachäfften und einander ihre Gesten nachmachten, erlangten sie eine solche Ähnlichkeit im Benehmen und in ihren Bewegungen, daß sogar Monsieur de Guilleroy, wenn er eine oder die andere im dämmrigen Salon vorübergehen sah, sie alle paar Augenblicke verwechselte und fragte: »Bist du es Annette, oder ist es deine Mutter?«

Aus dieser natürlichen und gewollten, wirklichen und künstlich geschaffenen Ähnlichkeit hatte sich im Geist und im Herzen des Malers der seltsame Eindruck eines Doppelwesens herausgebildet, eines alten und eines neuen, eines sehr bekannten und eines fast unbekannten, der Eindruck zweier Körper, die einer wie der andere aus demselben Fleisch geschaffen worden waren, der Eindruck von ein und derselben Frau, die sich verjüngt hatte und wieder zu dem geworden, was sie ehedem gewesen war. Und so lebte er neben beiden, geteilt zwischen beiden, unruhig und gepeinigt, indem er für die Mutter die wiedererwachte Leidenschaft fühlte und das Mädchen mit einer unklaren Zärtlichkeit umspann.

## ZWEITER TEIL

I

Paris, 20. Juli, 11 Uhr abends

›Lieber Freund, meine Mutter ist in Roncières gestorben. Wir fahren gegen Mitternacht. Kommen Sie nicht, denn wir haben niemand benachrichtigt. Fühlen Sie mit mir und denken Sie an mich.

Ihre Any‹

21. Juli, mittags

›Arme, liebe Freundin, ich wäre dennoch gekommen, wenn Sie mich nicht daran gewöhnt hätten, Ihre Wünsche als Befehle zu betrachten. Seit gestern denke ich mit bohrendem Schmerz an Sie. Ich stelle mir die schweigsame Reise vor, die Sie nachts, Ihrer Tochter und Ihrem Mann gegenübersitzend, unternommen haben, in dem dürftig beleuchteten Waggon, der Sie zu Ihrer Toten brachte. Ich habe Sie alle drei unter der öligen Deckenlampe vor mir gesehen, Sie weinend und Annette schluchzend. Ich habe Ihr Eintreffen auf dem Bahnhof vor mir gesehen, die gräßliche Fahrt im Wagen, die Ankunft im Schloß inmitten der Dienerschaft, Ihre Eile auf der Treppe, um in das Zimmer, an das Bett zu gelangen, in dem sie liegt, Ihren ersten Blick auf sie und Ihren Kuß auf das magere, unbewegliche Gesicht. Und ich habe an Ihr Herz gedacht, Ihr armes Herz, das arme Herz, das zur Hälfte mein ist und das zerbricht, das so viel leidet, das Ihnen den Atem benimmt und das auch mir in diesem Augenblick so viele Leiden schafft.

Ich küsse Ihre weinenden Augen in tiefem Mitleid.

Olivier‹

›Ihr Brief hat mir wohlgetan, lieber Freund, wenn mir überhaupt etwas bei dem entsetzlichen Unglück, das über mich hereingebrochen ist, wohltun konnte. Wir haben sie gestern begraben, und seit ihr armer, lebloser Körper dieses Haus verlassen hat, ist mir, als sei ich ganz allein auf der Welt. Man liebt seine Mutter, fast ohne es zu wissen und ohne es zu fühlen, weil es so natürlich wie das Lebendigsein ist; und bis zum Augenblick der letzten Trennung spürt man nicht, wie tief die Wurzeln dieser Liebe hinabreichen. Keine andere Liebe ist mit dieser zu vergleichen, denn alle anderen sind Begegnung, und diese währt von der Geburt an; alle anderen werden uns später durch die Zufälle unseres Daseins dargebracht, und diese lebt von unserm ersten Tag an in unserem Blut. Und dann, und dann – man hat ja nicht nur die Mutter verloren, sondern unsere Kindheit entschwindet zur Hälfte, weil unser kleines Mädchendasein ebenso ihr gehört hatte wie uns. Sie allein kannte es wie wir, sie wußte eine Menge unbedeutender, uns teurer, weit zurückliegender Dinge, die die ersten leisen Regungen unseres Herzens sind und waren. Zu ihr allein konnte ich noch sagen: »Erinnerst du dich jenes Tages, Mutter, als ... – Erinnerst du dich der Puppe mit dem Porzellankopf, Mutter, die mir die Großmama geschenkt hatte?« Wir raunten einander einen langen, lieblichen Rosenkranz mutwilliger kleiner Erinnerungen zu, die außer mir jetzt niemand mehr auf Erden kennt. Also ist ein Teil meiner selbst gestorben, in dem das kleine Mädchen, das ich früher einmal gewesen bin, noch ganz lebendig war. Jetzt kennt es niemand mehr, niemand erinnert sich der kleinen Anne, ihrer kurzen Röckchen, ihres Lachens und ihres Gesichts.

Und dann kommt in vielleicht nicht allzu ferner Zeit ein Tag, da ich selber scheiden muß und meine liebe Annette auf dieser Welt allein lasse, wie mich Mama heute allein gelassen hat. Wie traurig, hart und grausam ist das alles! Und dennoch denkt man nie daran; man beachtet es nicht, daß der Tod jeden Augenblick einen aus unserer Umgebung nimmt, wie er bald auch uns nehmen wird. Wenn man es beachten würde, wenn man darüber nachdächte, wenn man nicht abgelenkt, froh gestimmt und geblendet würde durch all das, was an unseren Augen vorüberzieht, dann könnte man gar nicht leben, weil uns der Anblick dieses endlosen Sterbens verrückt machen würde.

Ich bin so gebrochen und so verzweifelt, daß ich nicht mehr die Kraft habe, etwas zu tun. Tag und Nacht denke ich an meine arme Mama, die nun, im Sarg eingeschlossen, unter dieser Erde, auf jenem Gräberacker, im Regen begraben liegt und deren altes Gesicht, das ich so liebevoll küßte, jetzt nicht mehr ist als eine grausige Verwesung. Ach, wie furchtbar ist das, mein Freund, wie furchtbar!

Als ich Papa verlor, hatte ich gerade geheiratet, und damals empfand ich all das nicht so wie heute. Ja, bedauern Sie mich, denken Sie an mich und schreiben Sie mir. Ich habe Sie im Augenblick so nötig.

Anne‹

Paris, den 25. Juli

›Arme, liebe Freundin,

Ihr Kummer quält mich maßlos. Und ich sehe das Leben nicht mehr in rosigen Farben. Seit Ihrer Abreise komme ich mir verloren und verlassen vor, ohne Halt und ohne Zuflucht. Alles ermüdet, langweilt und ärgert mich. Unaufhörlich denke ich an Sie und unsere Annette, und ich empfinde Sie alle beide als mir so fern, und dabei brauchte ich Sie doch so sehr in meiner Nähe. Merkwürdig, in wie weiter Ferne ich Sie fühle und wie Sie mir fehlen. Niemals, nicht einmal in den Tagen, da ich jung war, waren Sie mir so sehr mein ein und alles wie in diesem Augenblick. Ich habe diese Krisis seit einiger Zeit vorausgefühlt; sie muß etwas wie ein Sonnenstich im Spätsommer sein. Und was ich empfinde, ist so absonderlich, daß ich es Ihnen erzählen will. Stellen Sie sich vor, daß ich seit Ihrer Abreise nicht mehr spazierengehen kann. Früher und sogar während der letzten Monate bin ich sehr gern allein durch die Straßen geschlendert und umhergestreift, habe mich durch Menschen und Dinge ablenken lassen und die Freude, zu sehen, und das Vergnügen, leichten Fußes einherzutrotten, genossen. Ich ging einfach geradeaus, ohne zu wissen wohin, nur um zu gehen, um zu atmen und zu träumen. Das kann ich jetzt nicht mehr. Sobald ich auf die Straße komme, packt mich eine Angst, eine Furcht, wie die eines

Blinden, der seinen Hund losgelassen hat. Ich werde unruhig wie ein Wanderer, der die Wegspur im Walde verloren hat, und ich muß heimgehen. Paris kommt mir leer, scheußlich und beunruhigend vor. Ich frage mich: »Wohin soll ich gehen«, und ich antworte mir: »Nirgendwohin, ich gehe spazieren.« Ja, aber ich kann nicht mehr, ich kann nicht mehr ziellos umhergehen. Allein schon der Gedanke, einfach so vor mich hin zu gehen, macht mich sterbensmüde und ödet mich an. Also schleppe ich meine Schwermut in den Klub.

Und wissen Sie, warum? Einzig und allein, weil Sie nicht hier sind. Das weiß ich ganz genau. Wenn ich Sie in Paris weiß, gibt es keine unnützen Spaziergänge mehr, weil es sein könnte, daß ich Ihnen in der ersten besten Straße begegnete. Ich kann überall hingehen, weil Sie überall sein können. Und wenn ich Sie nicht sähe, könnte ich wenigstens Annette treffen, Ihr zweites Ich. Sie erfüllen, eine wie die andere, die Straßen mit Hoffnung, mit der Hoffnung, Ihnen zu begegnen, sei es, daß Sie von weitem auf mich zukommen, sei es, daß ich Sie vor mir vermute und hinter Ihnen hergehe. Und dann wird die Stadt für mich reizvoll, und durch die Frauen, deren Haltung der Ihren gleicht, läßt der ganze Trubel in den Straßen mein Herz höher schlagen, nährt meine Erwartung, beschäftigt meine Augen und macht mir geradezu Appetit, Sie zu sehen.

Sie werden mich sehr egoistisch finden, arme, liebe Freundin, mich, der Ihnen von seiner Einsamkeit erzählt wie ein gurrender alter Tauber, während Sie so schmerzliche Tränen weinen. Verzeihen Sie mir, ich bin so sehr daran gewöhnt, von Ihnen verzogen zu werden, daß ich »Hilfe!« schreie, wenn ich Sie nicht mehr nahe bei mir habe.

Ich küsse Ihre Füße, damit Sie Mitleid mit mir haben.

Olivier‹

Roncières, den 30. Juli

›Lieber Freund,

Dank für Ihren Brief! Mich verlangt so sehr danach, zu wissen, daß Sie mich lieben! Ich habe böse Tage hinter mir. Ich habe wirklich geglaubt, daß der Schmerz auch mich töten werde. Er saß in meiner Brust eingeschlossen wie ein ganzer Block von Leiden, schwoll unaufhörlich weiter an und erstickte und erwürgte mich. Der Arzt, der gerufen wurde, damit er die Nervenanfälle beruhigte, unter denen ich vier- bis fünfmal am Tag litt, hat mir Morphiumspritzen gegeben, und davon bin ich halb verrückt geworden, und die große Hitze, die wir haben, hat mein Befinden noch verschlimmert und mich in einen Zustand der Überreizung versetzt, der an Wahnsinn grenzt. Nach dem großen Gewitter am Freitag bin ich etwas ruhiger geworden. Ich muß Ihnen sagen, daß ich seit dem Tag der Beerdigung überhaupt nicht mehr geweint habe; und dann während des Unwetters, dessen Herannahen mich schon außer mir brachte, fühlte ich, wie mir langsam die Tränen spärlich, dünn und brennend aus den Augen rannen. Oh, diese ersten Tränen, wieviel Schmerz bereiten sie einem! Sie haben mich zerfetzt wie mit Krallen, und meine Kehle war wie zugeschnürt, so daß ich kaum atmen konnte. Dann kamen die Tränen rascher, wurden größer und lauer. Sie stürzten mir aus den Augen wie eine Quelle, und es waren so viele, so viele, daß mein Taschentuch ganz naß wurde und ich ein anderes nehmen mußte. Und der große Block von Schmerz schien weicher zu werden, zu schmelzen und durch meine Augen wegzufließen.

Seit jenem Augenblick weine ich vom Morgen bis zum Abend, und das rettet mich. Wenn man nicht weinen könnte, würde man schließlich wahnsinnig oder stürbe. Außerdem bin ich sehr allein. Mein Mann macht Fahrten über Land, und ich lege Wert darauf, daß er Annette mitnimmt, um sie ein wenig zu zerstreuen und zu trösten. Sie fahren im Wagen oder reiten acht bis zehn Meilen von Roncières weg, und dann kommt sie rosig vor Jugend trotz ihrer Trauer zu mir zurück; ihre Augen leuchten vor Lebenslust, angeregt durch die Landluft und die schnelle Bewegung, die sie hinter sich hat. Wie schön ist es, in diesem Alter zu sein! Ich denke, daß wir noch zwei oder drei Wochen lang hier bleiben werden, dann wollen wir trotz der Augusthitze aus dem Grund, den Sie kennen, nach Paris zurückkehren.

Ich sende Ihnen alles, was mir von meinem Herzen bleibt.

Any‹

›Ich halte es nicht mehr aus, liebe Freundin; Sie müssen wiederkommen, sonst stößt mir wirklich etwas zu. Ich frage mich, ob ich nicht krank bin, einen solchen Widerwillen empfinde ich gegen alles, was ich seit langem mit einer gewissen Freude oder einer gleichgültigen Gelassenheit getan habe. Zudem ist es in Paris so heiß, daß jede Nacht wie ein türkisches Bad von acht oder neun Stunden ist. Ganz benommen durch die Erschöpfung nach diesem Schlummer in einem Schwitzkasten stehe ich auf und gehe ein oder zwei Stunden vor meiner weißen Leinwand spazieren in der Absicht, etwas darauf zu entwerfen. Aber mein Kopf ist völlig leer, nichts ist in meinen Augen, nichts in meiner Hand. Ich bin kein Maler mehr . . .! Dieses vergebliche Bemühen zu arbeiten ist niederschmetternd. Ich lasse Modelle kommen und mir sitzen, und wenn sie mir Stellungen, Bewegungen und Ausdrücke zeigen, die ich bereits bis zum Überdruß gemalt habe, lasse ich sie sich wieder anziehen und schmeiße sie 'raus. Wirklich, ich kann nichts Neues mehr sehen und leide darunter, als sei ich blind geworden. Worauf beruht das? Auf einer Erschöpfung der Augen oder des Hirns, auf Impotenz der künstlerischen Fähigkeit oder einer Lähmung der Sehnerven? Wenn man das wüßte! Mir scheint, als hätte ich aufgehört, das Eckchen des Unerforschten zu enthüllen, das zu erforschen ich doch berufen bin. Ich nehme nichts anderes mehr wahr, als was alle Welt kennt; ich male, was alle schlechten Maler gemalt haben; ich schaue und beobachte nur noch wie ein Stümper. Früher, und das ist noch gar nicht lange her, erschien mir die Zahl der neuen Motive unbegrenzt, und um sie auszuführen, habe ich über eine solche Mannigfaltigkeit der Mittel verfügt, daß mich die Schwierigkeit der Wahl zögern ließ. Nun die Welt der mühelos wahrgenommenen Themen entvölkert wurde, ist mein Forschen ohnmächtig und steril geworden. Die Leute, die vorübergehen, sind jetzt für mich ohne Sinn; ich finde nicht mehr in jedem Menschengeschöpf die Eigentümlichkeit und die Würze, die ich so gern festhielt und sichtbar machte. Dabei glaube ich, daß ich ein sehr hübsches Bild von Ihrer Tochter malen könnte. Liegt das daran, daß sie Ihnen so sehr gleicht, so daß ich Sie beide in meinen Gedanken durcheinanderbringe? Ja, vielleicht.

Nachdem ich mich also abgemüht habe, einen Mann und eine Frau zu skizzieren, die nicht die mindeste Ähnlichkeit mit allen bekannten Modellen haben, entschließe ich mich, irgendwohin zum Mittagessen zu gehen, weil mir einfach der Mut fehlt, mich ganz allein in mein Eßzimmer zu setzen. Der Boulevard Malesherbes sieht aus wie ein Waldweg, der in eine tote Stadt eingesperrt ist. Allen Häusern sieht man die Leere an. Auf der Straße werfen die Sprengwagen Büschel von weißem Regen aus und berieseln das Holzpflaster, über dem ein Geruch nach feuchtem Teer und gewaschenem Pferdestall verdunstet und wenn man von einem Ende bis zum andern die abfallende Straße vom Park Monceau bis Saint-Augustin hinuntergeht, erblickt man fünf oder sechs schwarze Gestalten, bedeutungslose Passanten, Lieferanten oder Dienstboten. Der Schatten der Platanen breitet um den Fuß der Bäume auf dem kochenden Pflaster einen seltsamen Fleck aus, den man für flüssig halten könnte wie verschüttetes Wasser, das eintrocknet. Die Unbeweglichkeit der Blätter an den Zweigen und ihres grauen Schattens auf dem Asphalt drückt die Erschöpfung der ausgedörrten Stadt aus, der gleich einem auf einer Bank in der Sonne eingeschlafenen Arbeiter dösenden und schwitzenden Stadt. Ja, sie schwitzt, das liederliche Weibsbild, und stinkt schauderhaft aus den Kanalöffnungen, den Keller- und Küchenlöchern, den Rinnsteinen, in denen der Unrat ihrer Straßen fließt. Dann denke ich an die Sommermorgen in Ihrem Garten voll kleiner, ländlicher Blumen, die der Luft einen Honiggeschmack geben. Danach gehe ich dann, bereits angewidert, in ein Restaurant, wo mit niedergeschlagenen Mienen kahle und dickbäuchige Männer mit halboffener Weste und feucht glänzender Stirn beim Essen sitzen. Alle Speisen sind warm: die Melone, unter der das Eis schmilzt, das weiche Brot, das flaue Filet, das aufgewärmte Gemüse, der laufende Käse und die im Schaufenster gereiften Früchte. Und ich gehe angeekelt hinaus und kehre heim und versuche, ob ich nicht bis zur Stunde des Abendessens, das ich im Klub einnehme, ein bißchen schlafen kann.

Im Klub finde ich immer Adelmans, Maldant, Rocdiane, Landa und viele andere vor, die mich langweilen und genauso anöden wie Drehorgeln. Jeder hat sein Lied oder seine Lieder, die ich seit fünfzehn Jahren gehört habe, und sie spielen sie jeden Abend in diesem Klub, der, so scheint es, ein Ort sein sollte, wohin man zu seiner Zerstreuung geht. Ich gehörte lieber einer andern Generation an als derjenigen, deren Augen, Ohren und übersättigten Geist ich habe. Die da machen jeden Tag ihre Eroberungen, rühmen sich ihrer und beglückwünschen sich dazu.

Nachdem ich so oft gegähnt habe, wie es Minuten zwischen acht Uhr und Mitternacht gibt, gehe ich heim, um mich schlafen zu legen, und ziehe mich aus, wobei ich daran denke, daß ich morgen von neuem mit alledem anfangen muß.

Ja, liebste Freundin, ich bin in dem Alter, wo einem Junggesellen das Leben unerträglich wird, weil es für mich unter der Sonne nichts Neues gibt. Ein Junggeselle muß jung, neugierig und hungrig sein. Wenn man von alledem nichts mehr ist, wird es gefährlich, unverheiratet zu bleiben. Du lieber Gott, wie habe ich meine Freiheit geliebt, früher, ehe ich Sie mehr zu lieben begann als sie! Und wie lastet sie heutzutage auf mir! Die Freiheit ist für einen alten Junggesellen wie mich die Leere, die ringsum herrschende Leere, sie ist der Weg des Todes, ohne etwas dazwischen, das verhinderte, daß man das Ende sieht; sie ist die unaufhörlich gestellte Frage: Was soll ich tun? Wen kann ich besuchen, um nicht allein zu sein? Und ich gehe von Freund zu Freund, von Händedruck zu Händedruck und bettele um ein bißchen Freundschaft. Ich sammle Brosamen auf, die zusammen nicht einmal einen Bissen ausmachen. – Sie habe ich zwar, liebe Freundin, aber Sie sind nicht mein. Vielleicht rührt sogar die Bangigkeit, unter der ich leide, von Ihnen her; denn was mir Kummer macht, ist das Verlangen nach Ihrer Nähe, nach Ihrer Gegenwart, nach demselben Dach über unseren Köpfen, denselben Wänden, die unser Dasein umschließen, derselben Teilnahme, die unsere Herzen zusammendrängt, das Bedürfnis nach der Gemeinsamkeit der Hoffnungen, der Verdrießlichkeiten, der Vergnügungen, der Fröhlichkeit, der Trauer und auch der materiellen Dinge. Sie gehören mir, und das heißt, daß ich mir von Zeit zu Zeit ein wenig von Ihnen stehle. Aber ich möchte unablässig dieselbe Luft mit Ihnen atmen, alles mit Ihnen teilen, mich nur der Dinge bedienen, die uns beiden gehören müßten, fühlen, daß alles, wovon ich lebe, Ihnen genauso gehört wie mir:

das Glas, aus dem ich trinke, der Sessel, in dem ich mich aus-
ruhe, das Brot, das ich esse, und das Feuer, an dem ich mich
wärme.

Leben Sie wohl, und kommen Sie recht bald zurück. Fern von
Ihnen leide ich zu sehr.

Olivier‹

Roncières, den 8. August

›Lieber Freund, ich bin krank und so matt, daß Sie mich
nicht wiedererkennen würden. Ich glaube, daß ich zuviel geweint
habe. Ich muß mich noch ein wenig ausruhen, bevor ich zurück-
kehre, denn so, wie ich jetzt bin, möchte ich mich Ihnen nicht zeigen. Mein Mann fährt übermorgen nach Paris und wird Ihnen
von uns berichten. Er rechnet damit, irgendwo mit Ihnen zu
Abend zu essen, und hat mich beauftragt, Sie zu bitten, Sie möchten gegen sieben Uhr auf ihn warten.

Was mich betrifft, so werde ich zu Ihnen zurückkehren, sobald ich mich ein wenig besser fühle, sobald ich nicht mehr aus-
sehe wie eine ausgegrabene Leiche, was sogar mir selbst ein
wenig Angst macht. Auch ich habe auf der Welt nur Annette
und Sie, und jedem von Euch möchte ich alles geben, was ich nur
geben kann, ohne den andern zu bestehlen.

Ich halte Ihnen meine Augen hin, die so viel geweint haben,
damit Sie sie küssen.

Anne‹

Als er diesen Brief erhielt, der die noch hinausgezögerte Rückkehr ankündigte, überkam Olivier Bertin das Verlangen, das
maßlose Verlangen, einen Wagen zu nehmen, zum Bahnhof zu
fahren und in den Zug nach Roncières zu steigen; dann aber bedachte er, daß Monsieur de Guilleroy morgen zurückkehren
werde; also fügte er sich und begann die Ankunft des Gatten
mit fast ebensoviel Ungeduld herbeizuwünschen, als sei es die
der Frau.

Niemals war ihm Guilleroy so lieb gewesen wie in diesen
vierundzwanzig Stunden der Erwartung.

Als er ihn eintreten sah, stürzte er mit ausgestreckten Händen
auf ihn zu und rief:

»Ach, lieber Freund, wie froh bin ich, daß Sie wieder da sind!«

Auch der Graf schien sehr erfreut, vor allem erfreut, wieder in Paris zu sein, denn während der drei Wochen in der Normandie war das Leben kein Honigschlecken gewesen.

Die beiden Männer nahmen auf einem kleinen, zweisitzigen Kanapee Platz, das in einer Ecke des Ateliers unter einem Baldachin von orientalischen Stoffen stand, reichten einander noch einmal mit gerührtem Gesicht die Hände und drückten sie von neuem.

»Und die Gräfin«, fragte Bertin, »wie geht es ihr?«

»Ach, nicht gut. Es hat sie sehr getroffen und sehr mitgenommen, und sie erholt sich allzu langsam. Ich gestehe sogar, daß sie mir einige Sorge macht.«

»Aber warum kommt sie denn nicht heim?«

»Keine Ahnung. Es war mir unmöglich, sie zur Rückkehr zu bewegen.«

»Was treibt sie denn den ganzen Tag?«

»Mein Gott, sie weint, sie denkt an ihre Mutter. Das ist nicht gut für sie. Ich wollte, sie entschlösse sich zu einer Luftveränderung und verließe den Ort, wo es geschehen ist – verstehen Sie?«

»Und Annette?«

»Oh, die ist eine gerade erblühte Blume!«

Olivier lächelte erfreut. »Hat sie sehr darunter gelitten?« fragte er.

»Ja, sehr, sehr; aber, wissen Sie, Leid mit achtzehn Jahren, das hält nicht an.«

Nach einem kurzen Schweigen fragte Guilleroy:

»Wohin wollen wir essen gehen, mein Lieber? Mich verlangt danach, die Erstarrung abzuschütteln, Lärm zu hören und Trubel zu sehen.«

»Nun, zu dieser Jahreszeit kommt wohl nur das Café des Ambassadeurs in Frage.«

Sie gingen untergehakt in Richtung auf die Champs-Elysées. Guilleroy bekundete das wache Aufmerken der Pariser, die heimkommen und denen die Stadt nach jeder Abwesenheit verjüngt und von allen nur erdenklichen Überraschungen strotzend erscheint; er fragte den Maler nach tausend Einzelheiten über das, was getan und geredet worden sei, und nach gleichgültigen Antworten, in denen sich die ganze Langeweile seiner Einsamkeit widerspiegelte, sprach Olivier von Roncières und suchte in diesem Mann und dem, was ihn umgab, etwas nahezu Körperliches zu greifen und aufzusammeln, das Leute in uns zurücklassen, die man gerade gesehen hat, eine subtile Ausströmung der Menschenwesen, die man mit sich nimmt, wenn man sie verläßt, die man einige Stunden in sich zurückbehält und die dann in der neuen Luft verfliegt.

Der schwere Himmel eines Sommerabends lastete auf der Stadt und auf der breiten Straße, wo unter dem Blätterdach die flotten Melodien von Platzkonzerten zu hüpfen begannen. Die beiden Männer saßen auf dem Balkon des Café des Ambassadeurs und sahen unter sich die Bänke und die noch leeren Stühle des bis zu der kleinen Bühne hin eingezäunten Gartens; dort entfalteten die Tingeltangelsängerinnen im fahlen Zwielicht elektrischer Lampen und des Tageslichts ihre blendenden Toiletten und den rosigen Teint ihrer Haut. Gerüche nach Gebratenem, Soßen, warmem Essen trieben in dem kaum spürbaren Windhauch, den die Kastanienbäume einander zuwarfen, und als eine Frau vorüberging und, gefolgt von einem Mann in schwarzem Rock, ihren vorbestellten Platz suchte, ließ sie auf ihrem Weg das berauschende, lebhafte Parfüm ihrer Kleider und ihres Körpers zurück.

Guilleroy brummte strahlend:

»Ach, hier gefällt es mir viel besser als dort unten!«

»Und ich«, erwiderte Bertin, »wäre weit lieber dort unten als hier.«

»Na, hören Sie mal!«

»Den Teufel auch! Ich finde Paris in diesem Sommer ekelhaft.«

»Ach, mein Lieber, es ist und bleibt nun mal Paris.«

Der Abgeordnete schien einen vergnüglichen Tag zu haben, einen der seltenen Tage übermütiger Anwandlungen, an denen die ernsthaftesten Männer Dummheiten begehen. Er sah zu zwei Kokotten hin, die mit drei mageren, übermäßig korrekten jungen Herren an einem benachbarten Tisch speisten, und fragte Olivier hinterhältig über alle bekannten leichten Mädchen aus, deren Namen er Tag für Tag erwähnen hörte. Dann flüsterte er im Ton tiefen Bedauerns: »Sie haben Glück, daß Sie Junggeselle geblieben sind! Sie können so vielerlei tun und sehen!«

Doch der Maler erhob Einspruch, und wie alle, die ein Gedanke quält, vertraute er Guilleroy seine schwermütigen Stimmungen und Einsamkeitsgefühle an. Als er, gedrängt vom Verlangen, sein Herz zu erleichtern, alles gesagt und die Litanei seiner trüben Launen bis zum Ende heruntergebetet und unbefangen erzählt hatte, wie sehr er sich immer die Liebe und unmittelbare Nähe einer bei ihm wohnenden Frau gewünscht, gestand ihm der Graf seinerseits, daß die Ehe ihr Gutes habe. Er geriet in seine parlamentarische Beredsamkeit, hob sein zartes Innenleben hervor und ließ der Gräfin ein großes Lob zuteilwerden, dem Olivier ernst und durch häufiges Kopfnicken zustimmte.

Es machte ihn glücklich, von ihr sprechen zu hören, aber er war eifersüchtig auf das trauliche Glück, dessen Guilleroy sich pflichtgemäß rühmte, und so murmelte der Maler schließlich mit aufrichtiger Überzeugung:

»Ja, wahrhaftig, Sie haben Glück gehabt!«

Der Abgeordnete gab es geschmeichelt zu, dann sagte er:

»Ich sähe es nur zu gern, wenn sie zurückkäme; wirklich, sie macht mir gegenwärtig Sorgen! Sagen Sie, da Sie sich in Paris so langweilen, sollten Sie nach Roncières fahren und sie abholen. Auf Sie würde sie hören; Sie sind ihr bester Freund, während ein Ehemann . . . wissen Sie . . .«

Olivier antwortete hocherfreut: »Nichts, was ich lieber täte! Allerdings . . . glauben Sie, daß es ihr auch recht sein würde, wenn ich so ohne weiteres bei ihr hereinschneite?«

»Aber gewiß doch, fahren Sie getrost, mein Lieber.«

»Dann also einverstanden. Ich fahre morgen mit dem Ein-Uhr-Zug. Soll ich ein Telegramm schicken?«

»Nein, das erledige ich. Ich bereite sie vor, damit Sie am Bahnhof einen Wagen vorfinden.«

Da sie ihr Essen beendet hatten, gingen sie wieder die Boulevards hinauf; aber nach kaum einer halben Stunde verabschiedete sich der Graf plötzlich unter dem Vorwand einer dringenden Verabredung, die er völlig vergessen habe, von dem Maler.

Die Gräfin und ihre Tochter, in schwarzen Trauerkleidern, hatten gerade einander gegenüber Platz genommen und wollten in dem geräumigen Speisezimmer von Roncières zu Mittag essen. Die einfältig gemalten Porträts der Ahnen, einer im Harnisch, ein anderer im Knierock, dieser als gepuderter Offizier des Leibregiments, jener als Oberst zur Zeit der Restauration, reihten sich an den Wänden zu einer Kollektion abgeschiedener Guilleroys in alten Rahmen, deren Vergoldung abblätterte. Zwei Diener traten mit leisen Schritten ein, um den beiden schweigenden Frauen aufzuwarten; und die Fliegen schwirrten, eine kleine Wolke taumelnder und summender schwarzer Punkte, um den Kristallüster, der mitten über dem Tisch hing.

»Machen Sie die Fenster auf«, sagte die Gräfin, »es ist hier drinnen ein bißchen kühl.«

Die drei hohen, von der Decke bis zum Fußboden reichenden Fenster, die breit waren wie Türöffnungen, wurden geöffnet. Ein Hauch lauer Luft, der den Geruch von warmem Gras und ferne, ländliche Geräusche mit sich trug, wehte unvermittelt durch diese drei großen Löcher herein und mischte sich mit der ein wenig dumpfigen Luft des Zimmers, das fest zwischen den dicken Mauern des Schlosses eingezwängt schien.

»Ah, das tut wohl«, sagte Annette und atmete in vollen Zügen.

Die Augen der beiden Frauen waren nach draußen gerichtet und blickten in den klaren, ein wenig durch den Mittagsdunst verschleierten blauen Himmel hinauf; die Hitze zitterte in dem Brodem über dem sonnendurchtränkten Boden, dem weiten grünen Rasen im Park mit seinen Bauminseln hier und dort und seinen offenen Ausblicken auf das weite, bis zum Horizont vom goldenen Teppich reifer Erntefelder gelb leuchtende Land.

»Nach dem Essen wollen wir einen langen Spaziergang machen«, sagte die Gräfin. »Wir können zu Fuß bis Berville gehen, am Fluß entlang; auf den Äckern wird es zu heiß sein.«

»Ja, Mama, ich nehme Julio mit; dann kann er Rebhühner aufjagen.«

»Du weißt doch, daß dein Vater es verboten hat.«

»Ach, Papa ist ja in Paris! Es ist so hübsch, Julio verhalten zu sehen. Da, da ist er und ärgert die Kühe. Mein Gott, wie drollig ist er!«

Sie schob ihren Stuhl zurück, stand auf und lief an ein Fenster, von wo aus sie rief: »Pack an, Julio, pack an!«

Auf der Wiese ruhten, übersättigt vom Gras, niedergedrückt von der Hitze, auf eine Seite hingelagert und mit dickem Bauch, drei schwere Kühe, die sich unter dem Anprall des Sonnenlichts niedergeworfen hatten. Von einer zur andern hüpfend, ereiferte sich mit Gebell und tollen Luftsprüngen in fröhlicher Aufregung hitzig und blind, ein schlanker, weiß-roter Jagdspaniel mit langem Behang an den bei jedem Satz fliegenden Ohren, um die drei großen Tiere zum Aufstehen zu bewegen, was sie nicht wollten. Das war sicherlich das Lieblingsspiel des Hundes; er mußte jedesmal von neuem damit anfangen, wenn er die Kühe lang hingestreckt liegen sah. Sie schauten verdrießlich, aber unerschrocken mit ihren großen feuchten Augen zu ihm hin und wandten den Kopf, um ihm mit dem Blick zu folgen.

Annette an ihrem Fenster rief: »Apport, Julio, apport!«

Und der aufgeregte Spaniel faßte sich ein Herz, bellte noch lauter und wagte sich von hinten bis dicht heran, indem er so tat, als wolle er beißen. Die Kühe wurden unruhig, und die nervösen Schauer des Fells, mit denen sie die Fliegen zu verjagen trachteten, wurden häufiger und länger.

Plötzlich wurde der Hund von einem Satz, den er nicht rechtzeitig abstoppen konnte, mitgerissen, landete in vollem Schwung neben einer Kuh und mußte, um nicht gegen sie zu purzeln, über sie hinwegspringen. Das unbeholfene, von diesem Sprung gestreifte Tier bekam Angst, hob zuerst den Kopf und stellte sich dann heftig schnaufend in ganzer Größe auf seine vier Beine. Als sie sie stehen sahen, taten die beiden andern es ihr nach, und Julio tanzte triumphierend um sie herum, und Annette beglückwünschte ihn.

»Bravo, Julio, bravo!«

»Aber, aber«, sagte die Gräfin, »komm essen, mein Kind.«

Doch das junge Mädchen, das eine Hand als Schirm über die Augen gelegt hatte, verkündete:

»Da, der Depeschenbote!«

Auf dem im Weizen und Hafer unsichtbaren Fußpfad schien ein blauer Kittel über die Ähren zu gleiten; in taktfestem Männerschritt näherte er sich dem Schloß.

»Mein Gott!« flüsterte die Gräfin. »Wenn das nur keine schlechte Nachricht ist!«

Sie erschauerte noch immer in dem Entsetzen, das die Nachricht vom Tod eines geliebten Wesens so lange Zeit in uns zurückläßt, wenn ein Telegramm sie uns übermittelt hat. Sie war außerstande, den Verschluß aufzureißen und das kleine blaue Blatt zu entfalten, ohne dabei zu spüren, wie ihre Finger zitterten und ihr Inneres erbebte, und ohne zu glauben, daß ihr aus dem so unendlich zögernd entfalteten Formular ein Schmerz zuteil werden müßte, der ihre Tränen von neuem zum Fließen bringen würde.

Annette dagegen in ihrer jugendlichen Neugier hatte eine Schwäche für alles Unbekannte und Überraschende. Ihr zum erstenmal vom Leben verletztes Herz konnte aus der gefürchteten schwarzen Tasche, die an der Seite des Depeschenboten hing und soviel Aufregung in den Straßen der Städte und den Feldwegen verbreitete, nichts als Freuden erwarten.

Die Gräfin aß nicht mehr, sondern folgte in Gedanken jenem Mann, der als Überbringer von ein paar geschriebenen Worten hierherkam; ein paar Worten, die sie vielleicht wie ein Messerschnitt durch die Kehle verwunden würden. Die Angst vor dem Wissen machte sie atemlos, sie versuchte zu erraten, was diese eilige Nachricht bedeuten könne. Was barg sie? Und von wem stammte sie? Olivier kam ihr in den Sinn. War er krank, vielleicht ebenfalls gestorben?

Die zehn Minuten, die sie warten mußte, dünkten sie unendlich lang; als sie dann die Depesche aufgerissen und den Namen ihres Mannes entziffert hatte, las sie: »Ich teile Dir mit, daß unser Freund Bertin mit dem Ein-Uhr-Zug nach Roncières fährt. Schick den Phaeton zum Bahnhof. Herzliche Grüße.«

»Nun, Mama?« fragte Anette.

»Olivier Bertin kommt uns besuchen.«

»Ach, wie schön! Und wann?«

»Bald.«

»Um vier?«

119

»Ja.«

»Oh, das ist fein!«

Aber die Gräfin war blaß geworden; seit einiger Zeit wuchs eine neue Sorge in ihr, und die unvorhergesehene Ankunft des Malers erschien ihr als eine genauso harte Drohung wie alles, was sie sich hatte ausmalen können.

»Du holst ihn mit dem Wagen ab«, sagte sie zu ihrer Tochter.

»Und du, Mama, du kommst nicht mit?«

»Nein, ich erwarte euch hier.«

»Warum? Da wird er aber traurig sein.«

»Ich fühle mich nicht ganz wohl.«

»Eben wolltest du noch zu Fuß bis Berville gehen.«

»Ja, aber das Mittagessen ist mir schlecht bekommen.«

»Bis dahin wird dir wieder besser sein.«

»Nein, ich gehe sogar in mein Zimmer hinauf. Sag mir Bescheid, wenn ihr hier seid.«

»Ja, Mama.«

Nachdem sie angeordnet hatte, daß der Phaeton zur bestimmten Stunde angespannt und das Zimmer in Ordnung gebracht werde, ging die Gräfin in ihr Zimmer hinauf und schloß sich ein.

Ihr Leben war bislang nahezu ohne Leiden verlaufen und allein durch Oliviers Liebe abwechslungsreich und von der Sorge, sie sich zu bewahren, durchrüttelt gewesen. Es war ihr gelungen; sie war in diesem Kampf immer siegreich geblieben. Ihr Herz, das sich in Erfolgen und Lobeserhebungen wiegte, war zum fordernden Herzen einer schönen Frau von Welt geworden, der alle Freuden der Erde gebühren, nachdem sie in eine glänzende Heirat eingewilligt hatte, in der die Neigung keine Rolle spielte; nachdem sie sich dann in die Liebe gefügt hatte wie in die Vervollständigung eines glücklichen Daseins und nachdem sie sich, zum größten Teil aus hingerissener Begeisterung, ein wenig aber auch aus frommem Glauben an das Gefühl an sich und als Ausgleich für den alltäglichen Schlendrian des Daseins zu einer sündigen Liebesbeziehung entschlossen hatte; und in diesem Glück, das ihr zugefallen war, hatte sie sich verschanzt und verbarrikadiert ohne einen anderen Wunsch, als es gegen die Überfälle jedes Tages zu verteidigen. Deshalb hatte sie mit der Gewogenheit einer hübschen Frau in die liebenswerten Geschehnisse eingewilligt, die sich ihr, der wenig auf Abenteuer Erpichten und nur wenig durch neues Verlangen und unbekannte Gelüste Gepeinigten, darboten; sie war vielmehr liebevoll, zäh, vorausblickend, mit der Gegenwart zufrieden und von Natur aus mißtrauisch gegen den nächsten Tag, und so hatte sie es verstanden, die Elemente, die ihr Geschick bestimmten, mit haushälterischer und scharfsichtiger Klugheit zu genießen.

Nach und nach nun aber, ohne daß sie es sich einzugestehen wagte, hatten sich in ihre Seele unbestimmte Sorgen vor den dahinschwindenden Tagen und dem nahenden Alter eingeschlichen. Das bohrte in ihren Gedanken wie ein leises Prickeln, das nie aufhörte. Doch da sie sehr wohl wußte, daß dieses absinkende Leben ins Bodenlose mündete, daß man nicht mehr innehalten konnte, wenn man mit dem Abgleiten einmal begonnen hatte, und da sie ihrem Instinkt für Gefahr vertraute, schloß sie die Augen und ließ sich treiben, um ihren Traum zu bewahren, um nicht den Schwindel vor dem Abgrund und die Verzweiflung der Ohnmacht zu erfahren.

So lebte sie also lächelnd, mit einer Art erkünsteltem Hochmut, so lange schön zu bleiben, und als Annette in der Frische ihrer achtzehn Jahre neben ihr erschien, war sie, statt unter dieser Nachbarschaft zu leiden, im Gegenteil stolz darauf, im erfahrenen Reiz der Reife diesem im strahlenden Glanz der ersten Jugend entfalteten jungen Mädchen vorgezogen zu werden.

Sie glaubte sich sogar am Beginn einer glücklichen, ruhigen Zeit, als sie der Tod ihrer Mutter bis ins Herz traf. Er zeitigte in den ersten Tagen eine tiefe Verzweiflung, die keinem anderen Gedanken Raum gewährte. Vom Morgen bis zum Abend blieb sie versunken in ihre Trauer und suchte sich an tausend kleine Züge der Toten zu erinnern, an vertraute Worte, ihr Gesicht von früher und an Kleider, die sie einst getragen, als ob sie in der Tiefe ihres Gedächtnisses Reliquien gesammelt und aus der entschwundenen Vergangenheit alle geheimen kleinen Erinnerungen aufgehoben hätte, mit denen sie ihr schmerzliches Nachsinnen nährte. Als sie dann zu einem solchen Grad der Verzweiflung gelangt war, daß sie alle Augenblicke in Nervenkrisen und Ohnmachten fiel, hatte sich die ganze aufgestaute Qual in Tränen ergossen, die Tag und Nacht aus ihren Augen strömten.

Eines Morgens, als ihre Zofe eintrat und die Laden und Vorhänge öffnete, wobei sie fragte: »Wie geht es Madame heute?«, antwortete sie, da sie sich erschöpft und wie zerschlagen vom Weinen fühlte: »Oh, überhaupt nicht. Wirklich, ich kann nicht mehr.«

Die Dienerin hielt das Tablett mit dem Tee in der Hand, betrachtete ihre Herrin und war so gerührt, sie so bleich in den weißen Kissen liegen zu sehen, daß sie traurig und unverstellt stammelte:

»Tatsächlich, Madame sieht sehr schlecht aus. Madame sollte sich gut pflegen.«

Der Ton, in dem das gesagt wurde, versetzte dem Herzen der Gräfin einen feinen Nadelstich, und sobald die Zofe gegangen war, stand sie auf und betrachtete ihr Gesicht in dem großen Schrankspiegel.

Bestürzt blieb sie ihrem Abbild gegenüber stehen, entsetzt über die welken Wangen, die roten Augen, die durch einige Leidenstage hervorgerufene Verheerung. Ihr Gesicht, das sie so gut kannte, das sie so oft in so vielen verschiedenen Spiegeln betrachtet hatte, von dem ihr jeder Ausdruck, jede Feinheit und jedes Lächeln vertraut war, dessen Blässe sie schon so viele Male korrigiert und dessen kleine Merkmale der Ermüdung sie beseitigt hatte, indem sie die leichten, nach zu bewegten Tagen in den Augenwinkeln erschienenen Falten glättete, kam ihr plötzlich vor wie das einer anderen Frau, wie ein neues, durch unheilbare Krankheit entstelltes Gesicht.

Um sich besser zu sehen, um besser dies unerwartete Übel festzustellen, trat sie näher heran, bis sie mit der Stirn den Spiegel berührte, so daß ihr Atem einen Beschlag auf dem Glas verbreitete, der das leichenblasse Bild vor ihren Augen verdunkelte und fast auslöschte. So mußte sie denn ein Taschentuch nehmen, um den Hauch ihres Atems wegzuwischen; es durchschauerte sie eine sonderbare Erregung, und sie unterzog sich einer langen, geduldigen Prüfung der Veränderungen in ihrem Gesicht. Mit leichtem Finger spannte sie die Haut der Wangen, glättete die der Stirn, hob das Haar hoch und die Lider an, um das Weiße des Auges zu betrachten. Dann öffnete sie den Mund, inspizierte die ein wenig verfärbten Zähne, in denen Goldplomben funkelten, und betrachtete besorgt das fahle Zahnfleisch und die gelbe Färbung der Haut über den Wangen und an den Schläfen.

Sie lieh der Überprüfung der ersterbenden Schönheit so viel Aufmerksamkeit, daß sie nicht hörte, wie die Tür geöffnet wurde, und sie erschrak bis ins Herz, als ihre Zofe vor ihr stand und sagte:

»Madame hat vergessen, ihren Tee zu trinken.«

Verwirrt, überrascht und beschämt wandte die Gräfin sich um, und die Dienerin, die ihre Gedanken erriet, sagte:

»Madame hat zuviel geweint, es gibt nichts Schlimmeres als Tränen; die machen die Haut welk. Das kommt, weil sich das Blut in Wasser verwandelt.«

Als die Gräfin traurig hinzufügte: »Es ist auch das Alter«, rief die Zofe: »Aber, aber, so weit ist es noch nicht! Ein paar Tage Ruhe, und es ist nichts mehr davon zu sehen. Aber Madame muß auch spazierengehen und sich in acht nehmen, daß sie nicht mehr weint.«

Sobald sie angekleidet war, ging die Gräfin in den Park hinunter und zum erstenmal seit dem Tod ihrer Mutter in den kleinen Garten, wo sie früher Blumen gezogen und gepflückt hatte, und dann zum Fluß hinab, wo sie sich bis eine Stunde vor dem Essen am Wasser erging.

Als sie sich ihrem Mann gegenüber und neben ihre Tochter an den Tisch setzte, fragte sie, um herauszubekommen, wie die beiden darüber dachten:

»Ich fühle mich heute besser. Ich bin gewiß nicht mehr so blaß.«

Der Graf erwiderte:

»Oh, du siehst immer noch ziemlich schlecht aus.«

Ihr Herz krampfte sich zusammen, und der Drang zu weinen feuchtete ihre Augen, weil sie sich schon so sehr an Tränen gewöhnt hatte.

Bis zum Abend, am nächsten Tag und an den folgenden Tagen, sei es, daß sie an ihre Mutter, sei es, daß sie an sich selber dachte, fühlte sie alle Augenblicke ein Schluchzen in der Kehle und in ihren Lidern aufsteigen; doch um die Tränen nicht mehr fließen und ihre Wangen verheeren zu lassen, hielt sie sie zurück und mühte sich mit übermenschlicher Willenskraft ab, ihre Gedanken auf ganz andere Dinge zu lenken, sich zu bezähmen, zu beherrschen, von ihrem Kummer abzurücken und sich dadurch zu trösten und zu zerstreuen und nicht mehr an Trauriges zu denken, damit sie ihre gesunde Hautfarbe wiedererlangte.

Vor allem wollte sie nicht nach Paris zurückkehren und mit Olivier Bertin zusammentreffen, ehe sie wieder sie selber geworden war. Da sie erkannt hatte, daß sie zu mager geworden sei und der Körper von Frauen ihres Alters ein wenig füllig sein müsse, um sich frisch zu erhalten, suchte sie sich durch Gänge auf den Feldwegen und in den nahen Wäldern Appetit zu machen, und obwohl sie erschöpft und ohne Hunger heimkehrte, gab sie sich alle Mühe, viel zu essen.

Der Graf, der abreisen wollte, war ihrem Eigensinn gegenüber verständnislos. Schließlich erklärte er angesichts ihres unbeugsamen Widerstands, daß er allein fahren wolle, und stellte der Gräfin frei, zu kommen, wann es ihr paßte.

Am folgenden Tag erhielt sie das Telegramm, das Oliviers Kommen ankündigte.

Ein Verlangen zu fliehen packte sie, solche Angst hatte sie vor seinem ersten Blick. Es wäre ihr lieber gewesen, noch eine oder zwei Wochen zu warten. In einer Woche kann man, wenn man sich pflegt, sein Gesicht völlig verändern, weil selbst die gesunden und jungen Frauen unter der geringsten Einwirkung von einem Tag zum andern nahezu unkenntlich werden. Und der Gedanke, auf freiem Feld im vollen Sonnenschein, dem Augustlicht, neben der jugendlichen Annette vor Olivier zu erscheinen, bereitete ihr solche Unruhe, daß sie sogleich beschloß, nicht zum Bahnhof zu fahren, sondern ihn im Halbdämmer des Salons zu erwarten.

Sie war in ihr Zimmer hinaufgegangen und überlegte. Heiße Windstöße bewegten dann und wann die Gardinen. Das Zirpen der Grillen erfüllte die Luft. Nie zuvor hatte sie sich so traurig gefühlt. Es war nicht mehr der große, vernichtende Schmerz, der ihr Herz vor der entseelten Leiche der geliebten alten Mama zermalmt, zerrissen und niedergeschmettert hatte. Dieser

Schmerz, den sie tagelang für unheilbar gehalten, hatte sich beschwichtigt, bis er nur noch zu einer leidvollen Erinnerung geworden war; doch jetzt fühlte sie sich von einem tiefen Strom der Schwermut, in den sie ganz sacht geglitten war und aus dem sie nicht mehr herausfand, getragen und überflutet.

Sie empfand Lust zu weinen, eine unwiderstehliche Lust – und wollte es dennoch nicht. Jedesmal, wenn sie ihre Lider feucht werden fühlte, wischte sie rasch darüber, stand auf, ging hin und her, blickte in den Park und auf die großen Bäume des Hochwalds, über denen die Krähen im blauen Himmel ihre trägen schwarzen Schwingen ausbreiteten.

Dann schritt sie vor dem Spiegel auf und ab, prüfte sich mit raschem Blick, löschte die Spur einer Träne aus, indem sie mit der Puderquaste den Augenwinkel betupfte, blickte auf die Uhr und suchte zu erraten, an welchem Punkt der Straße er jetzt angelangt sein könne.

Wie alle Frauen, die an einer eingebildeten oder wirklichen Seelennot leiden, klammerte sie sich mit heftiger Liebe an ihn. War er nicht alles für sie, alles, alles und mehr als das Leben, alles, was einem ein Mensch wird, wenn man nur ihn liebt und sich selber alt werden fühlt?

Da hörte sie in der Ferne das Klatschen einer Peitsche, lief ans Fenster und sah den Phaeton, wie er in raschem Trab der beiden Pferde den Rasen umrundete. Olivier saß neben Annette auf dem Rücksitz und schwenkte sein Taschentuch, als er die Gräfin gewahrte, und sie antwortete auf dies Zeichen durch ein Winken mit beiden Händen. Dann ging sie mit vor Glück klopfendem Herzen hinunter, zitternd vor Freude, ihn so nahe zu wissen, mit ihm zu sprechen und ihn zu sehen.

Sie begegneten einander im Vorzimmer an der Tür zum Salon.

Mit unwiderstehlichem Schwung breitete er die Arme aus und sagte mit einer Stimme, in der die Wärme unverstellter Rührung lag:

»Ach, arme Gräfin, erlauben Sie, daß ich Sie küsse!«

Sie schloß die Augen, beugte sich vor, drängte sich an ihn und hielt ihm die Wange hin, und als er die Lippen daraufdrückte, flüsterte sie ihm zu: »Ich liebe dich.«

Dann betrachtete Olivier sie, ohne ihre Hände, die er fest in den seinen hielt, loszulassen und sagte:

»Was für ein kummervolles Gesicht!«

Sie fühlte sich einer Ohnmacht nahe. Er fuhr fort:

»Ja, ein bißchen blaß, aber das hat nichts zu bedeuten.«

Um ihm zu danken, stammelte sie:

»Ach, lieber Freund, lieber Freund!« und fand keine anderen Worte.

Aber er hatte sich umgewandt; er suchte nach Annette, die verschwunden war, und sagte zusammenhanglos:

»Wie seltsam, Ihre Tochter in Trauer zu sehen!«

»Warum?« fragte die Gräfin.

Mit ungewöhnlichem Feuer rief er:

»Wie, warum? Aber das ist doch Ihr Bild, das von mir gemalte, mein Bild ist es! Das sind doch Sie, wie Sie mir damals bei der Herzogin begegnet sind! Nicht wahr, Sie erinnern sich an die Tür, an der Sie vor meinen Augen vorübergingen, wie ein Schiff unter den Kanonen einer Festung vorüberfährt. Zum Teufel, als ich die Kleine vorhin auf dem Bahnsteig stehen sah, ganz in Schwarz, mit dem Sonnenstrahlenkranz des Haars um das Gesicht, da stockte mir das Blut. Mir war, als müsse ich weinen. Ich sage Ihnen, es ist zum Verrücktwerden, wenn man Sie so gekannt hat wie ich, wenn man Sie besser beobachtet hat als jemand anders und mehr geliebt als jemand anders und im Bild wiedergegeben hat. Wahrhaftig, ich mußte annehmen, Sie hätten mir Annette einzig und allein an den Zug geschickt, um mir diese Überraschung zu bereiten. Gott im Himmel, wie betroffen war ich! Ich sage Ihnen, es ist zum Verrücktwerden!«

Er rief:

»Annette, Nané!«

Die Stimme des jungen Mädchens antwortete von draußen, wo sie den Pferden Zucker gab:

»Hier bin ich!«

»Komm her!«

Sie kam angelaufen.

»Da, stell dich neben deine Mutter.«

Sie tat es, und er verglich sie beide, und dabei wiederholte er ganz mechanisch, ohne Überzeugung: »Ja, erstaunlich, erstaunlich«, denn Seite an Seite glichen sie einander weniger als vor ihrer Abreise von Paris; das junge Mädchen hatte mit dem schwarzen Kleid einen neuen Ausdruck strahlender Jugend gewonnen; die Mutter dagegen besaß schon seit langem nicht mehr das Leuchten des Haars und der Haut, mit dem sie den Maler damals, bei ihrer beider ersten Begegnung, geblendet und bezaubert hatte.

Dann traten die Gräfin und er in den Salon. Er schien glänzend aufgelegt zu sein.

»War das eine gute Idee von mir, hierherzukommen!« sagte er, und dann: »Nein, Ihr Mann hat sie für mich gehabt. Er hat mich beauftragt, Sie heimzuholen. Und wissen Sie, was *ich* Ihnen vorschlage? – Nein, nicht wahr? – Also, ich schlage Ihnen im Gegenteil vor, hierzubleiben. Bei dieser Hitze ist Paris schauderhaft, das Land dagegen ist köstlich. Mein Gott, wie tut das wohl!«

Der sinkende Abend durchtränkte den Park mit Kühle, ließ die Bäume erschauern und aus der Erde einen kaum sichtbaren Dunst aufsteigen, der einen leichten, durchsichtigen Schleier über den Horizont warf. Die drei Kühe standen mit gesenkten Köpfen und weideten gefräßig, und vier Pfauen ließen sich mit heftigem Flügelschlagen in einer Zeder unter den Fenstern des Schlosses nieder, wo sie gewöhnlich schliefen. In der Ferne bellten Hunde, und durch die ruhige Luft dieses Tagesendes kamen Rufe menschlicher Stimmen, Sätze, die über die Felder von einem Acker zum andern flogen, und die abgerissenen gutturalen Laute, mit denen das Vieh heimgeführt wird.

Der barhäuptige Maler, dessen Augen glänzten, atmete in in vollen Zügen und sagte, als ihn die Gräfin ansah:

»Das ist das Glück!«

Sie schmiegte sich an ihn.

»Es ist nie von Dauer.«

»Nehmen wir es, wann es kommt.«

Darauf sie, mit einem Lächeln:

»Bis jetzt hatten Sie für das Landleben nicht viel übrig.«

»Heute mag ich es, weil Sie hier sind. Wo Sie nicht sind, könnte ich nicht mehr leben. Wenn man jung ist, kann man auch bei räumlicher Trennung verliebt sein, durch Briefe, Gedanken, durch ungetrübte Begeisterung, vielleicht, weil man fühlt, daß das Leben noch vor einem liegt, vielleicht aber auch, weil man mehr Leidenschaft als Verlangen des Herzens in sich trägt; in meinem Alter dagegen ist die Liebe eine kränkliche Angewohnheit geworden, ein Pflaster auf die Seele, die nur noch mit einem Flügel flattert und sich seltener in idealen Vorstellungen bewegt. Das Herz kennt keine Verzückung mehr, nur noch egoistische Forderungen. Und dann habe ich auch nur zu sehr die Empfindung, daß ich keine Zeit mehr zu verlieren habe, um die mir verbleibenden Tage zu genießen.«

»Ach! Alt!« sagte sie und langte nach seiner Hand.

»Freilich, freilich«, entgegnete er. »Ich bin alt. Alles deutet darauf hin: mein Haar, mein verändertes Wesen und die Traurigkeit, die sich immerfort einstellt. Zum Teufel, das ist etwas, das ich bisher nicht gekannt habe: die Traurigkeit! Wenn man mir um die Dreißig gesagt hätte, ich würde eines Tages grundlos traurig, unruhig und mit allem unzufrieden sein, dann hätte ich es nicht geglaubt. Aber gerade das beweist mir, daß auch mein Herz alt wird.«

Sie antwortete aus tiefster Überzeugung:

»Oh, aber *ich* habe ein ganz junges Herz. Es hat sich nicht verändert. Doch, es hat sich vielleicht sogar noch verjüngt. Es war zwanzig und jetzt ist es nur noch sechzehn.«

So unterhielten sie sich noch lange vor dem offenen Fenster, eingegangen in die Seele des Abends, innig beieinander, näher denn je, in einer Stunde der Zärtlichkeit, die dämmrig war wie die Tagesstunde.

Ein Diener trat ein und meldete:

»Frau Gräfin, es ist angerichtet.«

»Haben Sie meiner Tochter Bescheid gesagt?« fragte sie.

»Mademoiselle ist schon im Speisezimmer.«

Sie nahmen alle drei am Tisch Platz. Die Laden waren geschlossen, und zwei große Leuchter mit je sechs Kerzen erhellten Annettes Gesicht und ließen ihren Kopf wie mit Goldstaub gepudert erscheinen. Bertin lächelte und hörte nicht auf, sie zu betrachten.

»Gott, wie hübsch sie in Schwarz aussieht!« sagte er.

Und indem er die Tochter bewunderte, wandte er sich der

Gräfin zu, wie um der Mutter zu danken, daß sie ihm diese Freude bereitet habe.

Als sie in den Salon zurückkehrten, war der Mond über den Parkbäumen aufgegangen. Ihre dunkle Masse sah aus wie eine große Insel, und das Land dahinter wie ein unter dem leichten Nebel, der über die Weiten der Felder wogte, verborgenes Meer.

»Oh, Mama, wollen wir nicht spazierengehen?« fragte Annette.

Die Gräfin war einverstanden.

»Ich nehme Julio mit.«

»Tu es, wenn du willst.«

Sie traten ins Freie. Das junge Mädchen ging voran und vergnügte sich mit dem Hund. Als sie an der Rasenfläche vorübergingen, hörten sie das Schnaufen der Kühe; sie waren aufgewacht, als sie ihren Feind witterten, und hoben den Kopf, um ihn zu sehen. Weiter hinten, unter den Bäumen, zerfaserte sich das Mondlicht zwischen den Zweigen in einen Regen feiner Strahlen, die zur Erde glitten, auf den Blättern glänzten und sich auf dem Weg in kleinen Pfützen gelben Lichts ausbreiteten. Annette und Julio liefen und schienen in dieser hellen Nacht beide ein fröhliches, weites Herz zu haben, das seinen Rausch in Luftsprüngen austoben mußte.

In den Lichtungen, wo die Flut des Mondscheins wie in Brunnen herabfiel, tauchte das junge Mädchen wie eine Geistererscheinung auf, und der Maler rief sie zu sich, aufs höchste entzückt über dies dunkle Trugbild mit dem hellen, leuchtenden Gesicht. Als Annette wieder weggelaufen war, nahm er die Hand der Gräfin, drückte sie und suchte sie oft mit den Lippen, wenn sie durch dichteren Schatten kamen, als habe Annettes Anblick die Leidenschaft seines Herzens neu belebt.

Schließlich gelangten sie an den Saum der Felder, von wo aus sie hier und da in der Ferne mit genauer Not die Bäume der Bauernhöfe wahrnehmen konnten. Hinter dem milchigen Dunst, der die Felder überflutete, zog sich der Horizont ins Grenzenlose hin, und das angenehme Schweigen, das lebendige Schweigen der großen, leuchtenden, lauen Raumesweite war erfüllt von unaussprechlicher Hoffnung und unendlicher Erwartung, die solche Sommernächte so wunderbar lieblich machen. Hoch oben im Himmel schwebten ein paar langgezogene, dünne kleine Wolken und sahen aus, als beständen sie aus silbernen Schuppen. Wenn man ein paar Sekunden unbeweglich stehenblieb, hörte man in diesem nächtlichen Frieden ein unablässiges, verworrenes Murmeln des Lebens, tausend schwache Geräusche, deren Harmonie zunächst der Stille ähnelte.

Auf einer nahen Wiese stieß eine Wachtel ihren Doppelruf aus, und Julio raste mit gespitzten Ohren und hastigen Sätzen den beiden Flötentönen des Vogels nach. Annette folgte ihm, ebenso leichtfüßig wie er, hielt den Atem an und duckte sich.

»Ach«, sagte die Gräfin, die jetzt mit dem Maler allein war, »warum vergehen Augenblicke wie dieser so schnell? Man kann nichts festhalten und aufbewahren. Man hat nicht einmal Zeit, richtig zu genießen, wie schön es ist. Dann ist es schon zu Ende.«

Olivier küßte ihre Hand und erwiderte lächelnd:

»Ach, heute abend mag ich nicht philosophieren. Ich lebe ganz dieser Stunde.«

»Sie lieben mich nicht, wie ich Sie liebe!« flüsterte sie.

»Aber hören Sie mal . . .!«

Sie unterbrach ihn:

»Nein, Sie lieben in mir, wie Sie unmißverständlich vor dem Essen gesagt haben, eine Frau, die befriedigt, wessen Ihr Herz bedarf, die Ihnen niemals Schmerz bereitet und ein wenig Glück in Ihr Leben gebracht hat. Das weiß ich, und ich fühle es. Ja, ich habe das Bewußtsein, ich habe die heiße Freude, Ihnen gut, nützlich und hilfreich zu sein. Sie haben geliebt und lieben noch all das, was Sie an mir angenehm finden, meine Aufmerksamkeiten Ihnen gegenüber, meine Bewunderung, meine Sorge, Ihnen zu gefallen, meine Leidenschaft, das uneingeschränkte Geschenk, das ich Ihnen mit meinem innersten Wesen gemacht habe. Aber nicht mich, mich selber, lieben Sie, verstehen Sie? Das spüre ich, wie man einen kalten Luftzug spürt. Sie lieben in mir tausend Dinge: meine Schönheit, die vergeht, meine Hingabe, die Intelligenz, die mir nachgesagt wird, die Meinung, die man in der Gesellschaft von mir hat und die, die ich in meinem Herzen von Ihnen habe; aber Ihre Liebe gilt nicht mir selbst, durchaus nicht, verstehen Sie?«

Mit einem kleinen freundschaftlichen Lachen erwiderte er:

»Nein, das verstehe ich ganz und gar nicht. Sie machen mir eine Szene mit sehr unerwarteten Vorwürfen.«

»Oh, mein Gott«, rief sie, »ich wollte, ich könnte Ihnen verständlich machen, wie sehr ich Sie liebe! Sehen Sie: ich bemühe mich darum, und es gelingt mir nicht. Wenn ich an Sie denke, und ich denke immer an Sie, fühle ich bis ins Innerste meines Körpers und bis in die letzten Tiefen meiner Seele hinein den unaussprechlichen Wonnerausch, Ihnen anzugehören, und ein unwiderstehliches Verlangen, Ihnen mehr von mir zu geben. Ich möchte mich uneingeschränkt opfern, weil es, wenn man liebt, nichts Schöneres gibt, als zu geben und immer wieder zu geben, alles, alles, sein Leben, sein Inneres, seinen Körper, alles, was man hat, und ganz deutlich zu fühlen, daß man gibt und bereit ist, jede Gefahr auf sich zu nehmen, um noch mehr zu geben. Ich liebe Sie bis zum Lieben meiner Leiden um Sie, bis zum Lieben meiner Unruhe, meiner Pein, meiner Eifersucht und der Qual, die ich empfinde, wenn ich spüre, daß Sie nicht zärtlich zu mir sind. Ich liebe in Ihnen einen, den ich ganz allein entdeckt habe, einen anderen als den, um den die Welt weiß, den man bewundert und kennt, einen, der mir gehört, der sich nicht mehr verändern und nicht altern kann und den ich unbedingt lieben muß; denn ich habe, um ihn zu sehen, Augen, die nichts außer ihm sehen. Aber dergleichen Dinge kann man nicht sagen. Es gibt keine Worte, um sie auszudrücken.«

Er wiederholte sehr leise und mehrmals hintereinander:

»Liebe, liebe, liebe Any.«

Julio kam springend und hüpfend zurück, ohne die Wachtel gefunden zu haben, die bei seinem Nahen verstummt war, und Annette folgte ihm, außer Atem vom Laufen.

»Ich kann nicht mehr«, rief sie. »Ich muß mich an Ihnen festklammern, Herr Maler!«

Sie stützte sich auf Oliviers freien Arm, und so gingen sie, er zwischen beiden, unter den schwarzen Bäumen zurück. Sie sprachen nicht mehr. Er war von ihnen besessen, von einem weiblichen Fluidum durchdrungen, mit dem ihrer beider körperliche Nähe ihn überwältigte. Er versuchte, sie nicht mehr zu sehen, weil er sie unmittelbar neben sich fühlte, und er schloß sogar die

Augen, um sie besser zu spüren. Sie leiteten und führten ihn, und er setzte einfach die Füße voreinander, verliebt in beide, in die an seiner Linken wie in die an seiner Rechten, ohne zu wissen, welche zu seiner Linken und welche zu seiner Rechten, welche die Mutter und welche die Tochter sei. Mit einer unbewußten, raffinierten Sinnlichkeit überließ er sich willig dieser verworrenen Empfindung. Er suchte sie sogar in seinem Herzen zu verschmelzen und sie in seinem Hirn nicht mehr zu unterscheiden und wiegte sein Verlangen im Reizvollen dieser Vertauschung. Bildeten nicht diese Mutter und diese Tochter, die einander so ähnlich waren, nur eine einzige Frau? Und schien nicht die Tochter einzig und allein auf die Erde gekommen zu sein, um seine alte Liebe zu der Mutter zu verjüngen?

Als er beim Betreten des Schlosses die Augen wieder öffnete, schien es ihm, als habe er die köstlichsten Minuten seines Daseins durchlebt und die sonderbarste, unerklärlichste und vollkommenste Gefühlsaufwallung erfahren, die ein Mann auszukosten vermag, wenn ihn die zärtliche Neigung berauscht, die von dem Verführerischen zweier Frauen gleichzeitig herrührt.

»Ach, welch wonniger Abend!« sagte er, als er im Licht der Lampen zwischen ihnen stand.

Annette rief:

»Ich habe noch keine Lust, schlafen zu gehen; wenn es schönes Wetter bleibt, möchte ich die ganze Nacht spazierengehen.«

Die Gräfin blickte auf die Uhr:

»Oh, es ist schon halb zwölf. Du mußt zu Bett, mein Kind.«

Sie verabschiedeten sich, und jeder ging in sein Zimmer. Nur das junge Mädchen, das keine Lust gehabt hatte, zu Bett zu gehen, schlief sehr rasch ein.

Als am nächsten Morgen die Zofe zur gewohnten Stunde den Tee brachte und, nachdem sie die Vorhänge und die Laden geöffnet hatte, ihre noch schlummernde Herrin betrachtete, sagte sie: »Madame sieht heute schon viel besser aus.«

»Meinen Sie?«

»O ja. Madames Gesicht ist viel ausgeruhter.«

Ohne daß sie sich im Spiegel beschaut hätte, wußte die Gräfin schon, daß dem so sei. Ihr Herz war leicht, sie spürte kaum seinen Schlag und fühlte sich lebendig. Das Blut, das nicht mehr so rasch, heiß und fiebrig wie am Vorabend in ihren Adern rann und durch ihren ganzen Körper Schwäche und Unruhe hatte fließen lassen, verbreitete jetzt ein laues Wohlbehagen und auch eine glückliche Zuversicht.

Als die Dienerin hinausgegangen war, trat sie vor den Spiegel, um sich zu mustern. Sie war ein wenig überrascht, denn sie fühlte sich so wohl, daß sie erwartet hatte, sich in einer einzigen Nacht um mehrere Jahre verjüngt zu haben. Dann begriff sie das Kindische dieser Hoffnung, schaute sich noch eine Weile an und begnügte sich dann mit der Feststellung, daß nur ihre Haut klarer, die Augen weniger müde und die Lippen voller seien als am Tage zuvor. Da ihre Seele froh war, konnte sie nicht traurig darüber sein, und sie lächelte bei dem Gedanken: »Ja, in ein paar Tagen bin ich wieder ganz in Ordnung. Ich habe zuviel durchgemacht, als daß ich mich so rasch erholen könnte.«

Aber sie blieb lange, sehr lange vor ihrem Toilettentisch sitzen, wo in anmutiger Ordnung auf einem mit Spitzen umsäumten Musselindeckchen, vor einem schönen, geschliffenen Kristallspiegel ausgebreitet, all die kleinen Werkzeuge der Koketterie lagen; sie hatten sämtlich Elfenbeingriffe und trugen die mit einer Krone geschmückten Initialen der Gräfin. Da lagen sie, unzählig, hübsch und mannigfaltig, und sie waren für delikate, geheime Verrichtungen bestimmt; die einen fein und scharf aus Stahl und in sonderbaren Formen wie chirurgische Geräte zum Beseitigen von Kinder-Wehwehs, die andern waren rund und weich und bestanden aus Federn, Flaum oder unbekannten Tierhäuten; sie dienten dazu, auf der zarten Haut das Schmeichlerische duftender Puder und fester oder flüssiger Parfüms zu verteilen.

Lange Zeit handhabe sie alle mit kundigen Fingern, die beruhigend und sanfter als ein Kuß von den Lippen bis zu den Schläfen glitten und die als unvollkommen befundenen Schattierungen ausglichen, die Augen untermalten und die Wimpern bürsteten. Als sie schließlich hinunterging, war sie nahezu überzeugt davon, daß der erste Blick, den er auf sie werfen würde, nicht allzu ungünstig sein konnte.

»Wo ist Monsieur Bertin?« fragte sie den Diener, den sie in der Halle traf.

Er antwortete:

»Monsieur Bertin ist im Garten und spielt mit Mademoiselle Tennis.«

Sie hörte sie schon von weitem die Punkte ansagen.

Die tiefe Stimme des Malers und die helle des jungen Mädchens verkündeten abwechselnd: Fünfzehn, dreißig, vierzig, vorn, gleich, vorn, Satz.

Der Obstgarten, dessen einer Teil für den Tennisplatz kahlgeschlagen und festgestampft worden war, bestand aus einem großen, mit Apfelbäumen bepflanzten Rasenviereck; es wurde umschlossen durch den Park, den Gemüsegarten und die dem Schloß unterstellten Pachthöfe. Die Böschungen, die ihn an drei Seiten wie die Schutzwehren eines mit Wall und Graben versehenen Lagers begrenzten, trugen Blumen, lange Beete mit ländlichen oder seltenen Blumen aller Art, Rosen in Fülle, Nelken, Heliotrope, Fuchsien, Reseden und noch vielen anderen, die der Luft ein Honig-Aroma gaben, wie Bertin sagte. Bienen, deren Körbe sich mit ihren Strohkuppeln an der Mauer entlang bis zu den Spalieren des Gemüsegartens reihten, überzogen die blühende Fülle mit ihrem summenden hellen Flug.

Genau in der Mitte des Obstgartens waren ein paar Apfelbäume gefällt worden, um den erforderlichen Raum für die Anlage des Tennisplatzes zu schaffen, und quer durch diesen Raum war ein geteertes Netz gespannt, das ihn in zwei Felder teilte.

Annette war barhäuptig, hatte ihren schwarzen Rock geschürzt und zeigte ihre Knöchel und halb die Waden, wenn sie mit glänzenden Augen und roten Wangen, erschöpft und außer Atem gebracht durch das korrekte, sichere Spiel ihres Gegners, vorsprang, ging, kam und lief, um den Ball noch im Flug zu erhaschen.

Er trug weiße Flanellhosen, in denen ein Hemd vom gleichen Stoff steckte, sowie eine ebenfalls weiße Schirmmütze; mit seinem etwas vorstehenden Bauch erwartete er kaltblütig den Ball, berechnete genau dessen Flug, empfing ihn und schickte ihn zurück, ohne sich zu eilen und ohne zu laufen, mit eleganter Leichtigkeit, leidenschaftlicher Aufmerksamkeit und der professionellen Gewandtheit, die er bei allen Körperübungen bekundete.

Annette bemerkte die Mutter als erste. Sie rief:

»Guten Morgen, Mama. Warte eine Minute, bis wir dies Spiel beendet haben.«

Diese sekundenlange Ablenkung gedieh ihr zum Nachteil. Der Ball kam rasch und niedrig, fast rollend auf sie zu und flog über die weiße Linie hinaus.

Bertin rief »Gewonnen!«; das verdutzte junge Mädchen überhäufte ihn mit Vorwürfen, er habe ihre Unaufmerksamkeit ausgenutzt, und Julio, der abgerichtet war, die aus dem Spielfeld geratenen Bälle wie Rebhühner, die ins Gestrüpp gefallen sind, zu suchen und wiederzufinden, stürzte dem Ball nach, der vor ihm her im Gras kugelte, packte ihn behutsam mit der Schnauze und brachte ihn schwanzwedelnd zurück.

Jetzt begrüßte der Maler die Gräfin, aber da der Wettstreit ihn angeregt hatte und er froh war, sich geschmeidig zu fühlen, verlangte es ihn danach, weiterzuspielen, und so warf er auf das um ihn besorgte Gesicht nur einen kurzen, zerstreuten Blick und bat dann:

»Sie erlauben doch, liebe Gräfin? Ich habe Angst, mich zu erkälten und eine Neuralgie zu bekommen.«

»Oh, bitte«, sagte sie.

Sie setzte sich in einen Haufen Heu, das am selben Morgen gemäht worden war, um den Spielern freies Feld zu geben, und beobachtete die beiden mit plötzlich ein wenig traurigem Herzen.

Ihre Tochter, die sich ärgerte, daß sie in einem fort verlor, geriet in Hitze und feuerte sich mit Ausrufen des Unwillens oder des Triumphs an; sie sprang mit ungestümen Sätzen von einem Ende ihres Feldes zum anderen, und häufig fielen ihr bei diesen Sprüngen Haarsträhnen herab, die sich dann über ihre Schultern breiteten. Für ein paar Sekunden nahm sie dann den Schläger zwischen die Knie, griff mit ungeduldigen Bewegungen nach den Strähnen und steckte sie wieder mit den Nadeln im Schwall ihres Haars fest.

Und Bertin rief von weitem der Gräfin zu: »Nicht wahr, ist sie nicht hübsch so und jugendfrisch wie der Tag?«

Ja, sie war jung, sie konnte laufen, sich erhitzen, rot werden, ihr Haar in Unordnung geraten lassen, allem trotzen und alles wagen, weil alles sie verschönte.

Als die beiden sich dann wieder mit Leidenschaft dem Spiel

widmeten, überlegte die Gräfin, die immer schwermütiger wurde, daß Olivier dies Ballspiel, die Aufregung des Kindes, dies Vergnügen kleiner Katzen, die hinter Papierkügelchen hertollen, dem linden Zauber vorzog, an diesem warmen Morgen neben ihr zu sitzen und sie, die Liebende, neben sich zu fühlen.

Als in der Ferne die Glocke den ersten Schlag zum Mittagessen läutete, war ihr, als werde sie erlöst und als sei ihr eine Last vom Herzen genommen. Aber als sie, auf seinen Arm gestützt, zum Schloß zurückging, sagte er zu ihr:

»Ich habe meinen Spaß gehabt wie ein Junge. Es tut doch ungeheuer gut, jung zu sein oder es wenigstens zu glauben. Ach ja, ach ja, nur darauf kommt es an! Wenn man nicht mehr gern läuft, ist man erledigt!«

Beim Aufstehn vom Tisch schlug die Gräfin, die am Tage zuvor das erste Mal nicht auf dem Friedhof gewesen war, vor, sie sollten zusammen hingehen, und so machten sich alle drei auf den Weg ins Dorf.

Sie mußten durch den Wald gehen, den ein Bach durchschlängelte; er wurde ›Rainette‹, ›Laubfrosch‹, genannt, wohl der kleinen Frösche wegen, mit denen er bevölkert war, und danach ein Stück über freies Feld, ehe sie an die in eine Gruppe von Häusern hineingebaute Kirche kamen; dort wohnten der Kurzwarenhändler, der Fleischer, der Bäcker, der Weinhändler und ein paar andere bescheidene Kaufleute, bei denen sich die Dörfler versorgten.

Der Spaziergang vollzog sich schweigsam und gesammelt, da der Gedanke an die Tote die Seelen bedrückte. Die beiden Frauen knieten am Grab nieder und beteten lange. Die Gräfin beugte sich vor und verharrte reglos, ein Taschentuch vor den Augen, weil sie Angst hatte, daß sie weinen müsse und daß ihr die Tränen über die Wangen rollten. Sie betete, aber nicht, wie sie es bis zum heutigen Tag getan, mit einer Art Beschwörung ihrer Mutter, mit dem verzweifelten Ruf unter den Marmor des Grabes, bis sie in ihrer herzzerreißenden Erschütterung glaubte, die Tote höre sie und lausche ihr; sondern sie stammelte nur inbrünstig die heiligen Worte des Vaterunsers und des Ave-Maria. Heute hätte sie nicht die Kraft und seelische Anspannung aufgebracht, die sie für solch ein schmerzliches Gespräch ohne Antwort mit dem brauchte, was in der Nähe der Grube, die die Überreste des Körpers barg, von dem dahingeschwundenen Wesen vielleicht verblieben war. Andere quälende Gedanken hatten sich in ihr Frauenherz gedrängt, hatten es durchwogt, verletzt und abgelenkt; und ihr heißes Gebet stieg mit unklaren Bitten zum Himmel empor. Sie flehte zu Gott, dem unerbittlichen Gott, der all diese armen Geschöpfe auf die Erde gestreut hat, daß er mit ihr soviel Mitleid haben möge wie mit der, die er zu sich gerufen hatte.

Sie hätte nicht sagen können, um was sie bat, so heimlich und wirr waren ihre Besorgnisse noch; allein sie fühlte, daß sie göttlicher Hilfe, eines übernatürlichen Beistandes gegen nahe Gefahren und unvermeidliche Schmerzen bedurfte.

Annette hatte ebenfalls Gebete gemurmelt und war dann mit geschlossenen Augen in Träumerei versunken, weil sie sich nicht vor ihrer Mutter erheben wollte.

Olivier Bertin betrachtete beide; er meinte, daß er da ein bezauberndes Bild vor sich habe, und bedauerte halbwegs, daß es sich ihm verbiete, eine Skizze zu machen.

Auf dem Heimweg sprachen sie über das menschliche Dasein und rührten leise wieder an die bitteren, poetischen Gedanken einer mürben und verzagten Philosophie, das häufige Gesprächsthema zwischen Männern und Frauen, die das Leben ein wenig verwundet hat und deren Herzen sich vereinigen, indem sie einander ihre Schmerzen anvertrauen.

Annette, die für solche Gedanken noch nicht reif war, lief alle Augenblicke davon, um Blumen am Wegrand zu pflücken.

Doch Olivier verlangte es, sie neben sich zu haben; es machte ihn nervös, sie ständig aufs neue weglaufen zu sehen; er ließ sie keinen Augenblick aus den Augen. Er ärgerte sich, daß sie sich mehr für die Farben der Blumen als für die von ihm gesprochenen Sätze interessierte. Er empfand ein unerklärliches Unbehagen, sie nicht fesseln, sie nicht wie ihre Mutter beherrschen zu können, und er hatte Lust, die Hand auszustrecken, sie zu packen, festzuhalten und ihr zu verbieten, daß sie wieder davonlaufe. Er merkte: sie war allzu flink, allzu jung, allzu gleichgültig, allzu frei – frei wie ein Vogel, wie ein junger Hund, der nicht gehorcht und alles andere tut, als zurückzukommen, der

Unabhängigkeit in den Adern hat, den niedlichen Freiheitsdrang, den weder Stimme noch Peitsche bis jetzt besiegt haben.

Um sie anzulocken, sprach er von fröhlicheren Dingen und fragte sie mitunter; er versuchte, in ihr den Wunsch, ihm zuzuhören, und ihre weibliche Neugier zu erwecken; doch man hätte meinen können, daß der launische Wind des großen Himmels an diesem Tag wie über die wogenden Ähren durch Annettes Kopf blase und ihre Aufmerksamkeit mit sich nehme und in dem weiten Raum zerstreue; denn kaum hatte sie mit einem nichtssagenden Wort und mit einem zwischen zwei Davonlaufen hingeworfenen, zerstreuten Blick geantwortet, weil Antwort von ihr erwartet wurde, als sie sich auch schon wieder ihren Blumen zuwandte. Er wurde schließlich ganz aufgebracht, fühlte sich wie ausgehöhlt von einer kindischen Ungeduld, und als sie ihre Mutter bat, ihren ersten Blumenstrauß zu tragen, damit sie einen zweiten pflücken könne, erwischte er sie am Ellbogen und klemmte ihren Arm ein, damit sie ihm nicht wieder entwischte. Lachend sträubte sie sich und zerrte mit aller Kraft an ihrem Arm, um wieder davonzulaufen; doch aus einem männlichen Instinkt heraus wandte er nun das Mittel der Schwachen an: Da er ihre Aufmerksamkeit nicht fesseln konnte, erkaufte er sie dadurch, daß er ihre Gefallsucht reizte.

»Sag mir, welche Blume du am liebsten hast«, fragte er, »dann lasse ich dir danach eine Brosche machen.«

Überrascht zögerte sie.

»Eine Brosche, wie denn?«

»Aus Steinen von derselben Farbe: aus Rubinen, wenn es Mohn, aus Saphiren, wenn es die Kornblume ist, und mit einem kleinen Blatt aus Smaragden.«

Annettes Gesicht strahlte in der herzlichen Freude auf, die bei Versprechungen und Geschenken die Züge der Frauen belebt.

»Die Kornblume«, sagte sie, »die ist so hübsch!«

»Hol eine Kornblume. Wir bestellen die Brosche, sobald wir wieder in Paris sind.«

Jetzt lief sie nicht wieder davon; sie fühlte sich zu ihm hingezogen durch den Gedanken an das Geschenk, das sie schon zu sehen und sich auszumalen versuchte.

»Dauert es sehr lange, so etwas anzufertigen?« fragte sie.

Er lachte, weil er fühlte, daß sie gefangen war.

»Ich weiß nicht, das hängt von den Schwierigkeiten ab. Wir wollen dem Juwelier sagen, er solle sich beeilen.«

Plötzlich durchzuckte sie eine schmerzliche Erinnerung.

»Aber ich kann sie ja doch nicht tragen, weil ich Trauer habe.«

Er hatte seinen Arm unter den des jungen Mädchens geschoben und drückte ihn an sich.

»Ach, dann hebst du eben deine Brosche bis zum Ende der Trauerzeit auf; inzwischen kannst du sie dir ja anschauen.«

Wie am Vorabend ging er zwischen ihnen, festgehalten, eingezwängt und gefangen zwischen ihren Schultern, und um zu sehen, wie ihre gleichen, mit schwarzen Körnchen gepunkteten blauen Augen zu ihm aufschauten, sprach er abwechselnd mit ihnen, wobei er den Kopf bald zur einen und bald zur andern wandte. Die Sonne strahlte voll auf sie herab, und er verschmolz jetzt die Gräfin und Annette weniger miteinander; doch mehr und mehr verschmolz er die Tochter mit der wiederauferstandenen Erinnerung an das, was die Mutter ehedem gewesen war. Er fühlte sich gedrängt, eine wie die andere zu küssen, die eine, um auf ihrer Wange und auf ihrem Nacken ein wenig von der rosigen, blonden Frische wiederzufinden, die er einst gekostet hatte und die er heute wunderbarerweise wiedererblickte; die andere, weil er sie immer noch liebte und weil von ihr der mächtige Ruf einer alten Gewohnheit ausging. Er stellte in dieser Stunde sogar fest und verstand, daß sein seit langer Zeit ein wenig müde gewordenes Verlangen und seine Liebe zu ihr beim Anblick ihrer wiederauferstandenen Jugend aufs neue lebendig geworden waren.

Annette lief wieder fort und pflückte Blumen. Olivier rief sie nicht mehr zurück; es war, als hätten die Berührung ihres Arms und die Genugtuung über die geschenkte Freude ihn erleichtert; doch folgte er all ihren Bewegungen mit einem Lustgefühl, wie es uns der Anblick von Geschöpfen oder Dingen zuteilwerden läßt, die unsere Augen fesseln und bezaubern. Als sie mit einem großen Strauß wiederkam, atmete er heftiger und suchte unwillkürlich etwas von ihr zu erhaschen, ein wenig von ihrem Atem oder der Wärme ihrer Haut in der Luft, die durch ihre Bewegung aufgerührt wurde. Er betrachtete sie mit Entzücken, wie man die Morgenröte betrachtet, wie man der Musik lauscht, mit einem freudigen Erbeben, wenn sie sich bückte, sich wieder aufrichtete und beide Arme gleichzeitig hob, um ihren Hut zurechtzurücken. Und von Stunde zu Stunde steigerte sie in ihm mehr und mehr die Beschwörung der Vergangenheit! Sie verfügte über ein Lachen, über witzige Einfälle und Bewegungen, die seinem Mund den Geschmack an einst gegebene und empfangene Küsse einflößten; sie machte aus der fernen Vergangenheit, deren deutliche Empfindung er eingebüßt hatte, etwas wie eine geträumte Gegenwart; sie vermengte die Zeitabschnitte, die Daten, die Lebensalter seines Herzens und entfachte erkaltete Regungen aufs neue und vereinte, ohne daß er sich dessen bewußt wurde, gestern und morgen, die Erinnerung mit der Hoffnung.

Indem er sein Gedächtnis durchwühlte, fragte er sich, ob die Gräfin in ihrer vollsten Entfaltung diesen geschmeidigen Zauber eines Zickleins gehabt habe, diesen verwegenen, launischen und unwiderstehlichen Zauber der Anmut eines laufenden und hüpfenden Tieres. Nein. Sie war voller erblüht gewesen und weniger ungebärdig. Sie entstammte der Stadt; sie hatte immer in der Stadt gelebt und niemals die Luft der Felder getrunken und im Gras gelegen; sie war schön geworden im Schatten der Mauern und nicht unter der Sonne des Himmels.

Als sie wieder im Schloß waren, begann die Gräfin an ihrem niedrigen kleinen Tisch in der Fensternische Briefe zu schreiben; Annette ging in ihr Zimmer hinauf, und der Maler begab sich wieder nach draußen, um mit langsamen Schritten, eine Zigarre im Mund und die Hände auf dem Rücken verschränkt, auf den gewundenen Parkwegen einherzuschlendern. Aber er entfernte sich nicht so weit, daß er die weiße Fassade oder das spitze Dach des Schlosses aus den Augen verlor. Sobald es hinter den dichten Bäumen oder Sträuchern verschwand, fiel ein Schatten auf sein Herz, als ziehe eine Wolke über die Sonne, und wenn es in den Lücken des Laubgrüns wieder erschien, blieb er ein paar Sekunden stehen, um die beiden Zeilen der hohen Fenster zu betrachten. Dann ging er weiter. – Er verspürte in sich einen Aufruhr, war aber froh; froh worüber? Über alles und jedes.

Die Luft erschien ihm an jenem Tag rein und das Leben gut. Er fühlte aufs neue die Unbeschwertheit eines kleinen Jungen in seinem Körper, ein Verlangen, zu laufen und mit den Händen nach den gelben Schmetterlingen zu haschen, die auf und ab über den Rasen flatterten, als seien sie an Gummibändern aufgehängt. Er sang halblaut Melodien aus Opern vor sich hin. Mehrmals wiederholte er die berühmte Gounod-Stelle: »Lasse mich in dein holdes Antlitz schauen« und entdeckte einen tiefzärtlichen Ausdruck darin, den er nie zuvor in solchem Maße gespürt hatte.

Plötzlich fragte er sich, wie es hatte geschehen können, daß er so rasch so völlig anders geworden war. Gestern in Paris noch unzufrieden über alles, angewidert und verärgert; heute ruhig und zufrieden mit allem; man hätte meinen können, ein willfähriger Gott habe seine Seele geändert. ›Dieser gute Gott dort oben‹, dachte er, ›hätte auch gleichzeitig meinen Körper verändern und mich ein wenig verjüngen sollen.‹ Da gewahrte er Julio, der in einem Dickicht jagte. Er rief ihn, und als der Hund seinen seidenweichen Kopf mit dem langen Behang an den Ohren unter seine Hand schmiegte, setzte er sich ins Gras, um ihn besser streicheln zu können, sagte ihm Nettigkeiten, legte ihn über seine Knie; er wurde weich gestimmt durch diese Liebkosung und küßte ihn, wie es Frauen tun, deren Herz bei jeder Gelegenheit von Rührung erfüllt wird.

Nach dem Essen verbrachten sie, statt wie gestern spazierenzugehen, den ganzen Abend zusammen im Salon.

Unvermittelt sagte die Gräfin:

»Trotz alledem werden wir abreisen müssen!«

»Oh, reden Sie noch nicht davon!« rief Olivier. »Solange ich nicht da war, wollten Sie in Roncières bleiben. Dann komme ich, und Sie denken nur noch daran, wegzufahren.«

»Aber lieber Freund«, sagte sie, »wir können doch nicht alle drei ewig hier bleiben.« – »Es handelt sich ja auch gar nicht um ewig, sondern nur um ein paar Tage. Wie oft bin ich ganze Wochen hier bei Ihnen geblieben!«

»Ja, aber unter anderen Begleitumständen, als mein Haus jedermann offenstand.«

Da sagte Annette mit schmeichelnder Stimme:

»Oh, Mama, nur noch ein paar Tage, zwei oder drei. Ich lerne bei ihm so gut Tennis spielen. Ich bin wütend, wenn ich verliere, und danach freue ich mich, daß ich Fortschritte mache!«

Am Morgen noch hatte die Gräfin geplant, diesen aus geheimnisvoller Ursache erfolgten Aufenthalt des Freundes bis zum Sonntag auszudehnen, und jetzt wollte sie abreisen, ohne daß sie wußte warum. Dieser Tag, von dem sie sich so viel Gutes erhofft hatte, ließ in ihrer Seele eine unerklärliche, quälende Traurigkeit zurück, eine grundlose Furcht, die hartnäckig und dunkel wie eine Vorahnung war.

Als sie allein in ihrem Zimmer war, durchforschte sie sich, woher diese neue Anwandlung von Schwermut rühre.

Hatte sie eine der unmerklichen Gemütsbewegungen erlitten, deren Berührung so flüchtig ist, daß das Denkvermögen sich ihrer nicht erinnert, deren Nachschwingen jedoch auf den empfindlichen Saiten des Herzens verharrt? – Vielleicht. Welche? Sie gedachte einiger unbekennbarer Widersprüche in den tausend Abschattungen des Gefühls, durch die sie hindurchgegangen war; jede Minute hatte eine andere mit sich gebracht. Sie waren tatsächlich zu bedeutungslos, um solch eine Entmutigung in ihr auszulösen. ›Ich bin anspruchsvoll‹, dachte sie. ›Ich habe nicht das Recht, mich so zu quälen.‹

Sie öffnete das Fenster, atmete die Nachtluft und blieb mit aufgestützten Ellbogen stehen, die Augen dem Mond zugewandt.

Ein leichtes Geräusch ließ sie den Kopf senken. Olivier schlenderte vor dem Schloß auf und ab. ›Warum hat er erklärt, er wolle in sein Zimmer gehen‹, dachte sie, ›warum hat er mir nicht gesagt, er wolle nochmals ins Freie? Warum hat er mich nicht gebeten, mit ihm zu kommen? Er weiß doch, daß es mich glücklich gemacht hätte. Worüber mag er wohl nachgrübeln?‹

Der Gedanke, daß er sie bei diesem Spaziergang nicht hatte bei sich haben wollen, daß er vorzog, allein durch diese schöne Nacht zu wandeln, allein, eine Zigarre im Mund, denn sie sah den roten Punkt glühen, allein, wenn er ihr doch die Freude hätte machen können, sie mitzunehmen! Der Gedanke, daß er sie nicht unaufhörlich brauchte, nicht unaufhörlich nach ihr verlangte, senkte in ihre Seele eine neue, gärende Bitterkeit.

Sie wollte das Fenster schließen, um ihn nicht mehr zu sehen, um sich nicht versucht zu fühlen, nach ihm zu rufen, als er aufblickte und sie gewahrte.

»Siehe da, Sie träumen zu den Sternen empor, Gräfin?« rief er.

»Ja, Sie auch, wie ich sehe«, antwortete sie.

»Ach, ich rauche bloß.«

Sie konnte dem Wunsch zu fragen nicht widerstehen:

»Warum haben Sie mir nicht gesagt, daß Sie hinausgehen?«

»Ich wollte nur eine Zigarre schmauchen. Übrigens komme ich jetzt gleich wieder hinein.«

»Also dann, gute Nacht.«

»Gute Nacht, Gräfin.«

Sie trat bis zu ihrem niedrigen Sessel zurück, setzte sich und weinte; und als die Zofe, die gerufen worden war, um sie zu Bett zu bringen, ihre roten Augen sah, sagte sie mitleidig:

»Ach, Madame wird sich für morgen wieder ein unansehnliches Gesicht holen.«

Die Gräfin schlief schlecht, fiebrig und von Alpträumen geschüttelt. Sobald sie erwacht war, machte sie selber das Fenster auf und zog die Vorhänge zurück, um sich im Spiegel zu betrachten, bevor sie schellte. Sie hatte matte Züge, geschwollene Lider und eine gelbliche Hautfarbe, und der Kummer, den sie empfand, wurde so heftig, daß sie am liebsten Krankheit vorgeschützt hätte, im Bett bis zum Abend unsichtbar geblieben wäre.

Dann jedoch überkam sie unwiderstehlich das Verlangen, abzureisen, sofort abzureisen, mit dem nächsten Zug, und dies helle Land zu verlassen, wo man zuviel sah, wo man im vollen Licht der Felder die unauslöschlichen Strapazen des Kummers und des Lebens wahrnahm. In Paris lebt man im Halbdunkel der Wohnungen, wo die schweren Vorhänge selbst in der Mittagshelle nur sanftes Licht durchlassen. Dort würde sie wieder sie selbst werden, schön, mit der Blässe, die das matte, diskrete Licht erfordert. Dann erschien vor ihren Augen Annettes Antlitz – rot, mit ein wenig wirrem Haar und so frisch, wenn sie Tennis gespielt hatte. Sie durchschaute die unbekannte Unruhe, unter der ihre Seele gelitten hatte. Sie war gewiß nicht eifersüchtig auf die Schönheit der Tochter! Nein, gewiß nicht; aber sie fühlte, sie gestand sich zum erstenmal ein, daß sie sich niemals im vollen Sonnenlicht neben ihr zeigen durfte.

Sie schellte, und bevor sie ihren Tee trank, gab sie Anordnungen für den Aufbruch, schrieb Telegramme, bestellte sogar telegrafisch ihr Abendessen, schloß ihre Rechnungen hier ab, widerrief ihre letzten Anweisungen und regelte alles in weniger als einer Stunde, gepackt von einer fiebrigen, stetig wachsenden Ungeduld.

Als sie hinunterkam, überfielen Annette und Olivier, die schon von dieser Entscheidung erfahren hatten, sie mit überraschten Fragen. Als dann die Gräfin für diese jähe Abreise keinen bestimmten Grund angab, grollten sie ein wenig und trugen ihre Unzufriedenheit bis zu dem Augenblick des Abschieds auf dem Bahnhof in Paris zur Schau.

Die Gräfin reichte dem Maler ihre Hand und fragte:

»Wollen Sie heute abend zum Essen kommen?«

Er antwortete mit leichtem Schmollen:

»Gewiß, ich komme. Einerlei, was Sie da angestellt haben, ist nicht hübsch. Wir haben uns da draußen alle drei so wohl gefühlt!«

## III

Sobald die Gräfin mit ihrer Tochter allein in dem Wagen war, der sie nach Hause fuhr, fühlte sie sich auf einmal ruhig und erleichtert, als habe sie eine fürchterliche Krise überstanden. Sie atmete leichter, lächelte den Häusern zu und erkannte voller Freude die ganze Stadt wieder, von der die wahren Pariser vertraute Einzelheiten in ihren Augen und Herzen zu tragen scheinen. Jeder Laden, den sie erblickte, ließ sie schon die folgenden den ganzen Boulevard entlang voraussehen und das Gesicht des so oft hinter seinem Ladentisch flüchtig wahrgenommenen Kaufmanns erraten. Sie fühlte sich entronnen! Wovor? In Sicherheit! Warum? Zuversichtlich! Weswegen?

Als der Wagen unter der Wölbung der Toreinfahrt hielt, stieg sie leichtfüßig aus und floh förmlich in das Dämmerlicht des Treppenhauses, dann in das Dämmerlicht des Salons und dann in das Dämmerlicht ihres Schlafzimmers. Dort blieb sie ein Weilchen stehen, voller Freude, hier und in Sicherheit zu sein, in dem nebligen, ausdruckslosen Pariser Tag, der kaum Licht gibt und ebensoviel erraten wie erkennen läßt, wo man zeigen kann, was

einem gefällt, und verbergen, was man will; und die unwillkür-
liche Erinnerung an das blendende Licht, das auf dem Lande ge-
herrscht hatte, verblieb in ihr wie der Nachhall eines nun über-
standenen Schmerzes.

Als sie zum Essen hinunterging, küßte ihr gerade eingetrete-
ner Mann sie liebevoll und lächelte:

»Ja, ja, ich habe es ja gewußt, daß Freund Bertin dich zurück-
bringen würde. Es war ganz klug von mir, ihn zu schicken.«

Annette antwortete ernst und mit dem besonderen Tonfall,
den sie immer anschlug, wenn sie, ohne zu lachen, scherzte:

»Oh, es hat ihn viel Mühe gekostet. Mama konnte sich nicht
entschließen.«

Die Gräfin sagte gar nichts; sie war ein wenig verwirrt.

Da das Haus noch nicht allen Gästen offenstand, kam an jenem Abend niemand. Den ganzen nächsten Tag brachte Madame de Guilleroy in verschiedenen Läden hin, wo sie aussuchte
und bestellte, was sie brauchte. Von ihrer Jugend, fast von ihrer
Kindheit an, hatte sie eine Schwäche für das lange Anprobieren
vor den Spiegeln der großen Putzmacherinnen gehabt. Seit sie
wieder daheim war, freute sie sich bei dem Gedanken an alle
Einzelheiten dieser übergenauen Probe in den Kulissen des Pariser Lebens. Sie liebte das Rauschen der Kleider, wenn die Man-
nequins herbeieilten, sobald sie die Tür öffnete, ihr Lächeln, ihre
Angebote, ihre Fragen; und die Schneiderin, die Modistin oder
die Korsettfertigerin waren für sie gewichtige Personen, die sie
als Künstlerinnen behandelte, wenn sie ihre Meinung darlegte,
um einen Rat zu erbitten. Noch mehr jedoch liebte sie es, die geschickten Finger der jungen Mädchen an sich herumhantieren zu
fühlen, wenn sie sie auskleideten und dann wieder anzogen und
sich langsam vor ihrem anmutigen Spiegelbild drehen und wenden ließen. Der Schauer, wenn die leichten Finger über ihre
Haut, ihren Hals oder ihr Haar glitten, war eine der schönsten und zartesten unter den kleinen Köstlichkeiten in ihrem
Leben als elegante Frau.

An jenem Tag empfand sie eine gewisse Furcht, wenn sie daran
dachte, sich ohne Schleier und Hut vor all diesen strengen Spiegeln bewegen zu müssen. Ihr erster Besuch bei der Modistin beruhigte sie. Die drei Hüte, die sie auswählte, standen ihr ent-

zückend, daran konnte sie nicht zweifeln, und als die Verkäuferin aus voller Überzeugung zu ihr sagte: »Oh, Frau Gräfin, die Blonden sollten stets Trauerkleidung tragen«, ging sie tief befriedigt davon und trat vertrauensvoll bei den anderen Lieferanten ein.

Dann fand sie ein Billett von der Herzogin vor, die sie hatte besuchen wollen und schrieb, sie werde am Abend wiederkommen; dann schrieb sie Briefe; und dann träumte sie eine Weile vor sich hin und wunderte sich, daß allein die Ortsveränderung das große Unglück, das ihr das Herz zerrissen hatte, in die Vergangenheit, in eine schon so ferne Vergangenheit, entrückt hatte. Sie vermochte sich kaum vorzustellen, daß ihre Rückkehr von Roncières erst am Tag zuvor erfolgt sei, so sehr hatte sich ihr Seelenzustand gebessert, seit sie wieder in Paris war, als habe die kleine Reise ihre Wunden geheilt.

Bertin, der zur Essenszeit kam, rief bei ihrem Anblick:

»Sie sehen heute abend blendend aus!«

Und dieser Ausruf überflutete sie mit einer lauen Woge von Glück.

Als sie vom Tisch aufstanden, bot der Graf, der eine Leidenschaft für Billard hatte, Bertin an, mit ihm eine Partie zu spielen, und die beiden Damen begleiteten sie ins Billardzimmer, wo der Kaffee serviert wurde.

Die Männer spielten noch, als die Herzogin gemeldet wurde, und alle gingen wieder in den Salon. Gleichzeitig kamen Madame de Corbelle – mit tränenerstickter Stimme – und ihr Mann. Einige Augenblicke lang hatte es bei dem klagenden Ton der Worte den Anschein, als wollten alle zu weinen anfangen; doch allmählich gingen sie nach einiger Rührung und einigen Fragen zu anderen Dingen über, der Stimmklang hellte sich auf, und sie begannen ganz natürlich zu plaudern, als sei der Schatten des Unglücks, der all diese Menschen im selben Augenblick verdüstert hatte, plötzlich verschwunden.

Da erhob sich Bertin, nahm Annette bei der Hand, führte sie unter das Bild ihrer Mutter in den Lichtstrahl des Reflektors und fragte: »Ist das nicht verblüffend?«

Die Herzogin war so überrascht, daß sie außer sich schien und immer wieder sagte:

»Gott, ist denn das möglich? Gott, ist denn das möglich, das ist ja eine Wiederauferstehung! Daß ich das nicht schon beim Kommen gesehen habe! Oh, meine kleine Any, wie ich Sie wiederfinde, die ich Sie damals schon so gut gekannt habe, in Ihrer ersten Trauer als verheiratete Frau, nein, in der zweiten, denn Sie hatten ja schon Ihren Vater verloren! Ach, diese Annette, so in Schwarz, das ist die wieder zur Erde herabgestiegene Mutter. Welch ein Wunder! Ohne dies Bild würde man es gar nicht gemerkt haben! Ihre Tochter gleicht Ihnen in Wirklichkeit sehr, aber noch viel mehr diesem Bild!«

Musadieu erschien, da er von Madame de Guilleroys Rückkehr erfahren hatte und einer der ersten sein wollte, ihr »ergebenst seine schmerzliche Teilnahme« darzubringen.

Er unterbrach seinen Redeschwall, als er das junge Mädchen vor dem Rahmen und vom selben Lichtschein übergossen erblickte, eine lebendige Schwester des Gemäldes.

»Ach, wahrhaftig, das ist eins der erstaunlichsten Dinge, die ich je erlebt habe!« rief er.

Und die Corbelles, deren Meinung sich immer nach der schon gebildeten Meinung richtete, verwunderten sich nun auch aufs höchste mit ein wenig taktvollerem Eifer.

Der Gräfin wurde beklommen zumute. Langsam preßte sich ihr Herz zusammen, als bereiteten die verwunderten Ausrufe all dieser Leute ihr Schmerzen. Stumm schaute sie ihre Tochter neben ihrem Bild an, und eine plötzliche Schwäche befiel sie. Am liebsten hätte sie aufgeschrien: »Aber schweigen Sie doch. Ich weiß ja, daß sie mir ähnlich sieht!«

Bis zum Ende des Abends blieb sie schwermütig; sie hatte aufs neue das Zutrauen eingebüßt, das sie am Abend zuvor wiedergewonnen hatte.

Bertin war in einer Unterhaltung mit ihr begriffen, als der Marquis de Farandal gemeldet wurde. Der Maler stand auf, als er ihn hereinkommen und sich der Hausherrin nähern sah, und schlüpfte hinter seinen Sessel, wobei er murmelte: »Na ja! Jetzt kommt auch noch dieser alberne Esel.« Dann drehte er sich um, ging zur Tür und verschwand.

Nachdem die Gräfin die Beileidsbezeigungen des neuen Ankömmlings entgegengenommen hatte, suchten ihre Augen Olivier, um die Unterhaltung mit ihm, die sie interessiert hatte, wieder aufzunehmen. Da sie ihn nicht bemerkte, fragte sie:

»Wie? Ist der große Mann schon gegangen?«

Ihr Gatte antwortete: »Ich glaube ja; ich habe gerade noch gesehen, wie er sich heimlich empfahl.«

Sie war erstaunt, überlegte ein paar Augenblicke und begann dann mit dem Marquis zu plaudern.

Die vertrauten Freunde zogen sich übrigens aus Takt bald zurück, da sie nur ihnen, so bald nach dem Trauerfall, die Tür spaltbreit aufgetan hatte.

Als die Gräfin im Bett lag, kehrten alle Ängste, die sie auf dem Land gepeinigt hatten, wieder zurück. Sie prägten sich deutlicher aus, und sie empfand sie stärker: sie fühlte sich gealtert!

An diesem Abend hatte sie zum erstenmal in voller Klarheit erkannt, daß in ihrem Salon, in dem bisher sie allein bewundert, umschmeichelt, gefeiert und geliebt worden war, eine andere, ihre Tochter, ihren Platz eingenommen hatte. Sie hatte es mit einem Schlage begriffen, als sie fühlte, daß alle Huldigungen sich Annette zuwandten. In diesem Königreich, dem Haus einer schönen Frau, in diesem Königreich, in dem sie keine Nebenbuhlerschaft ertragen, aus dem sie mit diskreter, hartnäckiger Sorgfalt jeden gefürchteten Vergleich ausgeschaltet, in das sie ihresgleichen nur eingelassen hatte, um zu versuchen, sie zu ihren Vasallen zu machen, sah sie nur allzu gut ihre Tochter Herrscherin werden. Wie sonderbar war das Sichzusammenkrampfen ihres Herzens gewesen, als sich aller Augen Annette zugewandt hatten, die Bertin an der Hand hielt, neben dem Bild. Sie hatte sich plötzlich ausgelöscht, entmachtet und entthront gefühlt. Alle hatten auf Annette geblickt; keiner hatte mehr einen Blick für sie übrig gehabt! Sie war so daran gewöhnt gewesen, jedesmal, wenn ihr Bild angeschaut wurde, Komplimente und Schmeicheleien zu hören, sie war dieser Lobrede, auf die sie kaum mehr achtete, die sie aber dennoch geschmeichelt empfand, so sicher gewesen, daß dies Ausbleiben, dieser unerwartete Abfall, die plötzlich ausschließlich ihrer Tochter entgegengebrachte Bewunderung sie mehr erschüttert, erstaunt und ergriffen hatten als irgendeine Rivalität bei irgendeiner andern Gelegenheit.

Aber da sie zu den Charakteren gehörte, die in allen Krisen nach dem ersten Schock reagieren, kämpfen und tröstliche Argumente finden, überlegte sie, daß sie, wenn ihr Töchterchen erst einmal verheiratet sei und nicht mehr unter dem gleichen Dach wie sie lebe, sie auch nicht mehr die unaufhörlichen Vergleiche zu ertragen haben würde, die ihr unter dem Blick ihres Freundes allzu schmerzlich zu werden begannen.

Indessen war die Erschütterung sehr stark gewesen. Sie fühlte sich fiebrig und schlief kaum.

Am Morgen erwachte sie müde und wie zerschlagen, und dann tauchte ein unwiderstehliches Verlangen in ihr auf, getröstet zu werden, Hilfe zu erhalten, jemand um Beistand zu bitten, der sie von all diesen Schmerzen, diesem ganzen seelischen und körperlichen Elend zu heilen vermochte.

Sie fühlte sich in der Tat so angegriffen und so schwach, daß sie erwog, einen Arzt zu Rate zu ziehen. Vielleicht wurde sie wirklich ernsthaft krank, denn es ging nicht mit rechten Dingen zu, daß sie innerhalb weniger Stunden solcherlei aufeinander folgende Phasen von Leiden und Erleichterung durchmachte. Sie ließ also durch einen Rohrpostbrief einen Arzt rufen und wartete auf ihn.

Er kam gegen elf. Er war einer der seriösen Ärzte der guten Gesellschaft, deren Auszeichnungen und Titel ihre Befähigung garantierten, deren Können zumindest dem einfachen Wissen gleichkommt, und die vor allen Dingen, wenn sie den Leiden der Frauen zu Leibe rücken wollen, über geschickte Worte verfügen, die sicherer wirken als Medizin.

Er trat ein, begrüßte und betrachtete seine Patientin und sagte lächelnd:

»Nun, das ist kein schwerer Fall. Mit Augen wie den Ihren ist man nie sehr krank.«

Sie war ihm sogleich für diese ersten Worte dankbar und schilderte ihm ihre Schwächeanfälle, ihre Reizbarkeit, ihre Schwermut, und dann auch, ohne besonderen Nachdruck, ihr beunruhigend schlechtes Aussehen. Nachdem er sie mit aufmerksamem Gesicht angehört hatte, ohne übrigens nach etwas anderem als nach ihrem Appetit zu fragen, wie wenn er sich in der geheimen Natur dieses weiblichen Übels bestens auskenne, horchte er sie ab, untersuchte sie, fuhr mit den Fingerspitzen über ihre Schulter, wog die Arme und hatte sich inzwischen sicherlich seine Meinung gebildet; mit der Findigkeit des Fachmanns, der alle Schleier hebt, hatte er durchschaut, daß sie ihn mehr ihrer Schönheit als ihrer Gesundheit wegen konsultierte, und so sagte er denn:

»Ja, wir sind ein wenig blutarm und haben nervöse Störungen. Das ist nicht verwunderlich, da Sie unlängst großen Kummer haben erleiden müssen. Ich stelle Ihnen ein kleines Rezept aus, das alles wieder in Ordnung bringt. Doch vor allem müssen Sie kräftige Speisen essen, Fleischbrühe zu sich nehmen und kein Wasser, sondern Bier trinken. Ich werde Ihnen eine ausgezeichnete Marke sagen. Ermüden Sie sich nicht durch langes Aufbleiben, sondern gehen Sie so häufig spazieren, wie Sie nur können. Schlafen Sie viel und nehmen Sie ein bißchen zu. Das ist alles, was ich Ihnen raten kann, Frau Gräfin und schöne Patientin.«

Sie hatte ihm mit glühender Anteilnahme gelauscht und suchte zu erraten, was sich hinter seinen Worten barg.

Seine letzte Äußerung griff sie auf.

»Ja, ich bin magerer geworden. Ich war eine Zeitlang ein bißchen zu stark, und vielleicht hat mich die eingehaltene Diät geschwächt.«

»Ganz zweifellos. Es ist ohne weiteres möglich, schlank zu bleiben, wenn man es immer gewesen ist; aber wenn man vorsätzlich abmagert, geschieht es immer auf Kosten von etwas anderem. Das läßt sich glücklicherweise rasch wieder in Ordnung bringen. Leben Sie wohl, Madame.«

Sie fühlte sich bereits besser und munterer, und sie wollte, daß für ihr Mittagessen das empfohlene Bier in der Hauptfiliale besorgt werde, damit sie es noch frischer bekomme.

Sie war gerade mit dem Mittagessen fertig, als Bertin gemeldet wurde.

»Da bin ich schon wieder«, sagte er, »schon wieder einmal. Ich möchte Sie etwas fragen. Haben Sie nachher etwas vor?«

»Nein, nichts, warum?«

»Und Annette?«

»Ebensowenig.«

»Könnten Sie dann gegen vier zu mir kommen?«

»Ja, aber warum denn?«

»Ich skizziere das Gesicht für die ›Träumerei‹, von der ich Ihnen erzählt habe, als ich Sie bat, ob mir Ihre Tochter nicht gelegentlich sitzen könne. Es würde mir eine große Hilfe sein, wenn ich sie heute nur für eine Stunde da hätte. Wollen Sie?«

Die Gräfin zögerte leicht verdrossen, ohne zu wissen warum. Dann antwortete sie:

»Abgemacht, wir sind um vier bei Ihnen.«

»Danke. Sie sind die Liebenswürdigkeit in Person.«

Dann ging er, um seine Leinwand vorzubereiten und sein Thema zu studieren, damit er das Modell nicht zu sehr ermüde.

Die Gräfin ging allein und zu Fuß aus, um ihre Einkäufe zu beenden. Sie begab sich in die großen Hauptstraßen, dann ging sie mit langsamen Schritten den Boulevard Malesherbes entlang, weil sie sich plötzlich unsicher auf den Beinen fühlte. Als sie an der Kirche Saint-Augustin vorbeikam, empfand sie plötzlich den Wunsch, hineinzugehen und sich auszuruhen. Sie stieß die gepolsterte Tür auf, seufzte vor Wohlbehagen, als sie die kühle Luft des leeren Kirchenschiffes atmete, nahm einen Stuhl und setzte sich.

Sie war religiös, wie es viele Pariserinnen sind. Sie glaubte an Gott ohne den mindesten Zweifel und konnte sich die Existenz des Universums nicht ohne die Existenz eines Schöpfers vorstellen. Aber während sie wie alle Welt die Attribute der Göttlichkeit mit der Natur der vor ihren Augen liegenden, erschaffenen Materie verband, personifizierte sie ihren Gott nach dem, was sie von seinem Werk wußte, ohne daß sie genaue Vorstellungen gehabt hätte, wer dieser geheimnisvolle Schöpfer im Grunde sein mochte.

Sie glaubte fest an ihn, betete ihn theoretisch an und fürchtete ihn auf recht unbestimmte Art, weil sie nach allem Wissen und Gewissen von seinen Absichten und seinem Willen nichts wußte und nur ein sehr begrenztes Vertrauen in die Priester setzte, die sie alle für Bauernsöhne hielt, die sich vom Militärdienst hatten drücken wollen. Ihr Vater, ein Pariser Bürger, hatte ihr nicht grundsätzlich Frömmigkeit aufgedrängt, und so hatte sie die Religion bis zu ihrer Heirat nur lässig praktiziert. Dann regelte die neue Stellung ihre augenscheinlichen Verpflichtungen gegen die Kirche strenger, und sie hatte sich mit Gewissenhaftigkeit diesem leichten Joch gebeugt.

Unter ihrer Schirmherrschaft standen zahlreiche, viel beachtete Kinderkrippen; sie versäumte niemals die Ein-Uhr-Messe am Sonntag und gab um ihrer selbst willen unmittelbare Almosen, und um der Gesellschaft willen durch die Vermittlung eines Abbés, des Vikars ihrer Gemeinde.

Sie hatte oft aus Pflicht gebetet, wie der Soldat vor der Tür des Generals auf Wache zieht. Einige Male hatte sie gebetet, weil ihr Herz bekümmert gewesen war, wenn sie Oliviers Vernachlässigung mehr als alles andere gefürchtet hatte. Ohne dann freilich dem Himmel die Ursache ihres Flehens anzuvertrauen und indem sie Gott mit derselben unbefangenen Heuchelei behandelte wie einen Ehemann, hatte sie ihn um Hilfe gebeten. Damals, beim Tode ihres Vaters, und vor kurzem, beim Tode ihrer Mutter, hatte sie heftige und entscheidende Augenblicke der Inbrunst und leidenschaftlichen Bitten durchlebt, des Aufschreiens zu dem, der über uns wacht und uns tröstet.

Und heute, in dieser Kirche, in die sie zufällig eingetreten war, empfand sie ein tiefes Verlangen, zu beten, nicht zu beten für jemand oder etwas, sondern für sich selber, so wie sie es schon an jenem Tag am Grab ihrer Mutter getan hatte. Sie bedurfte der Hilfe von irgendwoher und rief zu Gott, wie sie am selben Morgen einen Arzt gerufen hatte.

Lange blieb sie im Schweigen der Kirche, das nur hin und wieder durch das Geräusch von Schritten gestört wurde, auf den Knien liegen. Dann erwachte plötzlich, als habe eine Uhr in ihrem Herzen geschlagen, ihre Erinnerung, sie zog ihre Taschenuhr hervor, fuhr zusammen, als sie sah, daß es auf vier ging, und ging eilig weg, um ihre Tochter abzuholen, die Olivier gewiß schon erwartete.

Sie fanden den Künstler in seinem Atelier, wie er vor der Leinwand die Haltung seiner ›Träumerei‹ studierte. Er wollte genau das wiedergeben, was er im Park Monceau gesehen hatte, als er dort mit Annette spazierengegangen war: ein armes Mädchen, das, ein geöffnetes Buch auf den Knien, vor sich hin träumt. Er hatte lange gezögert, ob er sie häßlich oder hübsch gestalten sollte. Häßlich würde sie mehr Charakter haben, mehr Nachdenken und Rührung erwecken und mehr Lebensweisheit enthalten. Hübsch würde sie mehr bezaubern, mehr Reiz ausstrahlen, besser gefallen.

Der Wunsch, eine Skizze nach seiner kleinen Freundin zu machen, brachte ihn zu einem Entschluß. Die ›Träumerei‹ sollte hübsch sein, und sollte dadurch eines Tages seinen poetischen Traum verwirklichen, während die Häßliche für alle Zeit und hoffnungslos in den Traum verbannt bleiben mußte.

Sobald die beiden Frauen eingetreten waren, sagte Olivier und rieb sich dabei die Hände:

»Ja, Mademoiselle Nané, wir wollen also miteinander arbeiten.«

Die Gräfin schien bekümmert. Sie setzte sich in einen Sessel und sah Olivier zu, wie er einen Gartenstuhl aus Eisenrohr in das volle Tageslicht rückte. Dann machte er seinen Bücherschrank auf, weil er ein Buch herausnehmen wollte, und fragte nach einigem Zögern:

»Was liest Ihre Tochter eigentlich?«

»Mein Gott, was Sie wollen. Geben Sie ihr ein Buch von Victor Hugo.«

»Die ›Legende der Jahrhunderte‹?«

»Meinetwegen.«

Dann sagte er:

»Setz dich dorthin, Kleines, und nimm dir diesen Gedichtband vor. Schlag Seite . . . Seite 336 auf; da findest du ein Gedicht mit dem Titel ›Die armen Leute‹. Nimm es in dich auf, wie man den besten Wein trinkt, ganz langsam, Wort für Wort, und laß dich bezaubern, laß dich rühren. Hör auf das, was dir dein Herz sagt. Dann klapp das Buch zu, blick auf, denk nach und träume . . . Ich bereite inzwischen mein Arbeitszeug vor.«

Er ging in einen Winkel und drückte die Farben auf die Palette, aber während er auf dem dünnen Brettchen die Bleituben leerte, aus denen winzige Farbschlangen herauskamen, wandte er dann und wann den Kopf und betrachtete das in seine Lektüre versunkene junge Mädchen.

Sein Herz krampfte sich zusammen, seine Finger zitterten, er wußte nicht mehr, was er tat, und verdarb die Mischungen, indem er die Farbhäufchen einfach durcheinandermengte, einen so unwiderstehlichen Stoß versetzte seinem Innern diese Erscheinung, diese Wiederauferstehung nach zwölf Jahren an derselben Stätte.

Sie hatte jetzt aufgehört zu lesen und sah vor sich hin. Er war herzugetreten und gewahrte in ihren Augen zwei klare Tropfen, die sich lösten und ihr über die Wangen rollten. Da durchfuhr ihn eine der Erschütterungen, die einen Mann außer sich bringen, und zu der Gräfin gewandt, sagte er leise:

»Mein Gott, wie schön sie ist!«

Aber das fahle, verkrampfte Gesicht Madame de Guilleroys verdutzte ihn.

Ihre geweiteten Augen, in denen etwas wie Entsetzen lag, musterten die Tochter und ihn. Voller Besorgnis trat er zu ihr und fragte:

»Was ist Ihnen?«

»Ich möchte mit Ihnen sprechen.«

Sie stand auf und sagte rasch zu Annette:

»Warte eine Minute, mein Kind, ich habe Monsieur Bertin ein paar Worte zu sagen.«

Dann ging sie rasch in den anstoßenden kleinen Wohnraum, in dem er bisweilen seine Besucher warten ließ. Er folgte ihr mit wirrem Kopf und verstand nicht das mindeste. Sobald sie allein waren, griff sie mit beiden Händen nach ihm und stammelte:

»Olivier, Olivier, ich bitte Sie, lassen Sie meine Tochter nicht mehr Modell sitzen!«

Er entgegnete ärgerlich: »Aber warum denn nicht?«

»Warum nicht? Warum nicht? Sie fragen auch noch danach?« erwiderte sie überstürzt. »Fühlen Sie denn tatsächlich nicht, warum nicht? Oh, ich hätte früher darauf kommen müssen, aber ich habe es gerade eben erst gemerkt ... Ich kann Ihnen jetzt nichts sagen ... nichts ... Holen Sie meine Tochter. Sagen Sie ihr, ich fühlte mich leidend, bestellen Sie einen Wagen und kommen Sie in einer Stunde zu mir. Ich werde Sie allein empfangen!«

»Aber was haben Sie denn?«

Sie schien einem Nervenanfall nahe.

»Lassen Sie mich. Hier will ich nicht sprechen. Holen Sie meine Tochter und lassen Sie einen Wagen kommen.«

Er mußte gehorchen und ging ins Atelier zurück. Annette hatte sich ahnungslos wieder ans Lesen gemacht und ihr Herz von der Traurigkeit jener poetischen, rührenden Geschichte überfluten lassen. Olivier sagte zu ihr:

»Deine Mutter fühlt sich nicht wohl. Als sie in das kleine Wohnzimmer trat, wäre sie beinahe ohnmächtig geworden. Geh zu ihr. Ich hole Äther.«

Er ging hinaus, holte eilends ein Fläschchen aus seinem Schlafzimmer und kam dann wieder.

Er fand sie einander in den Armen liegend und weinend. Die von den ›Armen Leuten‹ erschütterte Annette ließ ihrem Gefühl freien Lauf, und die Gräfin erleichterte sich ein wenig, indem sie ihre Qual mit jenem sanften Kummer und ihre Tränen mit denen ihrer Tochter mischte.

Er wartete eine Weile, wagte nicht, etwas zu sagen, und sah sie nur an, selber von einer unbegreiflichen Trübnis ergriffen.

Schließlich fragte er:

»Ist Ihnen jetzt besser?«

Die Gräfin antwortete:

»Ja, ein bißchen. Es wird schon vorübergehen. Haben Sie nach einem Wagen geschickt?«

»Ja, er muß gleich hier sein.«

»Danke, lieber Freund, es ist nichts. Ich habe in der letzten Zeit zuviel Kummer gehabt.«

»Der Wagen ist da!« meldete bald danach ein Diener.

Und Bertin, voll geheimer Ängste, stützte seine bleiche und noch halb ohnmächtige Freundin, deren Herz er unter der Bluse schlagen hörte, und brachte sie bis zur Tür.

Als er allein war, überlegte er: ›Was mag sie nur haben? Warum dieser Nervenanfall?‹ Und er begann nachzusinnen, schlich jedoch um die Wahrheit herum und konnte sich nicht dazu entschließen, sie zu entdecken. Schließlich näherte er sich ihr und fragte sich: »Meint sie etwa, ich mache ihrer Tochter den Hof? Nein, das ginge zu weit!« Und indem er mit erklügelten und loyalen Argumenten diese angenommene Ursache widerlegte, entrüstete er sich, daß sie auch nur einen Augenblick lang dieser lauteren, fast väterlichen Zuneigung den Anschein einer Galanterie hatte leihen können. Nach und nach steigerte er sich in eine Verärgerung über die Gräfin hinein, gab nichts zu, wessen sie ihn mit einer solchen Gemeinheit, einer nicht zu bezeichnenden Schändlichkeit zu verdächtigen wagte, und nahm sich vor, ihr kein Wort der Empörung zu ersparen, wenn er ihr nachher antworten würde.

In seiner Ungeduld, sich zu erklären, verließ er bald das Haus und ging zu ihr. Auf dem ganzen Weg bereitete er sich mit wachsender Gereiztheit auf die Beweise und Sätze vor, mit denen er sich rechtfertigen und für einen solchen Verdacht rächen wollte.

Er fand sie auf ihrem Diwan mit einem von Leiden entstellten Gesicht.

»Ja«, sagte er trocken, »jetzt erklären Sie mir bitte die sonderbare Szene von vorhin.«

Sie antwortete mit gebrochener Stimme:

»Haben Sie denn noch immer nicht verstanden?«

»Ich muß gestehen, nein.«

»Aber Olivier, schauen Sie in Ihr Herz.«

»In mein Herz?«

»Ja, auf den Grund Ihres Herzens.«

»Ich verstehe Sie nicht! Erklären Sie sich bitte deutlicher.«

»Forschen Sie im tiefsten Grunde Ihres Herzens, ob Sie dort nicht etwas für Sie und mich Gefährliches finden.«

»Ich sage Ihnen noch einmal: es ist mir unbegreiflich. Vermutlich existiert da etwas in Ihrer Einbildung, aber in meinem Gewissen finde ich nichts.«

»Ich spreche nicht von Ihrem Gewissen, ich spreche von Ihrem Herzen.«

»Aufs Rätselraten verstehe ich mich nicht. Bitte drücken Sie sich deutlicher aus.«

Da hob sie langsam ihre beiden Hände, ergriff die des Malers, hielt sie fest und sagte, als werde sie durch jedes Wort innerlich zerrissen: »Geben Sie acht, mein Freund, Sie sind drauf und dran, sich in meine Tochter zu verlieben.«

Er zog schroff die Hände zurück und verteidigte sich mit der Lebhaftigkeit eines Schuldlosen, der sich gegen eine schändliche Unterstellung verwahrt; mit fahrigen Bewegungen und wachsender Erregung beschuldigte er sie seinerseits, ihn so verdächtigt zu haben.

Sie ließ ihn lange reden; sie blieb eigensinnig, ungläubig und war sich dessen, was sie gesagt hatte, sicher; dann antwortete sie:

»Aber ich verdächtige Sie ja gar nicht. Sie wissen nicht, was in Ihnen vorgeht, wie ich selber es heute morgen noch nicht gewußt habe. Sie behandeln mich, als hätte ich Sie beschuldigt, Sie wollten Annette verführen. O nein, o nein! Ich weiß, wie ganz ohne Falsch Sie sind, wie aller Achtung und allen Vertrauens würdig. Ich bitte Sie nur, ich flehe Sie an, auf dem Grund Ihres Herzens nachzuschauen, ob die Zuneigung, die Sie wider Willen für meine Tochter zu hegen anfangen, nicht etwas anderes ist als nur einfache Freundschaft.«

Er wurde wütend, regte sich immer heftiger auf und begann von neuem seine moralische Sauberkeit zu verteidigen, wie er es schon für sich allein unterwegs auf der Straße getan hatte.

Sie wartete, bis er mit seinem Gerede fertig war, und sagte dann ohne Zorn und ohne in ihrer Überzeugung erschüttert zu sein, aber erschreckend blaß:

»Olivier, alles, was Sie mir sagen, weiß ich ganz genau, und ich denke ebenso wie Sie. Aber ich bin überzeugt, daß ich mich nicht täusche. Hören Sie zu, denken Sie nach und begreifen Sie. Meine Tochter gleicht mir zu sehr, sie ist zu sehr das, was ich damals war, da Sie mich zu lieben begannen, als daß Sie sich nicht auch in sie verlieben müßten.«

»Und um dieser dummen Voraussetzung und lächerlichen Schlußfolgerung willen: er liebt mich, meine Tochter gleicht mir – also muß er auch sie lieben, wagen Sie, mir so etwas ins Gesicht zu werfen?« rief er aus.

Doch als er sah, wie sich das Gesicht der Gräfin mehr und mehr veränderte, fuhr er sanfter fort:

»Meine liebe Any, gerade weil ich Sie in ihr wiederfinde, gefällt mir dies Mädchen so sehr. Wenn ich sie anschaue, dann liebe ich Sie, und einzig und allein Sie.«

»Gerade deswegen leide ich so sehr und befürchte ich so viel. Sie sind sich noch nicht klar über das, was Sie fühlen. Binnen kurzem werden Sie sich nicht mehr darüber täuschen.«

»Any, ich sage Ihnen, daß Sie wahnsinnig sind.«

»Wollen Sie Beweise?«

»Ja.«

»Sie sind seit drei Jahren trotz meiner inständigen Bitten niemals nach Roncières gekommen. Aber Sie hatten es sehr eilig, als Ihnen vorgeschlagen wurde, uns dort abzuholen.«

»Das ist denn doch! Sie machen mir Vorwürfe, ich hätte Sie dort nicht allein gelassen, als ich Sie nach dem Tod Ihrer Mutter krank wußte!«

»Meinetwegen! Ich bestehe nicht darauf. Aber bedenken Sie dies: Das Verlangen, Annette wiederzusehen, ist so mächtig in Ihnen, daß Sie den heutigen Tag nicht hingehen lassen konnten, ohne mich, unter dem Vorwand, sie solle Ihnen Modell sitzen, zu bitten, ich möge sie zu Ihnen bringen.«

»Und Sie kommen nicht auf den Gedanken, daß Sie es seien, die ich sehen wollte?«

»Jetzt argumentieren Sie gegen sich selber, Sie versuchen sich selber etwas einzureden, aber mich täuschen Sie nicht. Hören Sie weiter. Warum sind Sie vorgestern abend, als der Marquis de Farandal kam, so plötzlich gegangen? Wissen Sie es?«

Er zögerte, höchst überrascht, höchst beunruhigt und durch diese Bemerkung entwaffnet. Dann sagte er langsam:

»Aber ... ich weiß nicht ... Ich war abgespannt ... und dann, um offen zu sein, dieser Halbnarr fällt mir auf die Nerven.«

»Seit wann?«

»Schon immer.«

»Verzeihen Sie, ich habe Sie oft sein Lob singen hören. Früher gefiel er Ihnen. Seien Sie mal ganz aufrichtig, Olivier.«

Er überlegte einige Augenblicke und sagte dann, wobei er nach Worten suchte:

»Ja, es kann sein, daß die große Liebe, die ich für Sie empfinde, mich auch die Ihren so lieben läßt, daß sie meine Meinung über diesen Tropf ändert, dem dann und wann einmal zu begegnen mir gleichgültig ist, über den ich mich aber ärgern muß, wenn ich ihn fast jeden Tag bei Ihnen sehe.«

»Das Haus meiner Tochter wird nicht das meine sein. Aber das genügt. Ich kenne die Redlichkeit Ihres Herzens. Ich weiß, daß Sie viel über das nachdenken werden, was ich Ihnen gesagt habe. Wenn Sie nachgedacht haben, werden Sie verstehen, daß ich Sie auf eine große Gefahr hingewiesen habe; denn noch ist es

Zeit, ihr zu entgehen. Und Sie werden auf der Hut sein. Aber jetzt wollen wir von etwas anderem sprechen.«

Dem widerstrebte er nicht, er fühlte sich unbehaglich, er wußte nicht mehr, was er denken sollte, und es verlangte ihn im Grunde danach, nachzudenken. Und so verabschiedete er sich nach einer Viertelstunde gleichgültiger Unterhaltung.


# IV

Mit langsamen Schritten ging Olivier heim, verstört, als habe er ein schändliches Familiengeheimnis erfahren. Er versuchte, sein Herz auszuloten, Klarheit über sich zu gewinnen, die geheimen Seiten im Buch seines Innern zu lesen, die aneinandergeklebt zu sein scheinen und die mitunter nur von einem fremden Finger getrennt und umgeblättert werden können. Es stand für ihn unumstößlich fest, daß er nicht in Annette verliebt sei! Die Gräfin, deren argwöhnische Eifersucht sich stets im Alarmzustand befand, hatte die Gefahr von weitem gewittert und sie verkündet, noch ehe sie existierte. Aber konnte diese Gefahr nicht morgen, übermorgen oder in einem Monat tatsächlich bestehen? Auf diese ehrliche Frage versuchte er ehrlich zu antworten. Gewiß, die Kleine erregte seine Liebesinstinkte; aber diese Instinkte sind doch in einem Mann so zahlreich, daß er die gefürchteten nicht mit den harmlosen zu verwechseln brauchte. So liebte er die Tiere, zumal die Katzen, und konnte ihr seidenweiches Fell nicht sehen, ohne von unwiderstehlichem, sinnlichem Drang gepackt zu werden, ihren gebogenen weichen Rücken zu streicheln und ihr mit Elektrizität geladenes Fell zu küssen. Der Reiz, der ihn zu dem jungen Mädchen drängte, ähnelte ein wenig den dunklen, unschuldigen Wünschen, die am unaufhörlichen und nicht zu beschwichtigenden Vibrieren der menschlichen Nerven teilhaben. Seine Augen als Künstler und als Mann waren bezaubert von ihrer Frische, von ihrem Verlangen nach einem schönen, hellen Leben, von dem in ihr lodernden Feuer der Jugend; und sein von Erinnerungen an seine lange Liebschaft mit der Gräfin erfülltes Herz erfuhr durch die außerordentliche Ähnlichkeit Annettes mit ihrer Mutter den Anruf alter und dann eingeschlafener Gemütsregungen aus dem Beginn ihrer Liebe und war vielleicht ein wenig zusammengezuckt unter dem Eindruck eines Erwachens. Eines Erwachens? Ja! Das war es. Dieser Gedanke gab ihm die Erleuchtung. Er fühlte sich nach Jahren des Schlummers erwacht. Wenn er die Kleine geliebt hätte, ohne es zu ahnen, würde er, wenn er mit ihr beisammen war, die Verjüngung des Wesensgesamts empfunden haben, die einen anderen Mann erschafft, sobald sich in ihm die Flamme eines neuen Begehrens entzündet. Nein, dies Kind hatte nur in das alte Feuer geblasen! Nach wie vor liebte er die Mutter, wenn auch um der Tochter, um ihrer eigenen Wiederauferstehung willen sicherlich ein wenig mehr als zuvor. Und diese Feststellung formulierte er in dem beruhigenden Trugschluß: Man liebt nur einmal! Das Herz kann sich bei der Begegnung mit dieser oder jener oft regen, weil jede auf jeden Anziehungskraft ausübt oder abstoßend wirkt. All diese Einflüsse rufen Freundschaft, Launen, Verlangen nach Besitz, lebhafte, aber vorübergehende Aufwallungen hervor, aber nicht die wahre Liebe. Damit diese Liebe entsteht, müssen zwei Wesen so sehr füreinander geboren sein, in so vielen Punkten aneinander gefesselt werden, durch so viele gleiche Neigungen, durch soviel körperliche und geistige und Charakterverwandtschaft, und sich in so vielen Dingen der ganzen Natur aneinander gebunden fühlen, daß sich daraus ein ganzes Liktorenbündel von Bindungen ergibt. Wenn man liebt, dann handelt es sich alles in allem nicht so sehr um Madame X oder Monsieur Z, sondern um eine Frau oder einen Mann, ein aus der Natur, der großen Zuchtmutter, hervorgegangenes namenloses Geschöpf mit Organen, einer Gestalt, einem Herzen, einem Denkvermögen; um eine Art Allgemeinwesen, das unsere Organe, unsere Augen, unsere Lippen, unser Herz, unser Verstand, unsern ganzen sinnlichen und geistigen Appetit wie ein Magnet anzieht. Man liebt einen Typ, das heißt in einer einzigen Person die Vereinigung aller menschlichen Vorzüge, die jeder für sich bei den andern verführen können.

Für ihn war die Gräfin de Guilleroy dieser Typ gewesen, und die Dauer ihres Liebesbundes, dessen er nicht überdrüssig geworden war, bewies es ihm auf untrügliche Weise. Annette glich in ihrem Äußern so sehr dem, was ihre Mutter gewesen war, daß die Augen sich täuschten; also war es nicht erstaunlich, daß sich sein Mannesherz ein wenig betrügen ließ, ohne sich hinreißen zu lassen. Er hatte eine Frau geliebt! Eine andere, ihr fast gleiche Frau war von ihr geboren worden. Er konnte sich wirklich nicht dagegen schützen, daß er auf die zweite einen kleinen, herzlichen Rest der leidenschaftlichen Zuneigung, die er für die erste empfunden hatte, übertrug. Er erblickte darin nichts Schlechtes und keine Gefahr. Nur sein Auge und seine Erinnerungen hatten sich durch diesen Anschein der Wiederauferstehung täuschen lassen; aber sein Instinkt irrte sich nicht, denn er hatte nach dem jungen Mädchen niemals das leiseste quälende Begehren empfunden.

Nun freilich warf ihm die Gräfin vor, er sei auf den Marquis eifersüchtig. Stimmte das? Abermals begann er streng sein Gewissen zu durchforschen und stellte fest, daß er tatsächlich ein wenig eifersüchtig sei. Aber was war daran schließlich verwunderlich? Ist man nicht alle paar Augenblicke auf Männer eifersüchtig, die irgendeiner Frau den Hof machen? Empfindet man nicht auf der Straße, im Restaurant, im Theater eine kleine Feindseligkeit gegen den Herrn, der mit einem hübschen Mädchen am Arm vorübergeht oder hereinkommt? Jeder, der eine Frau besitzt, ist ein Rivale. Er ist ein befriedigtes Männchen, ein Sieger, den die andern Männchen beneiden. Und wenn es normal war, daß er für Annette um seiner Liebe zu ihrer Mutter willen eine etwas übertriebene Zuneigung empfand, war es da – die physiologischen Betrachtungen einmal beiseite gelassen – nicht ganz natürlich, daß er ein wenig instinktiven Haß gegen ihren künftigen Mann in sich erwachen fühlte? Er würde dies häßliche Gefühl ohne Mühe beherrschen können.

Am Grunde seines Herzens blieb indessen ein bitterer Bodensatz von Unzufriedenheit gegen sich und gegen die Gräfin zurück. Würden jetzt nicht ihre täglichen Zusammenkünfte durch den Verdacht, den er in ihr spürte, beeinträchtigt werden? Mußte er nicht mit gewissenhafter und ermüdender Aufmerksamkeit all seine Worte und Taten, seine Blicke und die geringste Bewegung in Gegenwart des jungen Mädchens überwachen, weil alles, was er tun oder sagen konnte, bei der Mutter Verdacht erregen mußte? Er kehrte übellaunig heim und begann Zigaretten zu rauchen, und zwar mit der Nervosität eines gereizten Mannes, der zehn Streichhölzer verbraucht, um eine einzige anzuzünden. Vergeblich versuchte er zu arbeiten. Seine Hand, sein Auge und sein Gehirn schienen der Malerei entwöhnt, als hätten sie alles vergessen, als hätten sie diesen Beruf nie gekannt und ausgeübt. Er hatte ein kleines angefangenes Bild vorgenommen, um es zu Ende zu bringen – eine Straßenecke, an der ein Blinder sang –, und blickte es jetzt mit unüberwindlicher Gleichgültigkeit und einer so spürbaren Unfähigkeit, fortzufahren, an, daß er sich, die Palette in der Hand, davor niedersetzte und das Bild vergaß, während er es mit hartnäckiger, wenn auch dann und wann abschweifender Aufmerksamkeit betrachtete.

Plötzlich begann die Ungeduld über die Zeit, die nicht weiterging, über die Minuten, die nicht enden wollten, mit ihrem unerträglichen Fieber an ihm zu nagen. Was sollte er, da er nicht arbeiten konnte, bis zum Abendessen tun, das er im Klub einzunehmen gedachte? Der Gedanke an die Straße ermüdete ihn von vornherein und erfüllte ihn mit Widerwillen gegen die Fußsteige, die Vorübergehenden, die Wagen und Läden, und die Erwägung, an diesem Tag Besuche zu machen, irgendeinen Besuch bei irgend jemand, rief sogleich einen Haß gegen alle Leute, die er kannte, in ihm hervor.

Was also sollte er tun? Etwa in seinem Atelier umhergehen, von einem Ende zum andern, und jedesmal, wenn er daran vorbeikam, von der Uhr ablesen, um wieviel Sekunden der Zeiger vorgerückt sei? Ach, er kannte dieses Umherwandern zwischen der Tür und der mit Kleinkunstkrimskrams vollgestellten Truhe! In Stunden der Inspiration, des Schwungs, der Begeisterung, der fruchtbaren, ungehinderten Schaffenskraft war dies Hinundhergehen in dem durch die Arbeit aufgeheiterten, belebten, erwärmten großen Raum eine köstliche Erholung; aber in Stunden der schöpferischen Ohnmacht und des Ekels, in elenden Stunden, wo nichts ihm der Mühe einer Anstrengung oder einer Bewegung wert erschien, war dieses Hinundhergehen genauso schauderhaft wie das eines Gefangenen in seiner Zelle. Wenn er wenigstens hätte schlafen können, nur eine Stunde, auf seinem Diwan. Aber er würde ja nicht schlafen, er würde sich aufregen, bis er vor Außersichsein zitterte und bebte. Woher kam nur dieser jähe Anfall schwärzester Laune? Ich werde elend nervös, dachte er, daß ich um einer so unbedeutenden Ursache willen in einen derartigen Zustand gerate.

Dann fiel ihm ein, er könne sich ein Buch vornehmen. Der Band ›Legende der Jahrhunderte‹ war auf dem Eisenstuhl liegengeblieben, wo ihn Annette hingelegt hatte. Er schlug ihn auf, las zwei Seiten Verse und verstand sie nicht. Er hätte sie ebensowenig verstanden, wenn sie in einer fremden Sprache geschrieben worden wären. Er nahm sich schier erbittert zusammen und begann von neuem, stellte indessen immer wieder fest, daß er nicht in ihren Sinn einzudringen vermochte. »Na schön«, sagte er sich, »ich bin anscheinend nicht ganz bei mir.« Dann beruhigte ihn ein plötzlicher Einfall über die beiden Stunden, die er noch bis zum Abendessen hinbringen mußte. Er ließ sich ein Bad anheizen und blieb, lang ausgestreckt und durch das laue Wasser gelöst und erleichtert, bis zu dem Augenblick liegen, da sein Diener das Badelaken brachte und ihn aus seinem Hindämmern erweckte. Darauf begab er sich in den Klub, wo seine üblichen Gefährten versammelt waren. Er wurde mit offenen Armen und freudigen Ausrufen empfangen; er war seit einigen Tagen nicht dort gewesen.

»Ich komme von einem Landaufenthalt zurück«, sagte er.

All diese Männer, mit Ausnahme des Landschaftsmalers Maldant, hegten für das Land tiefe Verachtung. Rocdiane und Landa gingen freilich auf die Jagd, aber sie genossen in Feld und Wald nur das Vergnügen, zu beobachten, wie unter ihren Schrotladungen die Fasanen, Wachteln und Rebhühner gleich Federfetzen herabfielen, oder zu sehen, wie die getroffenen kleinen Kaninchen fünf- oder sechsmal hintereinander Purzelbäume schlugen wie Clowns und bei jedem Luftsprung hinten die Blume von weißem Fell zeigten. Abgesehen von diesen Herbst- und Wintervergnügungen, hielten sie das Landleben für sterbenslangweilig. »Süße kleine Frauen sind mir lieber als Zuckererbsen«, pflegte Rocdiane zu sagen.

Das Abendessen verlief wie stets geräuschvoll, heiter und durch Unterhaltungen belebt, die nichts Unvorhergesehenes enthielten. Bertin redete viel, um sich aufzumuntern. Die andern fanden ihn unterhaltsam, aber sobald er seinen Kaffee getrunken hatte und mit dem Bankier Liverdy sechzig Punkte Billard gespielt hatte, verabschiedete er sich und ging langsam von der Madeleine-Kirche zur Rue Taitbout hinunter, trottete dreimal am Vaudeville vorüber und überlegte, ob er hineingehen solle, hätte beinahe eine Droschke zum Hippodrom genommen, wurde dann aber andern Sinnes und schlug die Richtung nach dem Nouveau-Cirque ein, bog dann jedoch ohne Grund, ohne Plan und ohne Vorwand in den Boulevard Malesherbes ein und verlangsamte den Schritt, als er sich der Wohnung der Gräfin de Guilleroy näherte. ›Vielleicht wird sie es ein bißchen sonderbar finden, wenn ich heute abend schon wieder zu ihr komme‹, dachte er. Aber er beruhigte sich mit der Erwägung, daß nichts Verwunderliches daran sei, wenn er ein zweites Mal bei ihr vorspreche.

Sie saß allein mit Annette in dem kleinen, nach hinten gelegenen Salon und arbeitete noch immer an der Decke für die Armen.

Als er hereinkam, sagte sie nur:

»Ach, Sie sind es?«

»Ja, ich war ein bißchen in Sorge, da habe ich nach Ihnen sehen wollen. Wie geht es Ihnen?«

»Danke, recht gut . . .«

Sie wartete ein paar Augenblicke und fügte dann mit absichtlicher Betonung hinzu:

»Und Ihnen?«

Er begann ungezwungen zu lachen und antwortete:

»Oh, mir, tadellos, tadellos. Ihre Befürchtungen waren völlig grundlos.«

Sie ließ ihre Strickarbeit sinken und schaute mit einem brennenden Blick der Bitte und des Zweifels langsam zu ihm auf.

»Es ist so«, sagte er.

»Um so besser«, antwortete sie mit einem etwas gewaltsamen Lächeln.

Er setzte sich, und zum erstenmal in diesem Haus spürte er, wie ein unwiderstehliches Unbehagen von ihm Besitz ergriff, eine noch vollständigere Gedankenlähmung als jene, die ihn am Tag vor seinem Gemälde überkommen hatte.

Die Gräfin sagte zu ihrer Tochter:

»Du kannst weiterspielen, mein Kind, das stört ihn nicht.«

»Was hat sie denn gespielt?« fragte er.

»Sie hatte gerade eine Fantasie geübt.«

Annette stand auf und ging an den Flügel. Er folgte ihr mit den Augen, ohne sich dessen bewußt zu werden, so wie er es immer tat, weil er sie schön fand. Da fühlte er den Blick der Mutter auf sich und wandte mit einem Ruck den Kopf, als habe er etwas in der dunklen Ecke des Salons gesucht.

Die Gräfin legte ein kleines goldenes Etui, das sie von ihm geschenkt bekommen hatte, auf ihren Arbeitstisch, öffnete es und bot ihm Zigaretten an:

»Rauchen Sie getrost; Sie wissen, daß ich es gern habe, wenn wir allein hier sind.«

Er gehorchte, und der Flügel begann zu erklingen. Es war eine Musik alten Stils, anmutig und leicht und so geartet, daß sie dem Komponisten an einem Frühlingsabend mit sehr sanftem Mondschein eingefallen zu sein schien.

Olivier fragte: »Von wem ist denn das?«

»Von Schumann«, antwortete die Gräfin. »Es ist wenig bekannt und bezaubernd.«

In ihm wuchs das Verlangen, zu Annette hinzusehen, aber er wagte es nicht. Er hätte nur eine kleine Bewegung zu machen brauchen, eine kleine Halsdrehung, denn er nahm von der Seite her die beiden Dochte der brennenden Kerzen wahr, deren Licht auf das Notenblatt fiel, aber er erriet so gut und erkannte so deutlich die lauernde Aufmerksamkeit der Gräfin, daß er sich nicht rührte, vor sich hinschaute und scheinbar interessiert dem grauen Rauchfaden der Zigarette nachsah.

Madame de Guilleroy fragte leise:

»Ist das alles, was Sie mir zu sagen haben?«

Er lächelte:

»Sie dürfen mir nicht böse sein. Sie wissen, daß Musik mich hypnotisiert, sie trinkt meine Gedanken. Ich werde gleich wieder gesprächig sein.«

»Ich habe vor Mamas Tod etwas für Sie einstudiert«, sagte sie. »Ich habe es Ihnen nie vorgespielt, und Sie sollen es hören, wenn die Kleine fertig ist; Sie werden hören, wie sonderbar es klingt!«

Sie besaß eine echte Begabung und ein feines Verständnis für den Gefühlsinhalt der Töne. Das war sogar eine ihrer sichersten und wirksamsten Machtvollkommenheiten über das empfängliche Herz des Malers.

Sobald Annette die ›Waldszenen‹ von Schumann beendet hatte, stand die Gräfin auf und nahm ihren Platz ein, und nun erklang unter ihren Fingern eine seltsame Melodie, eine Melodie, die in allen Passagen von Klagen erfüllt zu sein schien, mannigfachen, wechselnden, unablässigen Klagen, die ein einziger, unaufhörlich wiederkehrender und in die Melodie einfallender Ton unterbrach, abschnitt, hervorhob und zerriß wie ein nie endender, eintöniger, quälender Schrei, ein nicht zu beschwichtigender Ruf aus tiefster Bedrängnis.

Aber Olivier schaute Annette an, die ihm gegenüber Platz genommen hatte, und hörte nichts und begriff nichts.

Gedankenlos schaute er sie an, sah sich satt an ihrem Anblick wie an etwas Gewohntem und Gutem, dessen er beraubt werden sollte, und trank sie in vollen Zügen in sich, wie man Wasser trinkt, wenn man sehr durstig ist.

»Nun«, fragte die Gräfin, »ist das nicht schön?«

Er schrak auf und rief:

»Wunderbar, herrlich, von wem?«

»Sie wissen es nicht?«

»Nein.«

»Ausgerechnet Sie wissen es nicht?«

»Wirklich nicht.«

»Von Schubert.«

Er sagte mit einer Miene tiefer Überzeugung:

»Das wundert mich nicht. Es ist herrlich! Und es wäre sehr, sehr liebenswürdig, wenn Sie es noch einmal spielten.«

Sie begann von neuem, und er wandte den Kopf und betrachtete abermals Annette, hörte jedoch auch auf die Musik, um gleichzeitig zwei Freuden zu genießen.

Als dann Madame de Guilleroy ihren Platz wieder eingenommen hatte, gab er einfach seiner doppelzüngigen Mannesnatur nach und ließ seine Augen nicht länger auf Annettes blondem Profil ruhen, die ihrer Mutter gegenüber auf der anderen Seite der Lampe saß und strickte.

Aber wenn er sie auch nicht ansah, so genoß er doch das Bestrickende ihrer Gegenwart wie die Nähe eines wärmenden Feuers; dabei peinigte ihn das Verlangen, rasche Blicke zu ihr hinübergleiten zu lassen, die sehr rasch wieder zur Gräfin zurückkehren würden; es war wie das Verlangen eines Schuljungen, der sich zum Fenster nach der Straße hin hochreckt, sobald der Lehrer den Rücken kehrt. – Er verabschiedete sich bald, weil seine Zunge ebenso gelähmt war wie sein Geist und sein beharrliches Schweigen mißdeutet werden konnte.

Als er auf der Straße war, überkam ihn ein Drang, ziellos umherzuirren, weil jene gehörte Musik lange Zeit in ihm fortklang und ihn in Grübeleien versetzte, die eine erträumte und deutlichere Fortsetzung der Melodien zu sein schienen. Das Thema kehrte wieder, unterbrochen und flüchtig, mit einzelnen, schwindenden Takten, die entrückt wie ein Echo waren, verstummte dann und schien den Gedanken Zeit zu lassen, daß sie dem Motiv einen Sinn liehen und sich auf die Suche nach einer Art harmonischem und zartem Ideal machten. Er wandte sich zur Linken, nach dem äußeren Boulevard, und als er die feenhafte Beleuchtung des Parks Monceau gewahrte, schlug er den unter den elektrischen Monden sich geschwungen hinziehenden Hauptweg ein. Ein Wächter streifte langsamen Schrittes umher; mitunter fuhr eine verspätete Droschke vorbei; ein Mann saß auf einer Bank zu Füßen des Bronzemastes, der eine leuchtende Kugel trug, in einem bläulichen Bad von grellem Licht und las eine Zeitung. Andere Lichtpunkte auf dem Rasen zwischen den Bäumen verbreiteten im Laubdach und über den Rasenflächen ihre kalte, herrische Helligkeit und erfüllten diesen großen Stadtgarten mit bleichem Leben.

Mit hinter dem Rücken verschränkten Händen ging Bertin den Fußsteig entlang und gedachte seines Spaziergangs mit Annette durch eben diesen Park, als er auf ihren Lippen die Stimme ihrer Mutter wiedererkannt hatte.

Er ließ sich auf eine Bank sinken, atmete die kühlen Ausdünstungen der besprengten Rasenflächen und fühlte sich von all den leidenschaftlichen Erwartungen erfüllt, die in der Seele von Jünglingen den unzusammenhängenden Entwurf eines endlosen Liebesromans entstehen lassen. Einst hatte er solcherlei Abende durchlebt, Abende der schweifenden Träume, an denen er seine Phantasie in eingebildeten Abenteuern hatte umherirren lassen, und es wunderte ihn, dergleichen Empfindungen, die nicht mehr zu seinem Alter paßten, in sich wiederzufinden.

Aber wie der eigensinnige Ton in der Melodie Schuberts, suchten ihn alle Augenblicke der Gedanke an Annette, die Vision ihres unter der Lampe gebeugten Kopfes und der befremdliche Verdacht der Gräfin heim. Unwillkürlich fuhr er fort, sein Herz mit dieser Frage zu bedrängen und die undurchdringlichsten Tiefen zu erforschen, in denen die menschlichen Gefühle keimen, ehe sie geboren werden. Diese hartnäckige Suche regte ihn auf; die ständige Beschäftigung mit dem jungen Mädchen schien seiner Seele einen Weg zu zärtlichen Träumereien zu öffnen; er konnte Annette nicht aus seiner Erinnerung vertreiben; er beschwor sie in seinem Innern herauf, wie er es früher mit der Gräfin getan, wenn sie ihn verlassen und ihm die sonderbare Empfindung ihrer Anwesenheit innerhalb der Wände seines Ateliers zurückgelassen hatte.

Ungeduldig über die Macht einer Erinnerung, sprang er auf und brummte vor sich hin:

»Wie dumm von Any, daß sie mir das gesagt hat. Sie ist schuld daran, wenn ich jetzt immerfort an die Kleine denke.«

Beunruhigt über sich selber, kehrte er heim. Als er zu Bett gegangen war, fühlte er, daß der Schlummer nicht kommen werde, weil in seinen Adern ein Fieber tobte und der Traum in seinem Herzen gor. In seiner Bangnis vor der Schlaflosigkeit, einer die Nerven angreifenden Schlaflosigkeit, die in der Seele Unruhe hervorruft, wollte er es mit einem Buch versuchen. Wie oft hatte ihm eine kurze Lektüre als Narkotikum gedient! Also stand er auf und ging an den Bücherschrank, um ein zum Einschläfern geeignetes Werk auszuwählen; aber der gegen seinen Willen wache Geist sehnte sich nach etwas Herzbewegendem, und so suchte er in den Fächern nach dem Namen eines Schriftstellers, der ihm in seiner Überreiztheit und Erwartung Antwort zu geben vermochte. Balzac, den er liebte, sagte ihm nichts; er überging Hugo, strafte Lamartine, der ihn doch sonst immer rührte, mit Verachtung und langte begierig nach Musset, dem Dichter der ganz jungen Leute. Er griff einen Band heraus und nahm ihn mit, um zu lesen, was er zufällig aufschlug.

Als er sich wieder hingelegt hatte, begann er mit dem Durst eines Trinkers die mühelos fließenden Verse des Inspirierten in sich zu trinken, der wie ein Vogel von der Morgenröte des Daseins sang und, da sein Atem nur für den Morgen ausreichte, von dem rauhen Tag schwieg; jene Verse eines Dichters, der ein vom Leben berauschter Mann gewesen war und seiner Trunkenheit in strahlenden und naiven Liebesfanfaren freien Lauf gelassen hatte, Echo aller jungen, von Sehnsüchten verzehrten Herzen.

Niemals hatte Bertin so sehr den physischen Reiz dieser Gedichte gespürt, die die Sinne erregten und kaum den Geist beschäftigten. Nun er diese vibrierenden Verse vor Augen hatte, fühlte er sich unversehens zwanzig Jahre alt und von Hoffnungen getragen, und in einem jugendlichen Rauschzustand las er den Band fast völlig durch. Es schlug drei, und es wunderte ihn, daß er noch immer nicht den Schlaf gefunden habe. Er stand auf; er wollte das offengebliebene Fenster schließen und das Buch auf den Tisch mitten im Zimmer zurücktragen; doch als ihn die frische Nachtluft streifte, packte ihn ein durch die Kuraufenthalte in Aix nur unzulänglich beschwichtigter Schmerz, der sein Kreuz entlanglief, wie ein Ruf, wie ein Rat zur Vorsicht, und er warf den Dichter mit einer ungeduldigen Bewegung auf den Tisch und brummelte: »Alter Narr!« Dann legte er sich wieder zu Bett und blies das Licht aus.

Am nächsten Tag ging er nicht zur Gräfin und faßte sogar den energischen Entschluß, sie nicht vor Ablauf zweier Tage aufzusuchen. Doch was er auch tat, sei es, daß er zu malen versuchte, sei es, daß er spazierengehen wollte, sei es, daß er seine Schwermut von Haus zu Haus trug, immer peinigte ihn die unerschöpfliche Beschäftigung mit den beiden Frauen.

Da er sich untersagt hatte, sie zu besuchen, suchte er Erleichterung, indem er an sie dachte und ließ Geist und Herz sich an der Erinnerung satt trinken. Es geschah ihm oft, daß er wie in einer Halluzination, die ihn in seiner Einsamkeit umgaukelte, die beiden Gesichter ganz nahe sah, jedes für sich, wie er sie kannte, dann glitt eins ins andere über, sie vereinigten sich, verschmolzen miteinander und bildeten nur noch ein einziges, etwas unklares Gesicht, das nicht mehr das der Mutter und auch nicht ganz das der Tochter war, sondern das einer früher, jetzt und immer hingerissen geliebten Frau.

Dann machte er sich Vorwürfe, sich der schiefen Ebene zermürbender Regungen zu überlassen, die er als mächtig und gefährlich erkannte. Um ihnen zu entgehen, sie zurückzuweisen und sich von dem süßen Traum zu befreien, der ihn in Bann schlug, richtete er seine Gedanken auf alles Erdenkliche, auf alles, was sich überdenken und ergrübeln ließ. Vergebliche Mühe! Alle Wege der Ablenkung, die er einschlug, führten ihn an denselben Punkt zurück, und dort traf er ein junges, zartes Gesicht, das auf der Lauer zu liegen und auf ihn zu warten schien. Es war eine unerklärliche und unausweichliche Besessenheit, der er anheimgegeben war, die ihn umgab und gefangennahm, wie er sich auch drehen und wenden mochte im Versuch, ihr zu entfliehen.

Die Vermischung jener beiden Menschenwesen, die ihn an dem Abend ihres Gangs durch den Park von Roncières so beunruhigt hatte, vollzog sich in seinen Gedanken von neuem, sobald er aufhörte, zu überlegen und seine Vernunft ins Feld zu führen, sondern statt dessen sie heraufbeschwor und sich zu begreifen mühte, welch befremdliche Erregung seine Sinne durchwogte. Er fragte sich: »Hege ich für Annette eine mehr als schickliche Liebe?« Dann durchwühlte er sein Herz und fühlte, wie es vor Liebe zu einer ganz jungen Frau brannte, die sämtliche Züge Annettes trug, aber nicht Annette war. Er beruhigte sich feige, indem er dachte: ›Nein, ich liebe die Kleine nicht, ich bin nur das Opfer ihrer Ähnlichkeit.‹

Indessen verblieben die beiden in Roncières verbrachten Tage in seiner Seele wie eine Quelle der Wärme, des Glücks und des Rauschs; und nach und nach kamen ihm die kleinsten Einzelheiten deutlich und noch köstlicher als zu der Stunde selbst wieder in den Sinn. Im Verfolgen des Laufs seiner Erinnerungen sah er den Weg wieder vor sich, den sie bei der Rückkehr vom Friedhof gegangen waren, sah er, wie das junge Mädchen Blumen pflückte, und auf einmal fiel ihm ein, daß er ihr eine Kornblume aus Saphiren versprochen hatte, sobald sie wieder in Paris seien.

All seine Entschlüsse waren dahin, und ohne sich weiter zu sträuben, nahm er seinen Hut und verließ seine Wohnung, nur von dem Gedanken an die Freude erfüllt, die er ihr machen wollte.

Der Diener der Guilleroys antwortete ihm auf seine Frage:

»Madame ist ausgegangen, aber das Fräulein ist hier.«

Sein Herz schlug höher.

»Sagen Sie ihr, daß ich sie sprechen möchte.«

Dann schlich er mit leichten Schritten in den Salon, als fürchte er, jemand könne ihn hören.

Annette erschien sogleich.

»Guten Tag, verehrter Meister«, sagte sie gravitätisch.

Er mußte lachen, drückte ihr die Hand und setzte sich neben sie.

»Rate mal, warum ich hergekommen bin.«

Sie überlegte ein Weilchen.

»Keine Ahnung.«

»Um mit dir und deiner Mutter zu dem Juwelier zu gehen und die Kornblume aus Saphiren zu bestellen, die ich dir in Roncières versprochen habe.«

Das Gesicht des jungen Mädchens strahlte vor Glück.

»Oh«, sagte sie, »und nun ist Mama ausgegangen. Aber sie muß bald wiederkommen. Sie warten doch, nicht wahr?«

»Ja, wenn es nicht gar zu lange dauert.«

»Aber hören Sie mal! Mit mir zu lange! Sie behandeln mich wie einen Backfisch.«

»Nein«, sagte er, »weniger als du glaubst.«

Er verspürte im Herzen den Wunsch, zu gefallen, liebenswürdig und geistreich wie in den kecksten Tagen seiner Jugend zu sein; es war ein triebhaftes Verlangen, das alle Fähigkeiten der Verführung übersteigert, den Pfau radschlagen und die Dichter Verse schreiben läßt. Die Sätze kamen ihm hastig und flink auf die Lippen, und er sprach, wie er in seinen besten Stunden zu sprechen verstand. Die Kleine wurde durch diesen Schwung angeregt; sie antwortete mit aller Bosheit und allem mutwilligen Scharfsinn, die in ihr keimten.

Plötzlich, als er eine Meinung verfocht, rief er:

»Aber das habe ich Ihnen doch schon so oft gesagt, und Sie haben mir geantwortet . . .«

Sie unterbrach ihn mit schallendem Auflachen:

»Da, Sie duzen mich nicht mehr! Sie halten mich für Mama.«

Er wurde rot, schwieg und stammelte dann:

»Das hat deine Mutter schon hundertmal behauptet.«

Seine Beredsamkeit war versiegt, er wußte nichts mehr zu sagen, er hatte jetzt Angst, eine unbegreifliche Angst vor diesem Mädchen.

»Da kommt Mama«, sagte sie.

Sie hatte die Tür zum ersten Salon aufgehen hören, und Olivier, der verlegen war, als sei er bei einer Missetat ertappt worden, erklärte, er habe sich plötzlich an sein Versprechen erinnert und sei nun gekommen, um mit ihnen beiden zum Juwelier zu gehen.

»Ich habe einen Wagen unten«, sagte er. »Ich setze mich auf den Behelfssitz.«

Sie fuhren los und traten ein paar Minuten später bei Monatra ein.

Da er sein ganzes Leben in vertraulichem Umgang mit den Frauen hingebracht, sie beobachtet, studiert und geliebt, da er sich immer mit ihnen beschäftigte und ihre Neigungen hatte erforschen und entdecken müssen, da er Toilettentisch, Modefragen und all die kleinen Einzelheiten ihres Privatlebens so gut wie sie selber kannte, war es ihm oft geschehen, daß er gewisse Gemütsregungen mit ihnen teilte; und immer, wenn er einen dieser Läden betrat, in denen die reizvollen, köstlichen Hilfsmittel ihrer Schönheit zu kaufen waren, empfand er fast die gleiche Lust daran wie sie. Wie sie interessierte er sich für all diese koketten Nichtigkeiten, mit denen sie sich schmückten; die Stoffe entzückten seine Augen, die Spitzen zogen seine Hände an; die unbedeutendsten eleganten Kleinigkeiten erregten seine Aufmerksamkeit. In den Juwelierläden verspürte er vor den Vitrinen einen Hauch religiöser Ehrfurcht, als seien sie die Heiligtümer üppiger Verführung; und der mit dunklem Tuch bespannte Ladentisch, über den die geschmeidigen Finger des Goldschmieds die Steine mit ihrem reichen Glanz kollern ließen, entlockte ihm eine gewisse Achtung.

Als er die Gräfin und ihre Tochter vor diesem gewichtigen Möbelstück hatte Platz nehmen lassen, auf das beide mit ungezwungener Geste eine Hand legten, setzte er auseinander, was er wolle, und es wurden Blütenmodelle gezeigt.

Dann wurden vor ihnen Saphire ausgebreitet, aus denen vier auszuwählen waren. Das dauerte lange. Die beiden Damen drehten sie mit den Fingerspitzen auf der Tuchfläche, nahmen sie dann behutsam auf, blickten durch die Steine ins Licht und prüften sie mit erfahrener, leidenschaftlicher Aufmerksamkeit. Als die ausgewählten beiseite gelegt waren, mußten drei Smaragde für die Blätter ausgesucht werden, dann ein ganz kleiner Brillant, der in der Mitte wie ein Tautropfen zittern sollte.

Olivier, den die Freude zu schenken berauschte, sagte zur Gräfin:

»Würden Sie mir das Vergnügen machen, zwei Ringe auszusuchen?«

»Ich?«

»Ja. Einen für Sie und einen für Annette. Lassen Sie mich Ihnen diese kleinen Geschenke machen als Erinnerung an die beiden in Roncières verbrachten Tage.«

Sie widersprach. Er beharrte. Eine lange Diskussion folgte, ein Streit mit Worten und Argumenten, in dem er schließlich nicht ohne Mühe triumphierte.

Es wurden also Ringe gebracht; die einen, die seltensten, lagen für sich allein in einem Döschen, die andern reihenweise in großen viereckigen Kästen, wo sie auf dem Samt die ganze Pracht ihrer Fassungen darboten. Der Maler hatte sich zwischen die beiden Damen gesetzt und griff gleich ihnen mit demselben neugierigen Eifer nach diesem oder jenem Goldring und nahm ihn aus dem schmalen Spalt, in dem er steckte. Er legte sie der Reihe nach vor sich hin auf das Tuch des Ladentisches, wo sie sich zu zwei Gruppen häuften, jener, die beim ersten Blick zurückgewiesen worden waren, und jener, unter denen eine Auswahl getroffen werden sollte.

Bei dieser hübschen Beschäftigung der Wahl und Entscheidung, die fesselnder ist als alle Vergnügungen der Erde, zerstreuend und abwechslungsreich wie ein Schauspiel und zudem erregend, beinahe sinnlich erregend und ein erlesener Genuß für ein Frauenherz, verging die Zeit unmerklich und sacht.

Sie verglichen, wurden lebhafter, und die Wahl der drei Richter fiel nach einigem Zögern auf eine kleine goldene Schlange, die einen schönen Rubin zwischen ihrem winzigen Maul und ihrem gewundenen Schwanz hielt.

Olivier stand strahlend auf.

»Ich überlasse Ihnen meinen Wagen«, sagte er. »Ich habe noch Besorgungen zu machen; ich gehe jetzt.«

Aber Annette bat ihre Mutter, bei diesem schönen Wetter zu Fuß heimzugehen. Die Gräfin stimmte zu, und nachdem sie Bertin gedankt hatte, ging sie mit ihrer Tochter durch die Straßen.

Eine Zeitlang wanderten sie schweigend und erfüllt von der köstlichen Freude über die empfangenen Geschenke; dann begannen sie über alle Juwelen zu sprechen, die sie gesehen und in den Händen gehalten hatten. Es war in ihnen etwas wie eine Spiegelung zurückgeblieben, ein leises Klirren und eine Art Fröhlichkeit. Sie gingen rasch durch die Menge, die an Sommerabenden gegen fünf Uhr die Fußsteige füllt. Männer drehten sich nach Annette um und murmelten im Vorübergehen undeutliche Worte der Bewunderung. Es war das erste Mal seit dem Trauerfall, seit das Schwarz ihrer Tochter jenes auffallend Strahlende an Schönheit lieh, daß die Gräfin mit ihr durch Paris ging; und der Eindruck dieses Erfolges in den Straßen, der erregten Aufmerksamkeit, der geflüsterten Komplimente und des kleinen Strudels schmeichelhaften Aufgestörtseins, den das Vorüberschreiten einer schönen Frau in einer Schar von Männern hinterläßt, bedrückte sie nach und nach mit derselben schmerzhaften Beklommenheit wie an jenem Abend in ihrem Salon, als die Kleine mit ihrem eigenen Porträt verglichen worden war. Wider Willen spähte sie nach den durch Annette angezogenen Blicken aus und fühlte sie schon von weitem ihr eigenes Gesicht streifen, ohne daran hängenzubleiben und sich dann plötzlich dem blonden Gesicht neben ihr zuwenden. Sie erriet und sah in den Augen die raschen, stummen Huldigungen für diese erblühte Jugend, diesen verlockenden Zauber der Frische und dachte: ›Ich war einmal ebenso schön wie sie, wenn nicht schöner.‹ Plötzlich durchzuckte sie die Erinnerung an Olivier, und wie in Roncières wurde sie von einem gebieterischen Drang zu fliehen gepackt.

Sie wollte sich nicht mehr in dieser Helle fühlen, in diesem Getriebe der Welt, von all diesen Männern gesehen, die sie nicht anblickten. Jene Tage, an denen sie einen Vergleich mit ihrer Tochter gesucht und angeregt hatte, lagen weit zurück und waren dennoch nicht fern. Wer von den Vorübergehenden dachte heute daran, sie beide zu vergleichen? Einem einzigen war es vielleicht in den Sinn gekommen, eben noch, in dem Laden des Goldschmieds. Ihm? Oh! Welche Qual! War es möglich, daß er nicht von diesem Vergleich gepeinigt wurde? Gewiß konnte er sie beide nicht beisammen sehen, ohne daran zu denken und ohne sich der Zeit zu erinnern, da sie selber so frisch und so hübsch und seiner Liebe so sicher zu ihm gekommen war!

»Mir ist nicht wohl«, sagte sie, »wir wollen einen Wagen nehmen, mein Kind.«

Annette fragte besorgt:

»Was hast du denn, Mama?«

»Es ist weiter nichts; du weißt ja, daß ich seit dem Tod deiner Großmutter oft solche Schwächeanfälle habe!«

# V

Fixe Ideen besitzen die nagende Zähigkeit unheilbarer Krankheiten. Wenn sie erst einmal Einlaß in die Seele gefunden haben, verschlingen sie sie und machen sie unfrei, an etwas anderes zu denken, sich für etwas anderes zu interessieren oder Geschmack auch nur am geringsten zu finden. Was die Gräfin auch tat, zu Hause oder anderswo, allein oder in der Gesellschaft, sie konnte, wenn sie sich Seite an Seite mit ihrer Tochter wußte, nicht mehr die Überlegung zurückweisen, von der sie besessen schien: War es möglich, daß Olivier, der sie beide fast jeden Tag sah, nicht gezwungen war, sie unaufhörlich miteinander zu vergleichen?

Gewiß, er mußte es unwillkürlich tun, unablässig und seinerseits von jener nicht einmal für einen Augenblick übersehbaren Ähnlichkeit geplagt, die noch durch die erst unlängst angestrebte Nachahmung der Bewegungen und des Tonfalls unterstrichen wurde. Jedesmal, wenn er zu ihr kam, dachte sie sofort an diesen Vergleich, sie las ihn in seinem Blick, erriet ihn und kommentierte ihn in ihrem Herzen und in ihrem Kopf. Dann quälte sie ein stetes Verlangen, sich zu verstecken, zu verschwinden und sich vor ihm nicht mehr an der Seite ihrer Tochter zu zeigen.

Übrigens litt sie in jeder erdenklichen Hinsicht und fühlte sich daheim nicht mehr heimisch. Das Kränkende der Entmachtung, das sie an jenem Abend empfunden hatte, da aller Augen auf die unter ihrem Porträt stehende Annette blickten, unterstrich und steigerte ihre Leiden mitunter nur noch. Sie machte sich unaufhörlich Vorwürfe ihres geheimen Wunsches nach Befreiung wegen, dem unüberwindlichen Verlangen, ihre Tochter wie einen hartnäckigen, störenden Gast von dannen gehen zu sehen, und arbeitete daran mit unbewußter Geschicklichkeit und angetrieben von der Begierde, um den Besitz des Mannes, den sie liebte, zu kämpfen.

Da sie Annettes Heirat nicht beschleunigen konnte, da der erst unlängst stattgehabte Trauerfall eine gelinde Verzögerung schuf, bekam sie Angst, eine wirre, heftige Angst, irgendein Ereignis könne den Plan zu Fall bringen, und so suchte sie fast gegen ihren Willen im Herzen des Mädchens Liebe zu dem Marquis zu erwecken.

Die ganze schlaue Diplomatie, die sie seit so langer Zeit angewandt hatte, um sich Olivier zu bewahren, nahm bei ihr eine neue, eine feinere und geheimere Form an, und sie versuchte zu bewerkstelligen, daß die beiden jungen Leute aneinander Gefallen fanden, ohne daß die beiden Männer einander begegneten.

Da der Maler seiner Arbeitsgewohnheiten wegen niemals außerhalb zu Mittag aß und seinen Freunden gewöhnlich nur die Abende schenkte, lud sie den Marquis oft zum Mittagessen ein. Er kam und verbreitete Belebendes um sich wie ein Spazierritt oder ein Morgenwind. Munter redete er von all den mondänen Dingen, die jeden Tag über dem herbstlichen Erwachen des reitenden und in den Alleen des Bois prunkenden Paris zu treiben schienen. Annette machte es Freude, ihm zuzuhören, und sie gewann Geschmack an diesen Tagesgeschehnissen, die er ihr völlig frisch und wie mit Eleganz gefirnißt darbrachte. So entstand zwischen ihnen eine jugendliche Freundschaft, ein herzliches Zugetansein, wie es eine gemeinsame, leidenschaftliche Neigung für Pferde natürlicherweise erweckt. Wenn er gegangen war, sangen die Gräfin und der Graf auf geschickte Weise sein Lob und sagten über ihn alles Erforderliche, damit das junge Mädchen einsah, daß es nur von ihr allein abhänge, ihn zu heiraten, wenn es ihr gefiel.

Übrigens hatte sie sehr rasch verstanden, und nachdem sie es sich ehrlich überlegt hatte, beschloß sie einfach, diesen hübschen

Jungen, der ihr neben anderem die Freude bereitete, daß er so überaus gern jeden Morgen auf einem Vollblutpferd neben ihr galoppierte, zum Ehemann zu nehmen.

Eines Tages waren sie nach einem Händedruck und einem Lächeln, als sei das etwas Selbstverständliches, verlobt, und von der Heirat wurde wie von etwas längst Beschlossenem gesprochen. Fortan begann der Marquis Geschenke zu bringen, und die Herzogin behandelte Annette wie ihre eigene Tochter. So war die ganze Angelegenheit in gemeinsamem Einverständnis und mit Nachdruck in den ruhigen Tagesstunden betrieben worden, da der Marquis, der außerdem viele andere Beschäftigungen, Beziehungen, Abhängigkeiten und Pflichten hatte, selten am Abend kam.

Das war Oliviers Zeit. Er speiste regelmäßig einmal in der Woche abends bei seinen Freunden und erschien überdies weiterhin unangemeldet zu einer Tasse Tee zwischen zehn Uhr und Mitternacht.

Sobald er da war, belauerte ihn die Gräfin; in ihr nagte der Wunsch, zu erfahren, was in seinem Herzen vorging. Er konnte sich keinen Blick und keine Bewegung leisten, die sie nicht alsbald deutete, und sie marterte sich mit dem Gedanken: ›Es ist unmöglich, daß er sie nicht liebt, wenn er uns nebeneinander sieht.‹

Auch er brachte Geschenke. Keine Woche war vergangen, und schon erschien er mit zwei Päckchen, von denen er eins der Mutter und eins der Tochter gab, und der Gräfin war beim Öffnen der Schächtelchen, die oft kostbare Dinge enthielten, das Herz beklommen. Wie gut kannte sie die Lust, zu schenken, die sie als Frau niemals hatte befriedigen können, den Wunsch, etwas mitzubringen, Freude zu bereiten, etwas für jemand zu kaufen und in den Läden gerade die Kleinigkeit aufzustöbern, die vielleicht gefiel.

Solche Anfälle hatte der Maler schon früher gehabt, und sie hatte ihn viele Male mit demselben Lächeln und in derselben Haltung, ein Päckchen in der Hand, hereinkommen sehen. Dann hatte sich diese Angewohnheit gelegt, und jetzt hatte es wieder damit angefangen. Für wen? Sie hatte keinen Zweifel darüber! Es geschah nicht ihretwegen!

Er machte einen müden, abgezehrten Eindruck. Sie schloß daraus, daß er litt. Sie verglich sein Eintreten, sein Gesicht und sein Benehmen mit der Haltung des Marquis, den Annettes Reize ebenfalls unruhig zu machen begannen. Es war durchaus nicht dasselbe: Der Marquis de Farandal war verliebt, Olivier Bertin liebte! So glaubte sie wenigstens in ihren Stunden der Qual, während sie in stillen Minuten noch immer hoffte, sich getäuscht zu haben.

Wie oft mußte sie ihn, wenn sie mit ihm allein war, fragen und bitten und anflehen, daß er sprach, alles gestand und ihr nichts verbarg. Ihr wäre es lieber gewesen, zu wissen und in der Gewißheit zu weinen, als unter dem Zweifel zu leiden und in diesem verschlossenen Herzen, in dem sie eine große Liebe wachsen fühlte, nicht lesen zu können.

Sein Herz, an dem sie mehr hing als an ihrem Leben, das sie seit zwölf Jahren mit ihrer Liebe überwacht, angespornt und belebt hatte, dessen sie sich sicher, das sie endgültig und bis ans Ende ihrer Tage erworben, erobert, unterworfen und ihr leidenschaftlich ergeben glaubte, entglitt ihr nun durch ein unbegreifliches, grausiges, ungeheuerliches Verhängnis. Ja, es hatte sich ihr plötzlich verschlossen und barg dabei ein Geheimnis. Sie konnte nicht mehr mit einem vertraulichen Wort eindringen und ihre Liebe an diesem, ihr allein zugänglichen, getreuen Zufluchtsort anhäufen. Was ist eine Liebe, eine rückhaltlose Hingabe wert, wenn einem der, dem man sein ganzes Sein und Leben dargebracht hat, wenn einem alles, was man auf dieser Welt besitzt, plötzlich entgleitet, weil ihm ein anderes Gesicht gefällt und er innerhalb weniger Tage fast ein Fremder wird?

Ein Fremder! Er, Olivier? Er sprach zu ihr wie früher, mit denselben Worten, derselben Stimme und im selben Tonfall. Und dennoch waltete etwas zwischen ihnen, etwas Unerklärliches, Ungreifbares, Unüberwindliches – beinahe nichts, jenes ›beinahe nichts‹, das einen Schleier hinwegweht, wenn der Wind sich dreht.

Er entglitt ihr, wie hinweggeweht; er entfernte sich tatsächlich von ihr, jeden Tag ein bißchen mehr, durch all die Blicke, die er auf Annette warf. Er selber versuchte nicht, in seinem Herzen zu lesen. Er fühlte sehr wohl das Gären der Liebe, die unwiderstehliche Anziehungskraft, aber er wollte nicht begreifen, er verließ sich auf die Geschehnisse, auf die unvorhergesehenen Zufälle des Lebens.

Er bekümmerte sich um nichts mehr als um die Abende mit diesen beiden Frauen, die durch ihre Trauer vom gesellschaftlichen Leben ausgeschlossen waren. Da er nur gleichgültige Gesichter bei ihnen sah, am häufigsten die der Corbelles und das Musadieus, glaubte er sich fast allein mit ihnen auf der Welt, und da er fast nie mehr die Herzogin und den Marquis antraf, denen die Vormittage und die Mittagsstunden reserviert waren, wollte er sie vergessen und vermutete, die Heirat sei auf unbestimmte Zeit verschoben.

Annette sprach übrigens in seiner Gegenwart niemals über den Marquis de Farandal. Geschah das aus instinktiver Zurückhaltung oder vielleicht aus einer geheimen Intuition des Frauenherzens heraus, das Dinge, von denen es nichts weiß, zu ahnen vermag?

Woche folgte auf Woche, ohne daß sich etwas an diesem Leben änderte, und der Herbst war gekommen und hatte um der bedrohlichen politischen Lage willen früher als sonst zum Zusammentritt der Kammer geführt.

Am Tag der Wiedereröffnung sollte der Graf de Guilleroy nach einem Mittagessen in seinem Haus die Herzogin de Mortemain, den Marquis und Annette zur Sitzung des Parlaments mitnehmen. Nur die in ihren ständig wachsenden Kummer vergrabene Gräfin hatte erklärt, sie wolle zu Hause bleiben.

Sie waren vom Tisch aufgestanden, tranken im großen Salon den Kaffee und waren fröhlich. Der Graf war herzlich froh über die Wiederaufnahme der parlamentarischen Arbeit, sein einziges Vergnügen; er redete nahezu geistreich über die gegenwärtige Situation und die Schwierigkeiten der Republik; der unverhohlen verliebte Marquis antwortete ihm eifrig, wobei er Annette ansah, und die Herzogin freute sich darüber, daß ihr Neffe Feuer gefangen hatte, fast ebenso wie über die bedrängte Lage der Regierung. Die Luft im Salon war warm von der ersten Wärmewelle der wieder angezündeten Zentralheizung, von der Wärme der Stoffe, Teppiche und Wände, zwischen denen der Duft aus Luftmangel gewelkter Blumen frühzeitig verfliegt. Es lag in diesem abgeschlossenen Raum, in dem auch der Kaffee sein Aroma verströmte, etwas Freundliches, Gemütliches und Zufriedenes, als die Tür geöffnet wurde und Olivier Bertin hereinkam.

Er blieb dermaßen überrascht auf der Schwelle stehen, daß er einzutreten zögerte, überrascht wie ein betrogener Ehemann, der den Fehltritt seiner Frau mit eigenen Augen sieht. Ein verworrener Zorn und eine solche Erregung würgten ihn, daß er abermals erkannte, wie von Liebe zerfressen sein Herz war. Alles, was ihm verhehlt worden war, und alles, was er vor sich selbst verhehlt hatte, lag jetzt offen zutage, als er den Marquis in diesem Haus als Verlobten sah!

In jäher Fassungslosigkeit durchschaute er alles, was er nicht wissen wollte, und alles, was man ihm nicht zu sagen gewagt hatte. Er fragte sich nicht, warum ihm die ganzen Zurichtungen zu der Heirat verheimlicht worden seien. Er erriet es; und seine hart gewordenen Augen begegneten denen der Gräfin, die errötete. Sie verstanden einander.

Als er sich gesetzt hatte, schwiegen sie alle eine Weile, da sein unerwartetes Kommen den Gedankenschwung gelähmt hatte; dann begann die Herzogin, zu ihm zu sprechen, und er antwortete kurz angebunden mit einer Stimme, die einen fremden Klang hatte und sich verändert zu haben schien.

Er sah diese ihn umsitzenden Leute, die wieder zu reden begannen, und sagte sich: »Sie haben mich getäuscht. Sie sollen es mir bezahlen.« Besonders böse war er auf die Gräfin und auf Annette, deren unschuldige Verstellung er jetzt durchschaute.

Der Graf blickte auf die Uhr und rief:

»Oh, oh, es ist Zeit zu gehen!«

Dann wandte er sich dem Maler zu:

»Wir gehen zur Eröffnung der Parlamentssitzung. Nur meine Frau bleibt hier. Wollen Sie nicht mit uns kommen? Es wäre mir eine große Freude.«

Olivier antwortete trocken:

»Nein, danke, Ihre Kammer lockt mich nicht.«

Dann trat Annette mit bemüht fröhlichem Gesicht zu ihm:

»Ach, kommen Sie doch mit, verehrter Meister. Sie werden uns gewiß besser unterhalten als die Abgeordneten, davon bin ich überzeugt.«

»Nein, wirklich nicht. Sie werden sich auch ohne mich gut unterhalten.«

Da sie sein Mißvergnügen und seinen Kummer erriet, ließ sie nicht locker, um sich liebenswürdig zu bezeigen.

»Doch, kommen Sie mit, Herr Maler. Seien Sie sicher, daß jedenfalls ich Sie nicht entbehren kann.«

Da entschlüpften ihm so rasch ein paar Worte, daß er sie weder zurückhalten noch ihre scharfe Betonung mildern konnte.

»Pah! Sie kommen genausogut ohne mich aus wie alle andern auch.«

Mit ein wenig erstaunter Stimme rief sie:

»Da haben wir's! Jetzt fängt er tatsächlich an, mich nicht mehr zu duzen.«

Ihm stieg ein gequältes Lächeln auf die Lippen, ein Lächeln, das den ganzen Schmerz der Seele enthüllte, und er sagte mit einer kleinen Verneigung:

»Ich muß mich wohl oder übel daran gewöhnen, heute oder ein andermal.«

»Warum denn?«

»Weil Sie heiraten und weil Ihr Mann, wer es auch sein möge, dazu berechtigt ist, diese meine Duzerei fehl am Platze zu finden.«

Die Gräfin beeilte sich zu sagen:

»Einmal muß das wohl erwogen werden. Aber ich hoffe, daß Annette keinen Mann heiratet, der so empfindlich ist, daß er die Vertraulichkeit eines alten Freundes übelnimmt.«

Der Graf rief:

»Los, los, wir müssen aufbrechen! Sonst kommen wir womöglich zu spät!«

Alle, die ihn begleiten wollten, waren aufgestanden und gingen nach dem üblichen Händeschütteln und den Küssen, die die Herzogin, die Gräfin und ihre Tochter bei jeder Begegnung und jeder Trennung austauschten.

Sie blieben allein, er und sie, und standen hinter den Portieren der wieder geschlossenen Tür.

»Setzen Sie sich«, sagte sie leise.

Doch er, fast heftig:

»Nein, danke, ich will ebenfalls gehen.«

Flehend flüsterte sie:

»Oh, warum denn?«

»Weil dies anscheinend nicht meine Stunde ist. Ich bitte Sie um Verzeihung, daß ich unangemeldet erschienen bin.«

»Was haben Sie, Olivier?«

»Nichts, ich bedaure nur, eine eigens geladene, vergnügte Gesellschaft gestört zu haben.«

Sie ergriff seine Hand.

»Was wollen Sie damit sagen? Sie wollten ohnehin gerade gehen, weil sie der Eröffnung der Sitzung beiwohnen möchten. Ich hatte die Absicht, zu bleiben. Es ist, ganz im Gegenteil, ein wunderbarer Einfall von Ihnen, heute, da ich allein bin, herzukommen.«

Er lachte verächtlich:

»Ein Einfall, ja, wirklich ein wunderbarer Einfall!«

Sie nahm ihn an beiden Handgelenken, sah ihm tief in die Augen und sagte sehr leise: »Gestehen Sie, daß Sie sie lieben!«

Er machte seine Hände frei; er konnte seine Ungeduld nicht länger beherrschen.

»Sie sind ja vollkommen besessen von dieser Idee!«

Sie nahm ihn wieder bei den Armen, krampfte die Finger in seine Ärmel, flehte:

»Olivier! Gestehen Sie! Gestehen Sie! Es ist mir lieber, zu wissen; ich bin mir gewiß, aber ich möchte es wissen! Wirklich, das ist mir lieber ...! Oh, Sie begreifen nicht, was aus meinem Leben geworden ist!«

Er zuckte die Achseln.

»Was soll *ich* dabei tun? Ist es meine Schuld, wenn Sie den Kopf verlieren?«

Sie hielt ihn fest und zog ihn in den anderen, nach hinten gelegenen Salon, wo sie nicht gehört werden konnten. An ihn geklammert und keuchend, zerrte sie ihn am Stoff seines Jacketts mit. Als sie ihn bis zu dem kleinen runden Diwan geführt hatte, zwang sie ihn, sich niederzulassen, und setzte sich neben ihn.

»Olivier, mein Freund, mein einziger Freund, ich bitte Sie, sagen Sie mir, daß Sie sie lieben! Ich weiß es, ich spüre es in allem, was Sie tun, und kann nicht zweifeln; ich gehe daran zu Grunde, aber ich will es aus Ihrem Mund erfahren!«

Da er sich noch immer sträubte, sank sie zu seinen Füßen auf die Knie. Ihre Stimme klang heiser.

»Oh, mein Freund, lieber Freund, mein einziger Freund, ist es denn wahr, daß Sie sie lieben?«

Er versuchte aufzustehen und rief:

»Unsinn, Unsinn! Ich schwöre Ihnen, daß es nicht so ist!«

Sie legte ihm die Hand auf den Mund und preßte sie dagegen, um ihn zu schließen, während sie stammelte:

»Oh, lügen Sie nicht. Ich leide allzu sehr!«

Dann ließ sie den Kopf auf die Knie des Mannes sinken und schluchzte.

Er sah nur ihren Nacken, eine Fülle blonden Haars, unter das sich schon viel weißes mischte, und fühlte sich plötzlich von einem ungeheuren Mitleid, einem ungeheuren Schmerz gepackt.

Er griff mit allen Fingern in die schwere Haarmasse, zog sie heftig hoch und sah in zwei von rinnenden Tränen überschwemmte Augen. Und dann drückte er auf diese nassen Augen wieder und wieder seine Lippen und sagte in einem fort:

»Any! Any! Meine liebe, liebe Any!«

Da versuchte sie zu lächeln, und mit einer stockenden Stimme wie Kinder, die der Kummer fast erstickt, stieß sie hervor:

»Oh, mein Freund, sagen Sie mir nur, daß Sie mich noch ein klein bißchen liebhaben!«

Er begann sie von neuem zu küssen.

»Ja, ich liebe Sie, meine liebe Any!«

Sie stand auf, setzte sich wieder neben ihn, nahm seine Hände, sah ihn an und sagte liebevoll:

»Wir haben einander schon so lange lieb. So darf es nicht enden!«

Er preßte sie an sich und fragte:

»Warum sollte es denn enden?«

»Weil ich alt bin und weil mir Annette zu sehr ähnelt, dem, was ich war, als Sie mich kennenlernten!«

Nun war er es, der ihren schmerzlich verzogenen Mund mit der Hand schloß; dabei sagte er:

»Schon wieder! Bitte sprechen Sie nicht mehr davon. Ich schwöre Ihnen, daß Sie sich täuschen!«

Sie wiederholte:

»Wenn Sie mich nur noch ein ganz klein wenig liebhaben!«
Und er sagte nochmals:
»Ja, ich liebe Sie!«
Dann saßen sie lange Zeit da, ohne zu sprechen, Hand in Hand, tief erschüttert und sehr traurig.

Schließlich unterbrach sie das Schweigen und sagte leise:
»Die Stunden, die zu durchleben mir noch bleiben, werden nicht heiter sein.«
»Ich will mir Mühe geben, sie Ihnen schön zu machen.«

Die Düsternis eines bewölkten Himmels, die um zwei Stunden der Dämmerung voraneilt, breitete sich im Salon aus und begrub die beiden nach und nach unter dem Nebelgrau der Herbstabende.

Die Uhr schlug.

»Wir sind schon so lange hier«, sagte sie. »Es ist besser, Sie gehen jetzt. Es könnte jemand kommen, und wir sind alles andere als ruhig und gefaßt.«

Er stand auf, umschlang sie und küßte sie wie einst auf den halbgeöffneten Mund; dann durchschritten sie wieder, Arm in Arm wie Eheleute, die beiden Salons.

»Adieu, lieber Freund.«
»Adieu, liebe Freundin.«
Und dann sank der Türvorhang hinter ihm!

Er stieg die Treppe hinab, bog nach der Madeleine-Kirche zu ab und ging vor sich hin, ohne zu wissen, was er tun solle, betäubt wie nach einem Schlag, mit schwachen Beinen, und das Herz heiß und zuckend wie ein brennender Fetzen, der in seiner Brust hin- und hergeschüttelt wurde. Zwei oder drei oder vielleicht auch vier Stunden lang ging er nur so vor sich hin in einer Art seelischer Verstumpfung und physischen Ausgelöschtseins, die ihm gerade noch so viel Kraft ließen, daß er einen Fuß vor den andern setzen konnte. Dann kehrte er heim; er wollte nachdenken.

Er liebte also dies kleine Mädchen! Jetzt begriff er alles, was er seit dem Spaziergang mit ihr durch den Park Monceau empfunden, als er aus ihrem Mund den Ruf einer kaum wiedererkannten Stimme aufs neue vernommen hatte, jener Stimme, die einst sein Herz erweckt, und er begriff den langsamen, unwiderstehlichen Wiederbeginn einer nicht gänzlich erloschenen, noch nicht erkalteten Liebe, den er sich so hartnäckig hatte verschweigen wollen.

Was sollte er tun? Und was konnte er denn tun? Wenn sie erst verheiratet war, würde er vermeiden, sie oft zu sehen, das war alles. Bis dahin würde er auch weiterhin in das Haus gehen, damit niemand etwas ahnte, und er würde sein Geheimnis vor aller Welt verbergen.

Er aß daheim zu Abend, was er sonst nie tat. Dann ließ er den großen Ofen in seinem Atelier heizen, denn die Nacht schien eisig zu werden. Er befahl sogar, den Kronleuchter anzuzünden, als fürchte er sich vor den dunklen Ecken, und schloß sich ein. Welch sonderbarer, tiefer und entsetzlich trauriger physischer Aufruhr würgte ihn! Er fühlte ihn in der Kehle, in der Brust, in sämtlichen erschlafften Muskeln ebenso wie in seiner hinfälligen Seele. Die Wände des Zimmers bedrückten ihn; sein ganzes Leben lag darin beschlossen, sein Leben als Künstler und sein Leben als Mann. Jede aufgehängte Studie ließ ihn an einen Erfolg denken; jedes Möbelstück erweckte eine Erinnerung. Aber Erfolge und Erinnerungen gehörten der Vergangenheit an! Sein Leben? Wie kurz, gehaltlos und vollgepropft erschien es ihm! Er hatte Bilder gemalt, noch mehr Bilder, immer wieder Bilder, und eine Frau geliebt. Er erinnerte sich an Abende des Überschwangs nach Liebeszusammenkünften in diesem selben Atelier. Nächtelang war er in einem Fieber, das sein ganzes Wesen erfüllte, auf und ab gegangen. Die Freude der glücklichen Liebe, die Freude über den gesellschaftlichen Erfolg und der einzigartige Rausch des Ruhms hatten ihn unvergleichliche Stunden geheimen Triumphes genießen lassen.

Er hatte eine Frau geliebt, und jene Frau hatte ihn geliebt. Durch sie hatte er die Taufe empfangen, die einem Mann die rätselhafte Welt der Gefühle und Zärtlichkeiten enthüllt. Sie hatte sein Herz fast gewaltsam erschlossen, und jetzt konnte er es nicht wieder versperren. Durch diese Bresche war wider seinen Willen eine andere Liebe eingedrungen. Eine andere oder vielmehr dieselbe, durch ein neues Gesicht überhöhte, derselbe Schößling jener ganzen Kraft, die im Altern die Form des zwanghaften Verlangens zu lieben annimmt. Er liebte also dieses kleine Mädchen! Er brauchte nicht mehr zu kämpfen, zu widerstreben und zu leugnen; er liebte sie mit der Verzweiflung des Wissens, daß er von ihr nicht einmal ein wenig Mitleid erlangen, daß sie niemals etwas von seiner grausamen Qual wissen und einen anderen heiraten würde. Bei diesem unablässig wiederkehrenden Gedanken, den er nicht zu verjagen vermochte, packte ihn das unvernünftige Verlangen, zu heulen wie ein angeketteter Hund, weil er sich genauso ohnmächtig, unterjocht und gefesselt fühlte. Je mehr er nachdachte, desto nervöser wurde er; er ging mit großen Schritten durch den weitläufigen Raum, der hell erleuchtet war wie zu einem Fest. Als er schließlich den Schmerz dieser wiederaufgerissenen Wunde nicht länger ertragen konnte, wollte er versuchen, ihn durch die Erinnerung an seine alte Liebe zu beschwichtigen und in der Beschwörung an die erste große Leidenschaft zu ertränken. Er holte die Kopie, die er damals von dem Porträt der Gräfin für sich gemacht hatte, aus dem Wandschrank hervor, in dem er sie aufbewahrte, stellte sie auf eine Staffelei, setzte sich davor und betrachtete sie. Er versuchte, sie wiederzusehen, sie lebendig wiederzufinden, so, wie er sie ehedem geliebt hatte. Aber stets trat Annette aus der Leinwand hervor. Die Mutter war verschwunden, sie hatte sich verflüchtigt und an ihrer Statt dies andere Gesicht zurückgelassen, das ihr auf so seltsame Weise glich. Es war die Kleine mit ihrem ein wenig helleren Haar, ihrem ein wenig spitzbübischerem Lachen, ihrem ein wenig spöttischeren Ausdruck, und er fühlte nur zu sehr, daß er dem jungen Geschöpf dort mit Leib und Seele gehörte, wie er niemals der andern gehört hatte, ein kenterndes Boot, das den Wogen gehört!

Da stand er auf, und um diese Erscheinung nicht mehr zu sehen, drehte er das Bild um; dann holte er, weil er sich von Trauer durchtränkt fühlte, aus seinem Schlafzimmer die Schreibtischschublade ins Atelier, in der alle Briefe seiner Geliebten ruhten. Sie lagen dort wie in einem Bett, einer über dem andern, und bildeten eine dichte Schicht kleiner, dünner Papierblätter. Er tauchte die Hände in diese ganze von ihnen beiden sprechende Prosa, in dieses Bad ihrer langen Liebesbeziehung. Er blickte auf den engen Brettersarg nieder, in dem diese Masse von Umschlägen begraben lag; sein Name, nur immer wieder sein

Name stand darauf. Es fiel ihm ein, daß hier, in dieser Flut vergilbten, mit roten Siegeln verschlossenen Papiers die Geschichte zweier Herzen erzählt wurde, und er beugte sich darüber und atmete einen staubigen Geruch, den schwermutsvollen Geruch eingeschlossener Briefe.

Er wollte sie wieder lesen; er wühlte am Grunde der Schublade und nahm eine Handvoll der ältesten. Je nachdem er sie öffnete, traten Erinnerungen daraus hervor, deutliche Erinnerungen, die seine Seele aufstörten. Er erkannte darunter viele Briefe, die er wochenlang bei sich getragen hatte, und in den Zügen der kleinen Schrift, die so liebliche Worte sagte, fand er vergessene Gefühle von ehedem wieder. Unversehens geriet ihm ein Spitzentaschentuch unter die Finger. Was war das? Er dachte eine kurze Weile nach; dann fiel es ihm ein. Eines Tages hatte sie bei ihm geschluchzt, weil sie ein wenig eifersüchtig gewesen war, und er hatte ihr das von Tränen durchnäßte Taschentuch gestohlen, um es aufzubewahren.

Ach, diese traurigen Dinge! Diese traurigen Dinge! Die arme Frau!

Vom Boden der Schublade, aus den Tiefen seiner Vergangenheit, stiegen diese Erinnerungen auf wie ein Dunst: ein kaum spürbarer Hauch der versiegten Wirklichkeit war es nur noch. Und dennoch litt er darunter und weinte über diese Briefe, wie man über die Toten weint, weil sie nicht mehr sind.

Doch diese ganze wiederaufgestörte alte Liebe ließ ein junges, neues Aufwallen in ihm gären, einen Saftstrom unwiderstehlicher Zärtlichkeit, der ihm Annettes strahlendes Gesicht ins Gedächtnis zurückrief. Er hatte die Mutter mit der leidenschaftlichen Begeisterung einer freiwilligen Unterwürfigkeit geliebt; dies kleine Mädchen begann er zu lieben wie ein Sklave, wie ein alter, zitternder Sklave, der in Eisen geschlagen wird, die er nicht mehr zerbrechen kann.

Das empfand er in seinem Wesensgrund und war darüber entsetzt.

Er versuchte zu begreifen, wie und warum sie so von ihm hatte Besitz ergreifen können. Er kannte sie so wenig! Sie war noch kaum eine Frau, ihr Herz und ihre Seele schliefen noch den Schlummer der Jugend.

Er dagegen stand jetzt fast am Ende seines Lebens. Wie also hatte dies Kind mit einem Lächeln und ein paar Haarsträhnen von ihm Besitz ergreifen können? Ach, das Lächeln und das Haar dieses blonden kleinen Mädchens erweckten in ihm das Verlangen, auf die Knie zu stürzen und mit der Stirn auf den Boden zu schlagen!

Weiß man denn, weiß man denn je, warum sich ein Frauenantlitz unser plötzlich mit der Kraft eines Giftes bemächtigt? Es scheint, als habe man es mit den Augen getrunken, als sei es unser Geist und unser Fleisch geworden! Man ist davon trunken, man ist davon wie irrsinnig, und man sieht nur noch dies Gesicht und möchte daran sterben!

Und wie leidet man zuweilen unter der wilden, unbegreiflichen Macht, die ein Gesicht über das Herz eines Mannes zu gewinnen vermag!

Olivier Bertin hatte abermals begonnen, auf und ab zu gehen; die Nacht schritt vor; sein Ofen war erloschen. Durch die Fenster drang die draußen herrschende Kälte herein. Da ging er zu Bett, wo er weiter grübelte und bis zum Tagesanbruch litt.

Er stand frühzeitig auf, ohne zu wissen, warum, noch was er tun sollte, nervös und unentschlossen wie eine sich drehende Wetterfahne.

Auf der Suche nach einer geistigen Ablenkung und nach körperlicher Betätigung fiel ihm ein, daß an diesem Tag einige Mitglieder seines Klubs wie jede Woche im ›Türkischen Bad‹ zusammenkamen, wo sie nach der Massage zu Mittag zu essen pflegten. Er zog sich also rasch an, in der Hoffnung, das Schwitzbad und die Dusche würden ihn beruhigen, und verließ sein Haus.

Sobald er den Fuß auf die Straße gesetzt hatte, schlug ihm heftige Kälte entgegen, die erste, erschauernde Kälte des ersten Frosts, der in einer einzigen Nacht die letzten Reste des Sommers zerstört.

Auf die Boulevards fiel ein dichter Regen großer gelber Blätter, die mit einem schmächtigen, trockenen Geräusch herabtaumelten. So weit man sehen konnte, fielen sie von einem bis zum andern Ende der langen Prunkstraße zwischen den Fassaden der Häuser nieder, als seien ihre Stiele mit einer feinen Eisklinge von den Ästen getrennt worden. Die Fahrdämme und Bürgersteige waren schon davon bedeckt und sahen ein paar Stunden lang wie Waldwege bei einsetzendem Winter aus. All diese toten Blätter raschelten unter den Schritten und häuften sich manchmal unter den Windstößen zu leichten Wogen.

Es war einer der Übergangstage vom Ende der einen Jahreszeit zum Beginn der anderen, denen eine besondere Würze oder eine besondere Traurigkeit innewohnt, die Trauer der Todesangst oder die Würze der sich erneuernden Säfte.

Als er die Schwelle des ›Türkischen Bades‹ überschritt, ließ der Gedanke an die Hitze, die seinen Körper nach dem Gang durch die eisige Luft der Straßen durchdringen würde, Oliviers trauriges Herz in einem Schauer der Befriedigung aufzucken.

Er zog sich eilig aus, schlang sich ein leichtes Tuch um die Hüften, das ihm ein Junge hinhielt, und verschwand hinter der gepolsterten, vor ihm geöffneten Tür.

Ein warmer, bedrückender Dunst, der von einem fernen Glutherd zu kommen schien, ließ ihn tief Atem holen, als leide er unter Luftmangel, während er eine maurische, durch orientalische Lampen erleuchtete Galerie entlangging. Dann stürzte ein kraushaariger, nur mit einem Schurz bekleideter Neger mit glänzendem Oberkörper und muskulösen Gliedern herzu und schlug am andern Ende eine Portiere vor ihm zurück, und Bertin trat in das schweigende, fast mystisch anmutende große Rund des erhöhten Schwitzbades wie in einen Tempel. Das Tageslicht fiel oben durch die Kuppel und durch Kleeblätter aus buntem Glas in den riesigen, kreisförmigen und mit Steinplatten belegten Saal, dessen Wände Fayencen mit arabischer Ornamentik bedeckten.

Männer jeden Alters gingen fast nackt mit langsamen, gravitätischen Schritten auf und ab, ohne zu sprechen; andere saßen mit gekreuzten Armen auf Marmorbänken; wieder andere unterhielten sich leise.

Die kochende Luft legte sich beim Eintreten auf die Lungen. Dieser schwüle, verzierte runde Raum, in dem die menschlichen Körper erhitzt wurden, wo schwarze Masseure und maurische, die kupferfarbene Beine hatten, umhergingen, hatte etwas Antikes und Geheimnisvolles.

Das erste Gesicht, das der Maler wahrnahm, war das des Grafen Landa. Er spazierte umher wie ein römischer Ringkämpfer, stolz auf seine riesige Brust und seine dicken, darüber gekreuzten Arme. Er war Stammgast in den Schwitzbädern, fühlte sich dort wie ein beifällig begrüßter Schauspieler auf der Bühne und beurteilte als Fachmann die Muskulatur aller Kraftprotzen von Paris.

»Guten Tag, Bertin«, sagte er.

Sie gaben einander die Hand, und Landa fuhr fort:

»Schönes Wetter zum Schwitzen, nicht wahr?«

»Ja, wunderbar.«

»Haben Sie Rocdiane gesehen? Er ist dort unten. Ich habe ihn abgeholt, als er gerade beim Aufstehen war. Na, sehen Sie sich nur mal diese Anatomie an!«

Ein kleiner Herr mit einwärts gebogenen Beinen, dünnen Armen und mageren Flanken ging vorüber und rief bei diesen beiden alten Mustern menschlicher Lebenskraft ein Grinsen der Verachtung hervor.

Rocdiane kam auf sie zu, als er den Maler gesehen hatte.

Sie setzten sich auf einen langen Marmortisch und begannen sich zu unterhalten wie in einem Salon. Diener gingen umher und boten Getränke an. Man hörte die Masseure auf nacktes Fleisch klatschen und das jähe Niederrauschen der Duschen. Unaufhörliches Plätschern von Wasser aus allen Ecken dieses großen Amphitheaters erfüllte es mit einem leichten Regengeräusch.

Alle Augenblicke grüßte ein Neuangekommener die drei Freunde oder trat zu ihnen hin, um ihnen die Hand zu drücken. So der dicke Herzog d'Harisson, der kleine Prinz Epilati, der Baron Flach und andere.

Plötzlich sagte Rocdiane:

»Da, Farandal!«

Der Marquis kam, die Hände auf den Hüften, mit der Lässigkeit sehr gut gewachsener Männer herein, die nichts in Verlegenheit bringt.

Landa murmelte:

»Der Bursche sieht tatsächlich aus wie ein Gladiator!«

Rocdiane sagte zu Bertin:

»Stimmt es, daß er die Tochter Ihrer Freunde heiratet?«

»Ich glaube ja«, antwortete der Maler.

Aber angesichts dieses Mannes, in diesem Augenblick und an diesem Ort, durchrüttelte die Frage Oliviers Herz mit einem fürchterlichen Schock der Verzweiflung und Empörung. Das Erschreckende aller vermuteten Tatsachen packte ihn innerhalb einer Sekunde mit solcher Schärfe, daß er einige Augenblicke lang gegen den unvernünftigen Drang ankämpfte, sich auf den Marquis zu stürzen.

Dann stand er auf.

»Ich bin nicht ganz auf der Höhe«, sagte er. »Ich will jetzt gleich zur Massage gehen.«

Ein Araber ging vorüber.

»Bist du frei, Achmed?«

»Ja, Monsieur Bertin.«

Und er entfernte sich mit hastigen Schritten, um Farandal, der langsam näher kam und die Runde durch das Bad machte, nicht die Hand geben zu müssen.

Kaum eine Viertelstunde blieb er in dem ruhigen, großen Liegesaal, in dem sich rings um eine Grünanlage mit afrikanischen Pflanzen, in deren Mitte ein Springbrunnenstrahl zerstäubte, die einzelnen Zellen mit den Lagern reihten. Ihm war, als werde er verfolgt und bedroht, als werde sich der Marquis zu ihm gesellen und er müsse die Hand ausstrecken und ihn wie einen Freund behandeln, während er den Wunsch hatte, ihn umzubringen.

So befand er sich bald wieder auf dem von abgefallenem Laub bedeckten Boulevard. Es fielen keine Blätter mehr; die letzten waren von einem langen Windstoß abgerissen worden. Ihr rotgelber Teppich erschauerte, bewegte sich und formte unter lebhafteren Stößen des zunehmenden Windes Wellen von einem Fußsteig zum anderen.

Plötzlich glitt eine Art Röhren über die Dächer, der wilde Schrei eines aufziehenden Unwetters, und im selben Augenblick warf sich in den Boulevard ein Sturmwind, der von der Madeleine-Kirche zu kommen schien.

Die Blätter, alle abgefallenen Blätter, die ihn zu erwarten schienen, erhoben sich bei seinem Nahen. Sie liefen vor ihm her, häuften sich, wirbelten herum und stiegen in Spiralen bis zu den

Giebeln der Häuser empor. Er jagte sie wie eine Herde, eine vom Irrsinn gepackte Herde, die flieht und davonläuft und den Grenzen von Paris, dem freien Himmel der Bannmeile zueilt. Und als die große Wolke von Blättern und Staub über den Höhen des Quartier Malesherbes verschwunden war, lagen die Fahrwege und Fußsteige nackt, sonderbar sauber und reingefegt da.

Bertin überlegte: ›Was soll aus mir werden? Was kann ich tun? Wohin muß ich gehen?‹ Und er kehrte heim, weil ihm nichts einfiel.

Ein Zeitungskiosk zog seinen Blick auf sich. Er kaufte sieben oder acht Blätter, in der Hoffnung, er werde vielleicht für eine oder zwei Stunden etwas zu lesen finden.

»Ich esse hier«, sagte er beim Nachhausekommen. Dann stieg er in sein Atelier hinauf.

Doch schon als er sich setzte, fühlte er, daß er hier nicht bleiben konnte, weil er in sich von Kopf bis Fuß eine Aufregung spürte wie die eines tollen Tiers.

Die durchflogenen Zeitungen vermochten sein Inneres auch nicht für eine Minute abzulenken, und was er las, blieb in seinen Augen hängen, ohne in sein Bewußtsein zu dringen. Mitten in einem Artikel, den er nicht mal zu verstehen versuchte, ließ ihn der Name Guilleroy zusammenzucken. Es handelte sich um die Kammersitzung, bei der der Graf einige Sätze gesprochen hatte.

Seine durch dies Wort erweckte Aufmerksamkeit begegnete gleich darauf dem Namen des berühmten Tenors Montrosé, der gegen Ende Dezember eine einzige Vorstellung in der Großen Oper geben sollte. Es werde, so sagte die Zeitung, ein wunderbares musikalisches Ereignis werden; denn der Tenor Montrosé, der Paris vor sechs Jahren verlassen, habe in ganz Europa und in Amerika nie dagewesene Erfolge davongetragen; außerdem sei seine Partnerin die berühmte schwedische Sängerin Helsson, die seit fünf Jahren nicht mehr in Paris aufgetreten sei.

Plötzlich kam Olivier auf den Gedanken, und er schien in den Tiefen seines Herzens geboren worden zu sein, Annette durch die Einladung zu jener Aufführung eine Freude zu bereiten. Dann fiel ihm ein, daß die Trauer der Gräfin diesem Plan im Wege stehen werde, und er suchte nach Möglichkeiten, wie er ihn trotzdem verwirklichen könne. Eine einzige bot sich ihm dar. Er mußte eine Bühnenloge nehmen, wo man fast unsichtbar war, und Annette, wenn die Gräfin trotzdem nicht mitkommen wollte, von ihrem Vater und der Herzogin begleiten lassen. In diesem Falle mußte er die Loge der Herzogin anbieten. Aber dann mußte er auch den Marquis einladen!

Er schwankte und überlegte lange.

Freilich, die Heirat war beschlossen, sogar sicherlich schon festgesetzt. Er erriet die Eile der Freundin, dies zu einem Ende zu bringen; er durchschaute, daß sie die Tochter innerhalb der kürzesten Frist Farandal geben wollte. Er konnte nichts daran ändern. Er konnte dies Entsetzliche weder verhindern noch ändern, noch es hinauszögern! Da er es also erdulden mußte, war es da nicht besser, wenn er seine Seele zu beherrschen, seine Leiden zu verbergen und froh zu erscheinen suchte und sich nicht mehr wie eben noch durch eine eifersüchtige Aufwallung hinreißen ließ?

Ja, er wollte den Marquis einladen und dadurch den Argwohn der Gräfin beschwichtigen und sich eine freundschaftlich geöffnete Tür ins Haus des jungen Ehepaars verschaffen.

Gleich nach dem Mittagessen ging er zur Oper, um sich eine hinter dem Vorhang verborgene Loge zu sichern. Sie wurde ihm zugesagt. Darauf eilte er zu den Guilleroys.

Die Gräfin erschien fast auf der Stelle; sie war noch immer sehr bewegt von den Gemütserschütterungen des Vorabends:

»Wie nett von Ihnen, daß Sie heute kommen!« sagte sie.

Er stammelte:

»Ich bringe Ihnen auch etwas mit.«

»Was denn?«

»Eine Bühnenloge in der Oper für die einzige Vorstellung der Helsson und Montrosés.«

»Ach, wie schade! Ich bin doch in Trauer.«

»Ihre Trauer ist bald vier Monate alt.«

»Nein, ich kann nicht.«

»Und Annette? Denken Sie daran, daß sich solch eine Gelegenheit vielleicht nie wieder bieten wird.«

»Mit wem würden sie hingehen?«

»Mit ihrem Vater und der Herzogin, die ich einladen werde.

Außerdem beabsichtige ich, auch dem Marquis einen Platz anzubieten.«

Sie sah ihm tief in die Augen, wobei ihr ein wahnsinniges Verlangen, ihn zu küssen, in die Lippen stieg. Sie traute kaum ihren Ohren und wiederholte:

»Dem Marquis?«

»Freilich.«

Und sogleich gab sie ihre Einwilligung zu diesem Vorschlag. Mit gleichgültiger Miene fragte er:

»Haben Sie den Zeitpunkt der Hochzeit schon festgesetzt?«

»Mein Gott, ja, so ungefähr. Wir haben Gründe, sie zu beschleunigen, und zwar um so mehr, als sie schon vor Mamas Tod beschlossen worden war. Sie erinnern sich doch?«

»Ja, durchaus. Und wann soll sie sein?«

»Anfang Januar. Entschuldigen Sie bitte, daß ich sie Ihnen nicht früher angekündigt habe.«

Annette kam herein. Er fühlte sein Herz wie eine Sprungfeder hüpfen, und alle Zärtlichkeit, die er für sie hegte, wurde plötzlich bitter und erweckte in ihm die sonderbare, leidenschaftliche Abneigung, zu der die Liebe wird, wenn Eifersucht sie geißelt.

»Ich habe Ihnen etwas mitgebracht«, sagte er.

»Also sind wir jetzt unumstößlich beim ›Sie‹ angelangt?«

Er machte ein väterliches Gesicht.

»Hören Sie, mein Kind. Ich weiß, was sich vorbereitet. Seien Sie also sicher, daß es ohnehin in einiger Zeit unumgänglich wäre. Deshalb lieber gleich als später.«

Sie zuckte mißzufrieden die Achseln, während die Gräfin gedankenverloren schwieg, den Blick in die Ferne gerichtet.

Annette fragte:

»Und was haben Sie mir mitgebracht?«

Er sprach von der Aufführung und den Einladungen, die er zu machen gedenke. Sie war entzückt, sprang ihm mit backfischhafter Begeisterung an den Hals und küßte ihn auf beide Wangen.

Er fühlte sich schwach werden und erkannte unter der doppelten leichten Berührung des kleinen Mundes mit dem frischen Atem, daß er nie wieder gesunden werde.

Die Gräfin verzog das Gesicht und sagte zu ihrer Tochter:
»Du weißt, daß dein Vater dich erwartet.«

»Ja, Mama, ich gehe.«

Sie lief davon und warf ihm dabei noch mit den Fingerspitzen Küsse zu.

Als sie draußen war, fragte Olivier:

»Machen die beiden eine Hochzeitsreise?«

»Ja, drei Monate lang.«

Und er flüsterte unwillkürlich:

»Ein Glück!«

»Wir nehmen unser altes Leben wieder auf«, sagte die Gräfin.

»Ich hoffe es«, stammelte er.

»Bis dahin dürfen Sie mich aber nicht vernachlässigen.«

»Nein, bestimmt nicht.«

Die Gefühlsaufwallung, die ihn am Vorabend überkommen hatte, als er sie hatte weinen sehen, und der Gedanke, daß er gerade gesagt habe, er wolle auch den Marquis zu der Opernaufführung einladen, ließen in der Gräfin wieder ein wenig Hoffnung erstehen.

Sie war nur von kurzer Dauer. Kaum war eine Woche vergangen, als sie von neuem mit quälender und eifersüchtiger Aufmerksamkeit alle Fortschritte der Qual auf dem Gesicht des Malers verfolgte. Sie konnte sie nicht übersehen, da sie selber all die Schmerzen durchlitt, die sie bei ihm vermutete, und Annettes ständige Anwesenheit rief ihr zu jeder Stunde des Tages die Ohnmacht ihrer Anstrengungen ins Bewußtsein zurück.

Alles drückte sie gleichzeitig nieder, die Jahre und die Trauer. Die lebhafte, erfahrene und erfinderische Koketterie, die sie ihr Leben lang triumphierend um seinetwillen angewendet hatte, war jetzt durch die schwarze, einförmige Trauerkleidung, die ihre Blässe und die Veränderung ihrer Züge noch betonte, ebenso gelähmt, wie sie die blendende Jugend ihres Kindes hervorhob. Es war lange her und schien doch erst gestern gewesen zu sein, daß Annette nach Paris zurückgekehrt und daß sie selber in ihrem Hochmut auf gleiche Kleidung bedacht gewesen war, die ihnen beiden zum Vorteil gereichte. Jetzt packte sie ein wütendes Verlangen, sich diese Trauerkleider, die sie häßlich machten und quälten, vom Leibe zu reißen.

Wenn sie sich aller Hilfsquellen der Eleganz hätte bedienen dürfen, wenn sie zartfarbene, mit ihrem Teint harmonierende Stoffe hätte wählen und tragen können, die ihren mit dem Tode ringenden Reizen eine ebenso fesselnde künstliche Macht verliehen wie die lässige Anmut ihrer Tochter, dann hätte sie zweifellos jetzt noch verführerischer als sie zu wirken verstanden.

Sie kannte sich aus in der Wirkung in Fieber versetzender Abendtoiletten und weicher, reizvoller Morgengewänder, des sinnverwirrenden Negligés, das man zum Frühstück mit vertrauten Freunden trägt und das einer Frau bis in den frühen Nachmittag hinein etwas wie einen Hauch des Erwachens zurückläßt, die körperlich fühlbaren Spuren des eben verlassenen Bettes und parfümierten Zimmers!

Aber wen konnte sie in diesem an das Grab gemahnenden Gewand reizen, in dieser Sträflingstracht, die sie ein volles Jahr lang tragen mußte! Ein Jahr! Ein Jahr lang würde sie tatenlos und unterlegen in dies Schwarz eingeschlossen sein wie in ein Gefängnis! Ein Jahr lang würde sie sich Tag für Tag, Stunde für Stunde und Minute für Minute in diesem Trauerkreppfutteral altern fühlen. Was würde in einem Jahr aus ihr geworden sein, wenn sich ihr armer kranker Körper unter den Beklemmungen ihrer Seele weiterhin so veränderte?

Diese Gedanken wichen nicht mehr von ihr, sie vergällten ihr alles, was sie hätte genießen können, verwandelten ihr in Schmerz, was ihr eine Freude hätte sein sollen, und ließen ihr keinen einzigen ungetrübten Genuß, keine Stillung und keine Heiterkeit. Unaufhörlich zitterte sie in der drängenden Not, die Last dieses Elends, das sie zermalmte, abzuschütteln, weil sie ohne diese quälende Plage noch glücklich und heiter gewesen wäre und alles hätte ertragen können! Sie fühlte eine lebendige, gesunde Seele in sich, ein immer noch junges Herz, die Leidenschaft eines Geschöpfes, das erst zu leben beginnt, einen unersättlichen Hunger nach Glück, der sogar noch gieriger als früher war, und ein verzehrendes Bedürfnis zu lieben.

Und nun war es so, daß sich alles Gute, alles Holde, Köstliche und Poetische, das das Dasein verschönt und liebenswert macht, vor ihr zurückzog, weil sie alt geworden war! Es war zu Ende! Dennoch gewahrte sie in sich ihre Gefühle als junges Mädchen und ihre leidenschaftlichen Aufwallungen als junge Frau. Nichts war alt geworden als ihr Körper, ihre armselige Haut, dies Gewand der Knochen; es war nach und nach verschossen und zerfressen wie der Bezug über dem Holz eines Möbelstücks. Die Plage dieses Verfalls hing an ihr und war fast zu einem physischen Leiden geworden. Die fixe Idee machte ihr ihre Haut fühlbar, ließ sie wie Kälte oder Hitze das fortgesetzte und sichtbare Altwerden spüren. Sie glaubte das langsame Fortschreiten der Falten auf ihrer Stirn, das Erschlaffen des Gewebes über den Wangen und am Hals und die Vermehrung der unzähligen Runzeln, die die müde Haut zerknitterten, wie einen unerklärlichen Juckreiz zu empfinden. Wie ein von verzehrender Krankheit befallenes Geschöpf ein ständiges Hautjucken zum Kratzen zwingt, so pflanzten die Wahrnehmung und der Schrecken dieser abscheulichen Kleinarbeit der eilenden Zeit das unwiderstehliche Verlangen in ihre Seele, sie in Spiegeln festzuhalten. Die Spiegel riefen sie, zogen sie an und zwangen sie, zu kommen und mit starren Augen die untilgbare Abnutzung durch die Jahre zu sehen und wieder zu sehen und unaufhörlich zu erkennen und, wie um sich besser zu überzeugen, mit dem Finger zu berühren. Zuerst war es nur ein dann und wann auftretender Einfall, der ihr jedesmal kam, wenn sie zu Hause oder anderswo die glänzende Oberfläche des gefürchteten Kristalls bemerkte. Sie blieb, wie von einer Hand zu allen Glasflächen gezerrt, mit denen die Kaufleute ihre Fassaden schmücken, auf den Fußsteigen stehen, um sich in den Schaufenstern der Läden zu betrachten. Das wurde eine Krankheit, eine Besessenheit. In ihrer Tasche trug sie eine winzige Puderdose aus Elfenbein, nicht größer als eine Walnuß, deren Deckel auf der Innenseite einen kaum sichtbaren Spiegel barg, und oft hielt sie beim Gehen diese Puderdose offen in der Hand und hob sie zu ihren Augen.

Wenn sie sich setzte, um in dem Salon mit den Wandbespannungen zu lesen oder zu schreiben, kehrten ihre Gedanken, die einen Augenblick durch diese neue Beschäftigung abgelenkt worden waren, bald wieder zu ihrer Plage zurück. Sie kämpfte dagegen an, versuchte sich abzulenken, auf andere Gedanken zu kommen und mit ihrer Arbeit fortzufahren. Doch es war vergeblich, die Begierde stachelte und peinigte sie, und bald ließ ihre Hand das Buch oder die Feder fallen und streckte sich in einer unwiderstehlichen Regung nach dem kleinen, altsilbernen Handspiegel aus, der auf dem Schreibtisch lag. Der ovale, ziselierte Rahmen umschloß ihr ganzes Gesicht wie ein Antlitz von einst, ein Bild aus dem letzten Jahrhundert, ein ehemals frisches Pastell, das die Sonne ausgeblichen hat. Wenn sie es dann eine Weile betrachtet hatte, legte sie den Spiegel mit einer müden Handbewegung auf den Schreibtisch zurück und bemühte sich, ihre Arbeit wieder aufzunehmen; aber kaum hatte sie zwei Seiten gelesen oder zwanzig Zeilen geschrieben, so stieg das Verlangen, sich zu betrachten, von neuem unbezwinglich und peinigend in ihr auf, und abermals streckte sie den Arm aus und langte nach dem Spiegel.

Sie handhabte ihn jetzt wie ein erregendes und vertrautes Kleinkunstwerk, von dem die Hand sich nicht trennen kann; sie bediente sich seiner alle Augenblicke, auch wenn sie ihre Freunde empfing, und wurde dadurch nervös, bis sie den Tränen nahe war und ihn haßte wie ein lebendiges Wesen, während sie ihn zwischen den Fingern drehte.

Eines Tages warf sie ihn, erschöpft durch ihren Kampf gegen dieses Stück Glas, an die Wand, wo er zerbrach und zersplitterte.

Doch einige Zeit später erhielt sie ihn durch ihren Mann, der ihn hatte reparieren lassen, klarer denn je zurück. Sie mußte ihn nehmen, dafür danken und ihn resigniert behalten.

Überdies nahm sie jeden Abend und jeden Morgen, wenn sie eingeschlossen in ihrem Zimmer saß, unwillkürlich von neuem diese geduldige, übergenaue Prüfung des abscheulichen, geräuschlosen Verfalls vor.

War sie zu Bett gegangen, so konnte sie nicht schlafen, zündete eine Kerze an und blieb mit offenen Augen liegen, wobei sie überlegte, daß Schlaflosigkeit und Kummer die schreckliche Arbeit der eilenden Zeit unaufhaltsam beschleunigen. Sie lauschte in das Schweigen der Nacht und hörte das Pendel ihrer Uhr, die mit ihrem Ticktack eintönig und regelmäßig zu flüstern schien: »Dahin, dahin, dahin«, und ihr Herz krampfte sich in einem solchen Schmerz zusammen, daß sie, das Laken vor dem Mund, vor Verzweiflung aufstöhnte.

Früher hatte sie wie jedermann eine klare Vorstellung von den schwindenden Jahren und den Wandlungen gehabt, die sie mit sich bringen. Wie alle Welt, hatte sie jeden Winter, jeden Frühling oder jeden Sommer gesagt und sich eingestanden: »Ich habe mich seit dem letzten Jahr sehr verändert.« Aber da sie noch immer schön war, wenn auch von etwas gewandelter Schönheit, hatte sie sich darüber keine trüben Gedanken gemacht. Heute nun aber war sie sich plötzlich, statt nach wie vor ruhig den langsamen Weg der Jahreszeiten zu verfolgen, der entsetzlichen Flucht der Augenblicke bewußt geworden und hatte sie erkannt. Sie hatte die jähe Offenbarung der entgleitenden Stunde erlebt, des unmerklichen Verrinnens, das einen verrückt machen kann, wenn man darüber nachgrübelt, und das unendliche Vorüberziehen kleiner, eilfertiger Sekunden, die an Leib und Leben der Menschen nagen.

Nach diesen elenden Nächten fand sie ein wenig Ruhe in langem Dahindämmern, in der lauen Wärme der Bettlaken, wenn ihre Zofe die Vorhänge geöffnet und das morgendliche Feuer angezündet hatte. Müde, benommen, weder wach noch schlafend, verblieb sie in einer Geistesermattung, und diese ließ in ihr eine vom Instinkt und der göttlichen Vorsehung gewollte Hoffnung entstehen, von der bis ans Ende der Tage Herz und Lächeln der Menschen erhellt sind und leben.

Wenn sie ihr Bett verlassen hatte, fühlte sie sich jetzt jeden Morgen von dem drängenden Wunsch beherrscht, zu Gott zu beten, um ein wenig Erleichterung und Trost von ihm zu erlangen.

Dann kniete sie vor einem ihr von Olivier geschenkten großen Christus aus Eichenholz nieder, einem seltenen Stück, das er entdeckt hatte, und flehte mit geschlossenen Lippen und der Stimme der Seele, mit der man zu sich selbst spricht, zu dem göttlichen Märtyrer und sandte ihre schmerzlichen Bitten zu ihm empor. Fast von Sinnen durch das Verlangen, gehört zu werden und Hilfe zu erhalten, und in ihrer höchsten Not einfältig wie alle knienden Gläubigen, vermochte sie nicht daran zu zweifeln, daß er ihr zuhöre, ihrem Ansuchen aufmerksam folge und vielleicht durch ihre Pein gerührt werde. Sie bat ihn nicht, für sie zu tun, was er nie für jemand getan hat: ihr bis zum Tod den

Zauber, die Frische und die Anmut zu belassen; sie bat ihn nur um ein wenig Ruhe und Aufschub. Es mußte wohl sein, daß sie alt wurde, genau wie es sein mußte, daß sie starb. Doch warum so schnell? Manche Frauen bleiben so lange schön. Konnte er ihr nicht gönnen, eine von ihnen zu sein? Wie gütig wäre es von ihm, wenn er, der ebenfalls so viel gelitten hatte, ihr nur noch zwei oder drei Jahre lang eine Spur der Verführungskraft belassen würde, deren sie bedurfte, um zu gefallen!

Sie sprach dies alles niemals aus, sondern seufzte es in der wirren Klage ihres Wesensinnern zu ihm empor.

Nachdem sie dann wieder aufgestanden war, setzte sie sich vor ihren Toilettentisch und begann in einer durch die Gedanken wie durch das Gebet gesteigerten Überreizung mit Mitteln wie Puder, Schminke, Stiften, Daunenquasten und Bürsten zu hantieren, die ihr für diesen Tag eine trügerische, hinfällige Schönheit liehen.

## VI

Auf dem Boulevard waren zwei Namen in aller Mund: Emma Helsson und Montrosé. Je mehr man sich der Oper näherte, um so öfter hörte man sie wiederholen. Übrigens warfen auch riesige Plakate, die an den Anschlagsäulen klebten, den Vorübergehenden diese Namen in die Augen, und in der Luft des Abends lag das Erregende eines bevorstehenden Ereignisses.

Das plumpe ›Académie Nationale de Musique‹ genannte Gebäude, das wie hingekauert unter dem schwarzen Himmel schien, zeigte dem davor versammelten Publikum seine prachtvolle, weißglänzende Fassade und den marmornen Säulengang seiner Galerie, die unsichtbare elektrische Lampen wie eine Bühnendekoration erleuchteten.

Auf dem Platz leiteten berittene Schutzleute den Verkehr, und unzählige Wagen kamen aus allen Richtungen der Hauptstadt und ließen hinter ihren herabgelassenen Scheiben flüchtig ein sahniges Schäumen heller Stoffe und bleiche Köpfe erkennen.

Die Coupés und Landauer fuhren nacheinander in den dafür bestimmten Bogengängen vor, hielten ein paar Augenblicke und ließen Frauen von Welt unter ihren mit Pelzwerk, Federn und unschätzbar wertvollen Spitzen garnierten Abendumhängen oder die anderen mit ihren köstlichen, göttlich aufgeputzten Leibern aussteigen.

Die ganze berühmte Treppe war ein einziges, feenhaftes Emporsteigen, ein unablässiges Aufwärtsschweben von Damen, die wie Königinnen gekleidet waren, deren Büste und Ohren das Blitzen der Brillanten auffunkeln ließen und deren lange Kleider über die Stufen schleppten.

Der Zuschauerraum füllte sich früh, weil niemand auch nur einen einzigen Ton der beiden weltbekannten Künstler verlieren wollte, und das riesige Amphitheater barg unter dem blendenden elektrischen Licht, das aus dem Kronleuchter niederstrahlte, eine Flutwoge von Leuten, die sich setzten, und ein unaufhörliches Stimmengesumm.

Aus der Bühnenloge, in der die Herzogin, Annette, der Graf, der Marquis, Bertin und Monsieur de Musadieu bereits Platz genommen hatten, war nichts als die Kulissen zu sehen, in denen Männer plauderten, hin und her liefen und schrien: Bühnenarbeiter in Arbeitsblusen, Herren im Frack, Sänger im Kostüm. Doch hinter dem riesigen, noch niederhängenden Vorhang waren das tiefe Brodeln der Menge zu hören und die Anwesenheit vieler sich bewegender, übererregter Menschen zu spüren, deren innerer Aufruhr den Vorhang zu durchdringen schien und sich bis in die Kulissen ausbreitete.

Es sollte ›Margarethe‹ gegeben werden.

Musadieu erzählte Anekdoten über die ersten Aufführungen der Oper im Théâtre Lyrique, über den halben Durchfall, dem dann ein strahlender Triumph gefolgt war, über die Interpreten der Premiere und wie sie jede Nummer gesungen hatten. Annette lauschte, halb zu ihm hingewandt, mit der unersättlichen, jungen Neugier, mit der sie die ganze Welt umfing, und warf ihrem Verlobten, der in einigen Tagen ihr Mann sein würde, dann und wann einen zärtlichen Seitenblick zu. Sie liebte ihn jetzt, wie naive Herzen lieben, das heißt, sie liebte in ihm alle Hoffnungen auf morgen. Der Rausch der ersten Feste des Lebens und der glühende Wunsch, glücklich zu sein, ließen sie vor Frohsinn und Erwartung beben.

Und Olivier, der alles sah und alles wußte, der ohnmächtig und eifersüchtig alle Stadien der heimlichen Liebe bis zum Feuerofen menschlichen Leids durchgemacht hatte, wo das Herz wie ein Leib auf glühenden Kohlen zu prasseln scheint, blieb im Hintergrund der Loge stehen und blickte beide an wie ein zum Tode Verurteilter.

Die drei Schläge ertönten, und plötzlich unterbrach das knappe, tonlose Klopfen eines Taktstockes am Pult des Dirigenten alle Bewegungen, das Husten und Murmeln, und dann hoben nach einem kurzen, tiefen Schweigen die ersten Takte der Ouvertüre an, erfüllten den Saal mit dem unsichtbaren, unwiderstehlichen Geheimnis der Musik, die sich in den Körpern ausbreitet, an den Nerven zerrt, die Seelen mit einem fühlbaren, schwärmerischen Fieber erfüllt und in die durchsichtige Luft, die man atmet, eine klingende Flut wirft, der man lauscht.

Olivier setzte sich hinten in die Loge, schmerzlich bewegt, als rührten die Töne an die Wunden seines Herzens.

Doch als sich der Vorhang hob, stand er wieder auf und erblickte in einem Bühnenbild, das das Studierzimmer eines Alchimisten darstellte, den grübelnden Doktor Faust.

Zwanzigmal hatte er diese Oper schon gehört; er kannte sie fast auswendig, und also wandte sich seine Aufmerksamkeit bald von dem Stück ab und dem Zuschauerraum zu. Er sah davon nur einen kleinen Ausschnitt hinter dem Rahmen der Bühne, die seine Loge verbarg, aber jener Ausschnitt erstreckte sich vom Parkett bis zur Stehgalerie und ließ ihn einen Teil des Publikums sehen, unter dem er viele Köpfe wiedererkannte. Die im Parkett Seite an Seite sitzenden Männer mit der weißen Schleife erschienen ihm wie eine Sammlung vertrauter Gesichter aus der Gesellschaft, aus Künstler- und Journalistenkreisen, jener Kategorien, die nie verfehlen, dort zu sein, wohin alle Welt geht. In den Balkonlogen erkannte er Frauen, nannte ihre Namen und bezeichnete sie für sich. Die Gräfin de Lochrist in einer Proszeniumsloge war wirklich entzückend, und ein wenig weiter hob eine Jungverheiratete, die Marquise d'Ebelin, ihr Lorgnon. »Hübsches Debüt«, sagte sich Bertin. – Alle lauschten mit großer Aufmerksamkeit und offensichtlicher Sympathie dem Tenor Montrosé, der sich über sein Leben beklagte.

Olivier dachte: ›Ein guter Witz! Da ist Faust, der rätselvolle und erhabene Faust, der von dem entsetzlichen Überdruß und der Nichtigkeit des Daseins singt, und die Leute da fragen sich besorgt, ob sich nicht Montrosés Stimme verändert habe.‹ Dann hörte er wie die anderen zu und erlebte hinter den alltäglichen Worten des Textbuchs und über die Musik hinaus, die in den Gründen der Seelen tiefe Erkenntnisse erweckt, eine Offenbarung der Art, wie sich Goethe das Herz des Faust erträumt hatte.

Er hatte die Dichtung früher gelesen und für sehr schön gehalten, ohne besonders davon angerührt worden zu sein; doch jetzt erfühlte er plötzlich ihre unergründliche Tiefe, weil ihm an diesem Abend schien, er selber werde ein Faust.

Annette saß ein wenig über die Logenbrüstung geneigt und war ganz Ohr; aus dem Publikum kam zufriedenes Gemurmel, denn Montrosés Stimme setzte besser an und war voller als früher.

Bertin hatte die Augen geschlossen. Seit einem Monat machte er aus allem, was er sah, allem, was er empfand, und allem, was ihm in seinem Leben zustieß, sofort etwas wie ein Zubehör seiner Leidenschaft. Er warf sich und die Welt seiner fixen Idee zum Fraß hin. Alles, was er an Schönem und Seltenem wahrnahm, allen Zauber, den er sich ersann, bot er im Geist sofort seiner kleinen Freundin dar, und es kam ihm kein Gedanke mehr, der nicht zu seiner Liebe hingeführt hätte.

Jetzt hörte er in seinen Tiefen ein Echo der Klagen Fausts hallen; und es erwachte in ihm die Sehnsucht nach dem Tod, das Verlangen, seinem Kummer und all dem Elend der ausweglosen Liebe gleichfalls ein Ende zu machen. Er schaute zu Annettes feinem Profil hin und sah den Marquis de Farandal, der hinter ihr saß und sie ebenfalls betrachtete. Er fühlte sich alt, am Ende und verloren. Ach, nichts mehr zu erwarten, nichts mehr zu erhoffen, nicht einmal mehr das Recht auf Wünsche zu haben, sich ausgestoßen und vom Leben in den Ruhestand versetzt zu fühlen wie ein überalterter Beamter, dessen Laufbahn beendet ist — welch unerträgliche Marter!

Beifall rauschte auf, Montrosé triumphierte schon. Und Mephisto-Labarrière machte einen Luftsprung.

Olivier, der ihn nie in dieser Rolle gehört hatte, wurde wieder gefesselt. Die Erinnerung an den so dramatischen Bassisten Aubin und an den verführerischen Bariton Faure hatte ihn für einige Augenblicke abgelenkt.

Doch plötzlich rührte ein von Montrosé gesungener Satz mit unwiderstehlicher Gewalt an sein Herz. Faust sagte zu Satan:

> »Ein Wunsch mich beseelt,
> Der alles vereint.
> So höre: die Jugend!«

Und der Tenor erschien in einem Seidenwams, den Degen an der Seite, eine Federkappe auf dem Kopf, elegant, jung und schön in seiner manierierten Sängerhübschheit.

Ein Murmeln erhob sich. Er war sehr gut und gefiel den Frauen. Olivier dagegen empfand einen Schauder der Enttäuschung, denn die herzergreifende Beschwörung von Goethes dramatischem Gedicht entschwand bei dieser Metamorphose. Er hatte jetzt nur noch eine Zauberposse mit hübschen Gesangsstücken und begabten Darstellern vor Augen, deren Stimmen er nicht mehr lauschte. Dieser Mann im Wams, dieser hübsche Bursche mit den Tenorkoloraturen, der seine Schenkel und seine Töne zur Schau stellte, mißfiel ihm. Das war nicht der echte, der unwiderstehliche und unheilvolle Kavalier Faust, jener, der Margarethe verführen sollte.

Er setzte sich, und die Worte, die er eben gehört hatte, fielen ihm wieder ein:

> Ein Wunsch mich beseelt,
> Der alles vereint.
> So höre: die Jugend!

Er murmelte sie zwischen den Zähnen, er sang sie schmerzlich in seinem Innern nach und fühlte, die Augen immer auf Annettes blonden Nacken gerichtet, der sich in der viereckigen Öffnung der Loge abhob, die ganze Bitterkeit dieses unerfüllbaren Verlangens.

Doch jetzt hatte Montrosé den ersten Akt mit einer solchen Vollkommenheit beendet, daß die Begeisterung losbrach. Einige Minuten lang rauschte der Lärm des Beifalls, des Fußgetrampels und der Bravorufe wie ein Orkan durch den Saal. In allen Logen sah man die Frauen ihre Handschuhe aneinanderschlagen, während die Männer, die hinter ihnen standen, laut riefen und in die Hände klatschten.

Der Vorhang fiel und hob sich noch zweimal, ohne daß sich die Begeisterung legte. Als er sich dann zum drittenmal gesenkt hatte und das Publikum von der Bühne und den Innenlogen trennte, klatschten die Herzogin und Annette noch eine Weile fort und wurden durch eine bescheidene kleine Verbeugung des Tenors besonders bedankt.

»Oh, er hat uns gesehen«, sagte Annette.

»Welch ein wunderbarer Künstler!« rief die Herzogin.

Und Bertin, der sich vorgebeugt hatte, sah mit einem unklaren Gefühl von Ärger und Verachtung den bejubelten Sänger ein wenig wiegend, mit gespreizten Beinen und die Hand auf die Hüfte gestemmt, in der gespreizten Pose eines Theaterhelden, zwischen zwei Kulissen verschwinden.

Sie sprachen über ihn. Seine Erfolge machten ebensoviel Lärm wie sein Talent. Er hatte in allen Hauptstädten gastiert, umringt von der Begeisterung der Frauen, die ihn von vornherein für unwiderstehlich hielten und Herzklopfen bekamen, sobald er auftrat. Er schien sich übrigens, wie behauptet wurde, wenig aus diesem Gefühlstaumel zu machen und gab sich mit den musikalischen Triumphen zufrieden. Musadieu erzählte mit Rücksicht auf Annette in sehr verhüllten Worten vom Leben dieses schönen Sängers, und die Herzogin, die völlig hingerissen war, verstand und billigte alle Dummheiten, die um seinetwillen begangen worden waren, so verführerisch, elegant, vornehm und von so außergewöhnlicher musikalischer Begabung fand sie ihn. Lachend schloß sie:

»Wie soll man übrigens solch einer Stimme widerstehen!«

Olivier ärgerte sich und wurde bitter. Er verstand wirklich nicht, wie man Geschmack an einem Komödianten finden könne, an dieser ewig wiederholten Darstellung von Menschentypen, deren keine er je wirklich ist, an dieser illusorischen Personifizierung geträumter Männergestalten, an dieser nächtlichen, geschminkten Marionette, die sämtliche Rollen jeden Abend gleich spielt.

»Sie sind eifersüchtig«, sagte die Herzogin. »Ihr andern, ihr Männer von Welt und Künstler, seid auf alle Bühnenkünstler böse, weil sie mehr Erfolg haben als ihr.«

Dann wandte sie sich an Annette:

»Sag mal, Kleines, du trittst jetzt ins Leben ein und hast einen unbefangenen Blick, wie findest denn du diesen Tenor?«

Annette antwortete mit überzeugter Miene:

»Ich finde ihn wirklich sehr gut.«

Wieder wurde dreimal geklopft zum Beginn des zweiten Aktes, und der Vorhang hob sich vor dem ländlichen Fest.

Der Gesang der Helsson war unübertrefflich. Auch ihre Stimme schien gegen früher voller geworden zu sein, und die Darstellung hatte vollendete Sicherheit. Sie war wirklich die große, herrliche und wunderbare Sängerin geworden, deren Ruf in der Welt dem des Herrn von Bismarck und des Monsieur de Lesseps gleichkam.

Als Faust auf sie zutrat, als er ihr mit seiner hinreißenden Stimme die bezaubernden Worte sang:

»Mein schönes Fräulein, darf ich's wagen,
Meinen Arm und Geleit Euch anzutragen?«

und als die blonde, hübsche, rührende Margarethe ihm antwortete:

»Nein, mein Herr!
Bin weder Fräulein, weder schön,
Kann ungeleitet nach Hause geh'n«,

da wurde der ganze Saal von einem Wonneschauer aufgewühlt.

Der Beifall, als sich der Vorhang gesenkt hatte, schwoll zu etwas Ungeheuerlichem, und Annette klatschte so lange, daß Bertin am liebsten nach ihren Händen gegriffen hätte, damit sie aufhöre. Sein Herz wurde von einer neuen Qual gepeinigt. Während der Pause redete er kein Wort, weil er mit seiner zum Haß gediehenen fixen Idee den abscheulichen Sänger, der dies Kind derartig begeisterte, durch die Kulissen und bis in seine Garderobe verfolgte, wo er ihn das Weiß auf den Wangen erneuern sah.

Dann hob sich der Vorhang zur Gartenszene.

Sogleich stellte sich etwas wie ein Liebesfieber ein und breitete sich im Saal aus, denn nie hatte diese Musik, die nur ein Hauch von Küssen zu sein schien, zwei ähnliche Interpreten gefunden. Sie waren nicht mehr zwei berühmte Darsteller, Montrosé und die Helsson, sondern zwei Geschöpfe aus der idealen Welt, kaum zwei Menschenwesen, sondern zwei Stimmen: die unvergängliche Stimme des liebenden Mannes und die unvergängliche Stimme der nachgebenden Frau, und gemeinsam atmeten sie alle Poesie menschlicher Liebe.

Als Faust sang:

»Lasse mich in dein holdes Antlitz schauen!«,

enthielten die seinem Mund entquellenden Töne solche Anbetung, Hingerissenheit und solch ein Flehen, daß für einen Augenblick in aller Herzen der Wunsch zu lieben erwachte.

Olivier erinnerte sich, daß er diesen Satz im Park von Roncières unter den Fenstern des Schlosses vor sich hin geflüstert hatte. Bis jetzt hatte er ihn ziemlich nichtssagend gefunden. Und nun kam er ihm auf die Lippen wie ein letzter Schrei der Leidenschaft, wie ein letztes Gebet, die letzte Hoffnung, die letzte Gunst, die er in diesem Leben zu erwarten hatte.

Danach hörte er nicht mehr hin und vernahm nichts mehr. Ein Anfall überschriller Eifersucht zerriß ihn, weil er gesehen hatte, daß Annette ihr Taschentuch an die Augen führte.

Sie weinte! Also erwachte ihr Herz, ihr kleines Frauenherz, das noch von nichts wußte, wallte auf und wurde unruhig. Dort, ganz dicht neben ihm und ohne an ihn zu denken, machte sie die Entdeckung, daß die Liebe ein Menschengeschöpf aus der Fassung zu bringen vermag, und diese Entdeckung, diese Einweihung hatte sie diesem elenden, singenden Komödianten zu verdanken!

Ach, er war dem Marquis de Farandal, diesem Dummkopf, der nichts sah, nichts wußte und nichts verstand, kaum noch böse! Aber wie sehr verabscheute er den Mann in dem enganliegenden Trikot, der diese Mädchenseele erleuchtete!

Er hatte Lust, sich auf sie zu werfen, wie man sich auf jemand wirft, der im nächsten Augenblick von einem Pferd zertreten werden kann, sie am Arm zu packen, sie wegzuführen, wegzuzerren und ihr zu sagen: »Lassen Sie uns gehen! Lassen Sie uns gehen, ich flehe Sie an!«

Wie sie lauschte, und wie sie bebte! Und wie er litt! Er hatte schon ähnlich gelitten, aber nie so grausam. Er dachte daran zurück, weil sich alle Qualen der Eifersucht erneuern wie aufgeplatzte Wunden. In Roncières, als sie vom Friedhof zurückkehrten, hatte er zum erstenmal gefühlt, wie sie ihm entwich und er nichts über sie vermochte, über dies wie ein junges Tier unabhängige Mädchen. Doch dort, als er über sie verstimmt gewesen, weil sie fortgelaufen war, um Blumen zu pflücken, hatte er vor allem ein ungestümes Verlangen empfunden, ihren Eifer zu dämpfen und sich ihr körperliches Nahesein zu bewahren; heute jedoch war es ihre Seele, die ihm unerlangbar entfloh. Ach, diese nagende Gereiztheit, deren er sich bewußt geworden war, wie oft hatte er sie noch empfunden bei all den uneingestandenen kleinen Stößen, die den liebenden Herzen unaufhörlich blaue Flecken beizubringen scheinen. Er erinnerte sich all der schmerzhaften Spuren der geringsten Eifersucht, die ihn überfallen hatte, an die kleinen Hiebe im Lauf der Tage. Jedesmal, wenn sie etwas wahrgenommen, bewundert, geliebt oder gewünscht hatte, war er eifersüchtig gewesen, eifersüchtig in einer kaum spürbaren Art, aber unablässig und auf alles, was Annettes Zeit, Blicke, Aufmerksamkeit, Freude, Erstaunen und Liebe beanspruchte, weil ihm alles ein wenig von ihr nahm. Er war eifersüchtig auf alles gewesen, was sie ohne ihn tat, auf alles, was er nicht wußte, auf ihre Spaziergänge, ihre Lektüre, auf alles, was ihr zu gefallen schien; eifersüchtig auf einen in Afrika heldenhaft verwundeten Offizier, mit dem sich ganz Paris acht Tage lang beschäftigt hatte, auf den Autor eines sehr gelobten Romans, auf einen jungen unbekannten Dichter, den sie nie gesehen, von dem aber Musadieu Verse rezitiert hatte, und schließlich auf alle Männer, die vor ihr gerühmt worden waren, weil man, wenn man eine Frau liebt, nicht ohne Beklemmung in Kauf nehmen kann, daß sie auch nur mit einem Schein von Interesse an jemand anders denkt. Man trägt im Herzen das gebieterische Verlangen, vor ihren Augen ganz allein in der Welt dazustehen. Man möchte, daß sie keinen anderen sieht, kennt oder schätzt. Sobald es auch nur den Anschein hat, als wende sie sich, um jemand zu betrachten oder zu erkennen, stellt man sich hastig ihrem Blick in den Weg, und wenn man ihn nicht abwenden oder völlig auf sich lenken kann, leidet man bis zum tiefsten Seelengrund.

So litt Olivier angesichts dieses Sängers, der in diesem Opernhaus die Liebe zu verbreiten und zu sammeln schien, und er zürnte aller Welt über den Triumph dieses Tenors, er zürnte allen Frauen, die er in ihren Logen begeistert sah, und allen Männern, diesen Tröpfen, die solch einen Gecken vergötterten.

Ein Künstler! Sie nannten ihn einen Künstler, einen großen Künstler! Und er hatte Erfolg, dieser Hanswurst, dieser Dolmetsch fremder Gedanken, der nie etwas Eigenes erschaffen hatte! Ach, so sah sie aus, die Gerechtigkeit und die Intelligenz der Leute von Welt, dieser ahnungslosen, anmaßenden Laien, für die die Meister der menschlichen Kunst bis zum Tode arbeiteten. Er sah sie Beifall spenden, schreien und sich begeistern, und die alte Feindseligkeit, die schon von je in seinem hochmütigen, stolzen Emporkömmlingsherzen gegoren hatte, schwoll und wurde zum wütenden Zorn gegen diese nur durch ihre Geburt und das Geld allmächtigen Schwachköpfe.

Bis zum Ende der Vorstellung schwieg er, von seinen Gedanken verzehrt, und dann, als der Orkan der Schlußbegeisterung sich beschwichtigt hatte, bot er der Herzogin den Arm, während der Marquis den Annettes nahm. Wieder stiegen sie durch ein Wogen von Herren und Damen, durch eine prächtige, langsame Kaskade nackter Schultern, üppiger Roben und Fräcke die Treppe hinunter. Dann bestiegen die Herzogin, das junge Mädchen, ihr Vater und der Marquis denselben Landauer, und Olivier Bertin blieb mit Musadieu allein auf der Place de l'Opéra zurück.

Plötzlich empfand er etwas wie Freundschaft für diesen Mann, oder vielmehr jene natürliche Zuneigung, die man für einen Landsmann verspürt, dem man in entlegenen Ländern begegnet; denn er kam sich in diesem fremden, gleichgültigen Getümmel verloren vor; mit Musadieu hingegen konnte er doch wenigstens über sie sprechen. – Er nahm ihn also am Arm.

»Sie wollen sicherlich nicht sofort heim«, sagte er. »Das Wetter ist schön, lassen Sie uns noch ein wenig spazierengehen.«

Sie schlenderten durch die nächtliche Menge, den kurzen, heftigen Tumult, der um Mitternacht die Boulevards durchtobt, wenn die Theater aus sind, der Madeleine-Kirche entgegen.

Musadieu hatte tausend Dinge im Kopf, alle seine augenblicklichen Gesprächsthemen, die Bertin als sein ›Tagesmenü‹ zu bezeichnen pflegte, und ließ seiner Beredsamkeit über die zwei oder drei für ihn interessanten Gegenstände freien Lauf. Der Maler ließ ihn reden, ohne ihm zuzuhören, während er ihn am Arm hielt, überzeugt, er werde ihn binnen kurzem dahin bringen, daß er über sie spreche, und so schritt er einher, ohne etwas zu sehen und ganz gefangen in seiner Liebe. Er ging, erschöpft durch diesen Anfall von Eifersucht, der ihn wie ein Sturz verletzt hatte, und niedergedrückt durch die Gewißheit, daß es für ihn auf dieser Welt nichts mehr zu tun gebe.

So würde er denn mehr und mehr leiden, ohne noch etwas zu erwarten. Seine Tage würden einer wie der andere leer sein, indessen er von weitem ihrem Leben zuschaute und sah, wie sie glücklich war und geliebt wurde und zweifellos auch selber liebte. Einen Liebhaber? Vielleicht würde sie sich einen Liebhaber nehmen, wie ihre Mutter einen gehabt hatte. Er verspürte in sich zahllose verschiedene, verworrene Quellen des Leidens, ein solches Zuströmen von Unglück und ein so unvermeidliches Herzzerreißen; er fühlte sich so verloren und von diesem Augenblick an in eine unvorstellbare Todesangst versetzt, daß er einfach nicht zu glauben vermochte, jemand könne jemals so tief gelitten haben wie er. Und jäh fiel ihm die Kinderei der Dichter ein, die die unnütze Arbeit des Sisyphus, den körperlichen Durst des Tantalus und das zerfleischte Herz des Prometheus erfanden! Oh! Wenn sie dies vorausgesehen, wenn sie der hoffnungslosen Liebe eines alten Mannes zu einem jungen Mädchen nachgespürt hätten, wie hätten sie die jämmerliche, geheime Mühsal eines Menschenwesens ausgedrückt, das nicht mehr geliebt werden kann, die Qualen des unfruchtbaren Verlangens und, furchtbarer als ein Geierschnabel, ein kleines Gesicht unter blondem Haar, das ein altes Herz zerfleischt!

Musadieu redete noch immer, und Bertin unterbrach ihn und sagte unwillkürlich halblaut unter dem Zwang seiner fixen Idee:

»Annette war heute abend reizend.«

»Ja, entzückend...«

Um zu verhindern, daß Musadieu den abgeschnittenen Faden seiner Gedanken wieder aufnahm, sagte der Maler noch:

»Sie ist hübscher, als ihre Mutter war.«

Der andere pflichtete geistesabwesend bei und wiederholte mehrere Male: »Ja... Ja... Ja...«, ohne sich auf diesen neuen Gedanken umstellen zu können.

Olivier gab sich alle Mühe, ihn dort zu halten; er bediente sich einer List, indem er Musadieu mit einer seiner Lieblingsbeschäftigungen zu fesseln versuchte, und sagte:

»Sie wird nach ihrer Heirat einen der ersten Salons in Paris führen.«

Das genügte, und der Förderer der Schönen Künste begann als überzeugter Mann von Welt die Stellung, die die Marquise de Farandal in der französischen Gesellschaft einnehmen würde, mit klüglich wägenden Worten abzuschätzen.

Bertin hörte ihm zu und sah Annette in einem großen, lichterstrahlenden Salon von Damen und Herren umgeben. Dieses innerlich erschaute Bild erweckte abermals seine Eifersucht.

Sie gingen den Boulevard Malesherbes entlang. Als sie am Haus der Guilleroys vorüberkamen, blickte der Maler hinauf. Lichter schienen in den Fenstern, hinter den Spalten der Vorhänge, zu schimmern. Ihm kam der Verdacht, die Herzogin und ihr Neffe möchten vielleicht eingeladen worden sein, mit hinaufzukommen und noch eine Tasse Tee zu trinken. Und bei diesem Gedanken schüttelte ihn Wut und ließ ihn grauenhaft leiden.

Nach wie vor drückte er Musadieus Arm und ermunterte ihn zuweilen durch einen Widerspruch gegen seine vorgebrachte Meinung über die künftige junge Marquise. Die banale Stimme, die von ihr sprach, ließ sein erschautes Bild in das die beiden umgebende Dunkel entgaukeln.

Als sie in der Avenue de Villiers vor der Tür des Malers angelangt waren, fragte Bertin:

»Kommen Sie noch mit hinauf?«

»Nein, danke. Es ist spät, ich möchte mich schlafen legen.«

»Ach was, kommen Sie doch auf eine halbe Stunde mit, dann können wir noch ein bißchen plaudern.«

»Nein. Wirklich, es ist schon zu spät!«

Der Gedanke, nach den Erschütterungen, die er gerade durchgemacht hatte, allein zu bleiben, erfüllte Oliviers Seele mit Entsetzen. Hier hatte er einen, und den würde er festhalten.

»Kommen Sie nur, Sie dürfen sich eine Studie aussuchen; das hatte ich Ihnen schon lange anbieten wollen.«

Der andere wußte, daß die Maler nicht immer in Geberlaune sind und daß ihr Gedächtnis im Hinblick auf Versprechungen sehr kurz ist, und also nahm er die Gelegenheit wahr. In seiner Eigenschaft als Inspekteur der Schönen Künste besaß er eine mit Geschmack und Kennerschaft zusammengestellte Bildersammlung.

»Also gut«, sagte er.

Sie gingen hinein.

Der Diener, der geweckt worden war, brachte Grog, und die Unterhaltung schleppte sich eine Zeitlang über Malerei hin. Bertin zeigte Studien und bat Musadieu, die zu nehmen, die ihm am besten gefalle, und Musadieu schwankte, weil ihn das Gaslicht störte und über die Farbtöne täuschte. Schließlich wählte er eine Gruppe kleiner Mädchen, die auf einem Fußsteig Seil sprangen; und fast gleich danach wollte er gehen und sein Geschenk mitnehmen.

»Ich kann es ja bei Ihnen vorbeireichen lassen«, sagte der Maler.

»Nein, ich möchte es lieber gleich heute abend mitnehmen; dann kann ich es vor dem Zubettgehen noch bewundern.«

Nichts konnte ihn länger zurückhalten, und Olivier Bertin fand sich abermals allein in seinem Haus, in diesem Gefängnis seiner Erinnerungen und seines schmerzlichen Aufruhrs.

Als der Diener am nächsten Morgen zu ihm ins Schlafzimmer kam und den Tee und die Zeitungen brachte, sah er seinen Herrn aufrecht im Bett sitzen, und zwar so bleich, daß er es mit der Angst bekam.

»Monsieur fühlt sich nicht wohl?« fragte er.

»Halb so schlimm, nur ein bißchen Kopfschmerzen.«

»Soll ich nicht etwas für Monsieur besorgen?«

»Nein. Wie ist das Wetter?«

»Es regnet, Monsieur.«

»Gut. Danke.«

Nachdem der Diener das Teegeschirr wie gewöhnlich auf den

kleinen Tisch gestellt und die Zeitungen daneben gelegt hatte, ging er.

Olivier nahm den ›Figaro‹ und schlug ihn auf. Der Leitartikel trug die Überschrift ›Moderne Malerei‹. Es handelte sich um ein dithyrambisches Lob auf vier oder fünf junge Maler, die mit wirklichen Qualitäten als Koloristen begabt und geschickt genug waren, das um des Effektes willen zu übersteigern, und den Anspruch erhoben, Revolutionäre und geniale Neuerer zu sein.

Wie alle Älteren, ärgerte sich Bertin über diese Neuen, ärgerte sich über ihr Scherbengericht und verabscheute ihre Kunsttheorie. Er begann also jenen Artikel schon mit dem aufsteigenden Zorn zu lesen, dem ein geschwächtes Herz leicht verfällt, und gewahrte dann, als er die Augen tiefer senkte, seinen Namen; und die wenigen Worte am Schluß eines Satzes trafen ihn wie ein Faustschlag gegen seine Brust: »Olivier Bertins aus der Mode gekommene Kunst...«

Er war immer empfänglich für Kritik und Lob gewesen, aber letztlich litt er trotz seiner berechtigten Eitelkeit mehr darunter, verrissen, als er genoß, gelobt zu werden, weil er sich über sich selbst nicht im klaren war, was stets sein Schwanken genährt hatte. Früher nun aber, zur Zeit seiner Triumphe, waren die Beweihräucherer so zahlreich gewesen, daß sie ihn die Nadelstiche hatten vergessen lassen. Heute dagegen, unter dem unaufhörlichen Nachdrängen neuer Künstler und neuer Bewunderer, wurden die Beifallsbekundungen seltener und die Ablehnungen verletzender. Er fühlte sich in die Schar der alten, begabten Maler eingereiht, die von den jungen nicht mehr als Meister bezeichnet werden, und da er ebenso intelligent wie scharfsichtig war, litt er gegenwärtig unter den geringsten Anspielungen ebensosehr wie unter direkten Angriffen.

Niemals jedoch hatte eine Verwundung seines Künstlerstolzes ihn so bluten lassen. Atemlos las er den Artikel nochmals, um ihn bis in die kleinsten Nuancen zu begreifen. Sie warfen ihn mit beleidigender Ungeniertheit mit einigen Kollegen in einen Topf, und er stand auf und wiederholte flüsternd jene Worte, die auf seinen Lippen haften geblieben waren: »Olivier Bertins aus der Mode gekommene Kunst.«

Niemals hatten ihn eine ähnliche Betrübnis, eine ähnliche Entmutigung, eine ähnliche Empfindung vom Ende aller Dinge, vom Ende seines physischen und seines geistigen Wesens in eine so verzweifelte Niedergeschlagenheit gestürzt. Bis zwei Uhr blieb er in seinem Sessel vor dem Kamin sitzen, die Beine gegen das Feuer ausgestreckt, und hatte nicht die Kraft, sich zu rühren oder irgend etwas zu tun. Dann erstand in ihm das Verlangen, getröstet zu werden, das Verlangen, Freundeshände zu drücken, in treue Augen zu blicken und durch Freundesworte bedauert, aufgerüttelt und gehätschelt zu werden. Er ging also, wie stets, zu der Gräfin.

Als er eintrat, saß nur Annette im Salon, mit dem Rücken zu ihm hin, und schrieb rasch die Adresse auf einen Brief. Auf dem Tisch neben ihr lag aufgeschlagen der ›Figaro‹. Bertin erblickte das junge Mädchen und gleichzeitig die Zeitung; er war wie vor den Kopf geschlagen und wagte nicht, weiterzugehen. Wenn sie es gelesen hätte! Sie wandte sich um und sagte geschäftig, eilig, den Kopf voller Frauensorgen:

»Ach, guten Tag, Herr Maler. Entschuldigen Sie, wenn ich Sie allein lasse. Ich habe oben die Schneiderin, und ich muß schleunigst zu ihr. Sie verstehen, wenn man heiratet, ist die Schneiderin sehr wichtig. Ich will Ihnen Mama leihen, damit sie mit meinem Künstler plaudert und kluge Reden führt. Wenn ich sie brauche, fordere ich sie in ein paar Minuten wieder von Ihnen zurück.«

Und damit ging sie; sie lief sogar ein wenig, um ihre Eile darzutun.

Dieser rasche Abschied, ohne ein liebevolles Wort und ohne einen zärtlichen Blick für ihn, der sie so sehr … so sehr … liebte, machte ihn fassungslos. Sein Blick blieb nochmals am ›Figaro‹ hängen, und er dachte:

›Sie hat es gelesen! Ich werde verhöhnt, verleugnet. Sie glaubt nicht mehr an mich. Ich gelte für sie nichts mehr.‹

Er tat zwei Schritte auf die Zeitung zu, wie man auf einen Mann zutritt, den man ohrfeigen will. Dann sagte er sich: »Vielleicht hat sie es doch noch nicht gelesen. Sie hat heute so viel anderes im Kopf. Aber heute abend beim Essen wird in ihrem Dabeisein ganz sicher darüber gesprochen, und das macht ihr dann Lust zum Lesen.«

Mit einer jähen, unüberlegten Bewegung hatte er die Nummer an sich gerissen, sie geschlossen, gefaltet und flink wie ein Dieb in seine Tasche geschoben.

Die Gräfin kam herein. Als sie Oliviers fahles, verkrampftes Gesicht sah, spürte sie, daß er den Grenzen seiner Leidensfähigkeit nahe war.

Sie fühlte sich mächtig zu ihm hingezogen, hingezogen mit ihrer armen, ebenfalls zerrissenen Seele, ihrem armen, ebenso gemarterten Körper. Sie legte ihm die Hände auf die Schultern und sagte, den Blick tief in seine Augen gesenkt:

»Wie unglücklich müssen Sie sein!«

Diesmal leugnete er nicht mehr und stammelte mit verkrampfter Kehle:

»Ja... Ja... Ja!«

Sie fühlte, daß er weinen werde, und zog ihn in die dunkelste Ecke des Salons zu zwei hinter einem kleinen Wandschirm aus alter Seide stehenden Sesseln. Sie setzten sich hinter diese schöne, bestickte Wand, überdies noch umschleiert durch die graue Dämmerung eines Regentags.

Sie bedauerte ihn tief; sein Schmerz ging ihr nahe, und nochmals sagte sie: »Armer Olivier, wie müssen Sie leiden!«

Er lehnte den weißen Kopf an die Schulter der Freundin.

»Mehr, als Sie sich vorstellen können!« sagte er.

Bekümmert flüsterte sie:

»Ich habe es gewußt. Ich habe alles gespürt. Ich habe es entstehen und wachsen sehen!«

Als habe sie ihn beschuldigt, antwortete er:

»Es ist nicht meine Schuld, Any.«

»Das weiß ich... Ich mache Ihnen ja auch keine Vorwürfe...«

Und zärtlich wandte sie sich ihm ein wenig zu und drückte den Mund auf Oliviers Auge, in dem sie eine bittere Träne sah.

Sie fuhr zusammen, als habe sie einen Tropfen Verzweiflung getrunken, und wiederholte mehrmals:

»Ach, armer Freund... armer Freund... armer, lieber Freund!«

Nach einer Weile sagte sie noch:

»Es ist die Schuld unserer Herzen, die nicht alt geworden sind. Ich fühle meins noch so lebendig!«

Er versuchte zu sprechen und konnte es nicht, weil ihm jetzt das Schluchzen die Kehle zuschnürte. Sie hörte das erstickte Würgen in seiner Brust an der ihren. Dann wurde sie wiederum von der egoistischen Todesnot der Liebe gepackt, die seit langem an ihr nagte, und sie sagte in dem herzzerreißenden Tonfall, mit dem man ein grausiges Unglück feststellt:

»Gott! Wie sehr lieben Sie sie!«

Und er gestand noch einmal:

»Ja, ich liebe sie!«

Sie sann eine kurze Weile nach und fragte dann:

»So haben Sie mich nie geliebt, nicht wahr?«

Er leugnete nichts ab, weil dies eine jener Stunden war, in denen man die volle Wahrheit sagt, und flüsterte:

»Nein, damals war ich zu jung!«

Überrascht fragte sie:

»Zu jung? Wieso?«

»Weil das Leben schön und liebenswert war. Nur in unserm Alter liebt man so verzweifelt.«

»Gleicht das, was Sie in ihrer Nähe empfinden, dem, was Sie in meiner Nähe empfunden haben?« fragte sie.

»Ja und nein . . . und dennoch ist es beinahe dasselbe. Ich habe Sie beinahe so geliebt, wie man nur eine Frau überhaupt lieben kann. Annette liebe ich wie Sie, denn sie ist Sie; aber diese Liebe ist zu etwas Unwiderstehlichem, Zerstörendem geworden, zu etwas, das stärker ist als der Tod. Ich bin ihr ausgeliefert wie ein brennendes Haus dem Feuer!«

Sie fühlte ihr Mitleid unter einem Hauch von Eifersucht hinwelken und bemühte sich, ihre Stimme tröstlich klingen zu lassen:

»Armer, lieber Freund! In ein paar Tagen ist sie verheiratet und abgereist. Wenn Sie ihr nicht mehr begegnen, werden Sie sicherlich gesunden.«

Er schüttelte den Kopf.

»Ich bin verloren, völlig verloren!«

»Das dürfen Sie nicht sagen! Sie werden sie drei Monate lang nicht sehen. Das dürfte genügen. Drei Monate haben Ihnen ja auch genügt, um sie mehr als mich zu lieben, die Sie seit zwölf Jahren kennen.«

Da flehte er sie in seiner unendlichen Not an:

»Any, verlassen Sie mich nicht!«

»Wie könnte ich das?«

»Lassen Sie mich nicht allein.«

»Ich besuche Sie, so oft Sie wollen.«

»Nein. Behalten Sie mich hier so oft wie möglich bei sich.«

»Dann wären Sie in ihrer Nähe.«

»Und in Ihrer.«

»Es wäre besser, wenn Sie sie vor ihrer Hochzeit nicht mehr sähen.«

»Ach, Any!«

»Oder wenigstens ganz selten.«

»Darf ich heute abend hierbleiben?«

»Nein, nicht in dem Zustand, in dem Sie sich befinden. Sie müssen sich ablenken, in den Klub oder ins Theater oder irgendwohin gehen, aber nicht hierbleiben.«

»Ich bitte Sie darum.«

»Nein, Olivier, es ist unmöglich. Und außerdem habe ich zum Essen Gäste, deren Anblick Sie noch mehr aufregen würde.«

»Die Herzogin? Und . . . ihn . . .?«

»Ja.«

»Aber ich habe den gestrigen Abend doch auch mit den beiden verbracht.«

»Sie haben gut reden! Heute sind Sie in einem ganz anderen Zustand.«

»Ich verspreche Ihnen, ruhig zu sein.«

»Nein, es geht nicht.«

»Dann gehe ich also.«

»Warum haben Sie es denn so eilig?«

»Ich möchte spazierengehen.«

»Das ist es, gehen Sie viel spazieren, bis in die Nacht hinein, laufen Sie sich todmüde, und legen Sie sich dann schlafen!«

Er war aufgestanden.

»Adieu, Any.«

»Adieu, lieber Freund. Ich komme morgen früh zu Ihnen. Wollen Sie, daß ich eine große Unvorsichtigkeit begehe wie früher, indem ich sage, ich äße hier zu Mittag, und statt dessen komme ich um Viertel nach eins zum Essen zu Ihnen?«

»Ja, sehr gern. Wie gut Sie sind!«

»Das ist so, weil ich Sie liebe.«

»Auch ich liebe Sie.«

»Ach, sprechen Sie nicht mehr davon.«

»Adieu, Any.«

»Adieu, lieber Freund. Bis morgen.«

»Adieu.«

Er küßte wieder und wieder ihre Hände, dann küßte er ihre Schläfen, dann die Mundwinkel. Seine Augen waren jetzt trocken, sein Gesicht entschlossen. Als er hinausgehen wollte, langte er nach ihr, umfing sie mit den Armen und drückte seinen Mund auf ihre Stirn; er schien alle Liebe, die sie für ihn hegte, aus ihr zu trinken und in sich zu atmen.

Und dann ging er sehr rasch fort, ohne sich umzuwenden.

Als sie allein war, ließ sie sich in einen Sessel sinken und schluchzte. Sie wäre bis in die Nacht hinein so sitzen geblieben, wenn nicht Annette gekommen wäre und sie gesucht hätte. Um Zeit zum Trocknen ihrer geröteten Augen zu gewinnen, antwortete die Gräfin:

»Ich habe nur noch ein paar Zeilen zu schreiben, mein Kind. Geh wieder hinauf, ich komme in einer Sekunde zu dir.«

Bis zum Abend mußte sie sich mit der großen Frage der Aussteuer beschäftigen.

Die Herzogin und ihr Neffe speisten im Familienkreis bei den Guilleroys.

Sie waren gerade zu Tisch gegangen und sprachen noch über die Opernaufführung des gestrigen Abends, als der Hausmeister hereinkam und drei riesige Blumensträuße brachte.

Madame de Mortemain fragte erstaunt:

»Mein Gott, was ist denn das?«

Annette rief:

»Oh, wie schön sie sind! Wer mag uns die geschickt haben?«

Ihre Mutter antwortete:

»Sicher Olivier Bertin.«

Seit er gegangen war, dachte sie unaufhörlich an ihn. Er war ihr so düster, so tragisch erschienen, so deutlich hatte sie sein ausgeloses Unglück vor Augen, so grausam fühlte sie die Rückwirkungen dieses Schmerzes und so heiß, so zärtlich und vollkommen liebte sie ihn, daß ihr Herz von finsteren Ahnungen zerrissen wurde.

In den drei Sträußen fanden sich tatsächlich drei Visitenkarten des Malers. Auf jede hatte er mit Bleistift den Namen geschrieben, den der Gräfin, der Herzogin und den Annettes.

Madame de Mortemain fragte:

»Ist Ihr Freund Bertin etwa krank? Ich fand, er sah gestern sehr schlecht aus.«

»Ja, er macht mir ein bißchen Sorge, obwohl er über nichts klagt«, antwortete Madame de Guilleroy.

Und ihr Gatte fügte hinzu:

»Ach, es geht ihm wie uns, er wird alt. Und er altert gerade jetzt sogar sehr schnell. Übrigens glaube ich, daß Junggesellen ganz plötzlich am Ende sind. Sie brechen jäher zusammen als die anderen. Wirklich, er hat sich sehr verändert.«

Die Gräfin seufzte:

»Ach ja.«

Farandal unterbrach sein Getuschel mit Annette und sagte:

»Ich habe im ›Figaro‹ einen sehr unangenehmen Artikel über ihn gelesen.«

Jeder Angriff, jede Kritik und jede ungünstige Anspielung auf das Talent ihres Freundes brachten die Gräfin außer sich.

»Oh«, sagte sie, »Menschen von Bertins Bedeutung brauchen sich nicht um solche Grobheiten zu kümmern.«

Guilleroy war erstaunt:

»Sieh mal einer an, ein unangenehmer Artikel über Olivier? Aber den habe ich ja gar nicht gelesen. Auf welcher Seite?«

Der Marquis gab Auskunft.

»Auf der ersten Seite, der Leitartikel mit der Überschrift: ›Moderne Malerei!‹«

Und nun wunderte sich der Abgeordnete nicht mehr.

»Ach so, ganz recht. Ich habe ihn nicht gelesen, weil er von Malerei handelt.«

Es wurde gelächelt, weil alle wußten, daß sich Monsieur de Guilleroy für kaum etwas anderes als Politik und Landwirtschaft interessierte.

Dann schwang die Unterhaltung auf andere Themen über, bis in den Salon gegangen wurde, wo der Kaffee getrunken werden sollte. Die Gräfin hörte nicht hin und antwortete kaum; die Sorge, was Olivier wohl tun möge, wich nicht von ihr. Wo mochte er sein? Wo zu Abend gegessen haben? Wohin schleppte er in diesem Augenblick sein unheilbares Herz? Jetzt fühlte sie heißes Bedauern, daß sie ihn gehen lassen und nicht dabehalten hatte, und sie konnte sich ausmalen, wie er nun traurig und verloren, einsam und auf der Flucht vor seinem Kummer durch die Straßen irrte.

Bis die Herzogin und ihr Neffe sich verabschiedeten, sprach sie kaum, weil sie von unklaren, abergläubischen Ängsten gepeinigt wurde; dann ging sie zu Bett, blieb mit offenen Augen im Dunkel liegen und dachte an ihn.

Viel Zeit war verstrichen, als sie vermeinte, die Glocke ihrer Wohnung anschlagen zu hören. Sie fuhr zusammen, richtete sich auf und lauschte. Zum zweitenmal erscholl das vibrierende Schellen der Glocke durch die Nacht.

Sie sprang aus dem Bett und drückte mit aller Kraft auf den Knopf der elektrischen Klingel, um ihre Zofe zu wecken. Dann hastete sie, eine Kerze in der Hand, in die Halle.

Sie fragte durch die Tür: »Wer ist da?«

Eine unbekannte Stimme antwortete:

»Ich soll einen Brief abgeben.«

»Ein Brief, von wem denn?«

»Von einem Arzt.«

»Was für einem Arzt?«

»Ich weiß nicht, es handelt sich um einen Unfall.«

Sie zögerte nicht mehr, öffnete und sah sich einem Droschkenkutscher mit rundem Hut gegenüber. In der Hand hielt er einen Umschlag, den er ihr hinreichte. Sie las: »Sehr dringend – An den Herrn Grafen de Guilleroy.«

»Kommen Sie herein«, sagte sie, »setzen Sie sich und warten Sie auf mich.«

Vor dem Schlafzimmer ihres Mannes schlug ihr das Herz so heftig, daß sie ihn nicht rufen konnte. Sie schlug mit dem Metallfuß ihres Leuchters gegen das Holz. Aber der Graf schlief und hörte nichts.

Vor Ungeduld außer sich, bearbeitete sie die Tür mit Fußtritten und hörte schließlich eine schlaftrunkene Stimme fragen:

»Wer ist da? Wie spät ist es?«

»Ich bin es«, antwortete sie. »Ich bringe dir einen dringenden Brief, ein Kutscher hat ihn gebracht. Es handelt sich um einen Unfall.«

Hinter seinen Vorhängen hervor stammelte er:

»Warte, ich stehe auf. Ich komme gleich.«

Nach einer Minute kam er im Schlafrock heraus. Im selben Augenblick kamen zwei Diener angelaufen, die durch das Läuten aufgewacht waren. Sie waren atemlos und erschrocken, weil sie im Speisezimmer auf einem Stuhl einen Fremden hatten sitzen sehen.

Der Graf hatte den Brief genommen und zwischen den Fingern gedreht; er flüsterte: »Was soll das bedeuten? Keine Ahnung.«

In fieberhafter Erregung stieß sie hervor: »Aber lies ihn doch!«

Er riß den Umschlag auf, entfaltete das Papier, stieß einen Schrei der Bestürzung aus und sah seine Frau mit erschrockenen Augen an.

»Mein Gott, was ist denn?« fragte sie.

Er stammelte; er konnte kaum sprechen, so groß war seine Erregung.

»Ach, ein großes Unglück! Ein großes Unglück . . .! Bertin ist unter einen Wagen geraten.«

Sie schrie auf: »Tot?«

»Nein, nein«, sagte er, »sieh selber.«

Sie riß ihm den Brief aus der Hand und las:

›Monsieur,

ein großes Unglück ist geschehen. Unser Freund, der berühmte Maler Monsieur Olivier Bertin, ist von einem Omnibus überfahren worden; ein Rad ist über seinen Körper gegangen. Ich kann mich noch nicht über die möglichen Folgen dieses Unfalls äußern; vielleicht sind sie nicht ernst, aber vielleicht kann sich auch sehr schnell eine verhängnisvolle Wendung ergeben. Monsieur Bertin bittet Sie und die Frau Gräfin de Guilleroy, sogleich zu ihm zu kommen. Ich hoffe, Herr Graf, daß die Frau Gräfin und Sie dem Wunsch unseres gemeinsamen Freundes folgen werden, der möglicherweise morgen nicht mehr am Leben ist.

Dr. de Rivil‹

Die Gräfin sah ihren Mann mit weit aufgerissenen, starren Augen voller Entsetzen an. Dann raffte sie sich plötzlich, wie von einem elektrischen Schlag aufgerüttelt, zu jenem Mut auf, den Frauen mitunter in den entsetzlichsten Stunden bezeigen und der sie tapferer macht als alle andern Geschöpfe.

Sie sagte zu ihrer Zofe:

»Schnell, ich will mich anziehen!«

Die Dienerin fragte:

»Was will Madame denn anziehen?«

»Einerlei. Was Sie wollen.«

»Jacques«, bat sie dann, »sei in fünf Minuten fertig.«

Als sie völlig verstört in ihr Zimmer ging, sah sie den Kutscher, der noch immer wartete, und fragte ihn:

»Haben Sie Ihren Wagen da?«

»Ja, Madame.«

»Gut, wir nehmen ihn.«

Dann lief sie in ihr Schlafzimmer.

Halb wahnsinnig warf sie sich ihre Kleider über, hakte, band und knöpfte zu, wie es sich gerade traf, dann nahm sie vor dem Spiegel ihr Haar auf und wand es zu einem Knoten und betrachtete, diesmal ohne darüber nachzudenken, ihr bleiches Gesicht und ihre flackernden Augen.

Als sie ihren Mantel über die Schultern geworfen hatte, stürzte sie zum Zimmer ihres Mannes, der noch nicht fertig war. Sie zog ihn mit sich.

»Komm doch«, sagte sie, »bedenk, daß er sterben könnte.«

Der bestürzte Graf folgte ihr strauchelnd, tastete mit den Füßen über die dunkle Treppe und versuchte die Stufen zu finden, damit er nicht fiel.

Die Fahrt war kurz und wurde schweigend zurückgelegt. Die Gräfin zitterte so sehr, daß ihr die Zähne aufeinanderschlugen, und durch das Wagenfenster sah sie die vom Regen verhangenen Gaslaternen vorbeigleiten. Die Fußsteige schimmerten, der Boulevard war verödet und die Nacht unheilverkündend düster. Als sie ankamen, fanden sie die Tür des Malers offen und die Portierloge hell erleuchtet und leer.

Oben auf der Treppe stand der Arzt Dr. de Rivil, ein kleiner untersetzter, dicker, sehr würdiger und sehr höflicher grauhaariger Herr, und erwartete sie. Er machte eine tiefe Verbeugung vor der Gräfin und reichte dann dem Grafen die Hand.

Keuchend, als habe das Treppensteigen sie völlig außer Atem gebracht, fragte sie ihn: »Wie steht es, Herr Doktor?«

»Tja, ich hoffe, daß es weniger ernst ist, als ich im ersten Augenblick geglaubt hatte.«

»Er wird also nicht sterben?« rief sie.

»Nein, wenigstens glaube ich es nicht.«

»Verbürgen Sie sich dafür?«

»Nein. Ich sage nur, daß ich jetzt hoffe, es mit einer einfachen abdominalen Kontusion ohne innere Verletzungen zu tun zu haben.«

»Was verstehen Sie unter Verletzungen?«

»Quetschungen.«

»Woher wissen Sie, daß er keine hat?«

»Ich nehme es an.«

»Und wenn er welche hat?«

»Ja, dann wäre es sehr ernst!«

»Könnte er daran sterben?«

»Ja.«

»Sehr schnell?«

»Sehr schnell. Innerhalb einiger Minuten oder sogar einiger Sekunden. Aber beruhigen Sie sich, Madame, ich bin überzeugt, daß er in vierzehn Tagen wieder gesund ist.«

Sie hatte mit angespannter Aufmerksamkeit zugehört, um alles zu erfahren und alles zu begreifen.

Dann fragte sie:

»Was für Quetschungen könnte er denn haben?«

»Zum Beispiel eine Leberquetschung.«

»Und das wäre sehr gefährlich?«

»Ja . . . aber es würde mich wundern, wenn er so etwas hätte. Wir wollen zu ihm gehen. Das wird ihm guttun; er hat Sie mit großer Ungeduld erwartet.«

Das erste, was sie beim Betreten des Zimmers sah, war ein leichenblasser Kopf auf einem weißen Kissen. Ein paar Kerzen und das Kaminfeuer beleuchteten ihn, zeichneten das Profil und ließen die Schatten hervortreten; und in diesem fahlen Gesicht gewahrte die Gräfin zwei Augen, die sie herankommen sahen.

Ihr ganzer Mut, ihre ganze Energie und ihre ganze Entschlossenheit sanken hin, so sehr glich dies hohle, aufgelöste Gesicht dem eines Sterbenden. Er, den sie kurz zuvor noch bei sich gesehen hatte, war nun dies geworden, dies Gespenst! Sie murmelte zwischen den Lippen: »Oh, mein Gott!« und trat bebend vor Entsetzen zu ihm hin.

Er versuchte zu lächeln, um sie zu beschwichtigen, und seine Grimasse bei diesem Versuch war grauenhaft.

Als sie ganz dicht neben seinem Bett stand, legte sie behutsam beide Hände auf Oliviers Hände, die neben seinem Körper hingestreckt lagen, und stammelte:

»Oh, mein armer Freund.«

»Es ist nichts«, sagte er ganz leise, ohne den Kopf zu bewegen.

Bestürzt über die Veränderung, die mit ihm vorgegangen war, betrachtete sie ihn jetzt. Er war so bleich, daß er keinen Tropfen Blut unter der Haut zu haben schien. Seine hohlen Wangen schienen vom Innern des Gesichts aufgesogen worden zu sein, und auch seine Augen waren zurückgetreten, als habe ein Faden sie nach innen gezogen.

Er sah nur zu gut die Angst seiner Freundin und seufzte:

»In einem schönen Zustand bin ich.«

Sie starrte ihn noch immer an und fragte:

»Wie ist das nur geschehen?«

Das Sprechen kostete ihn große Anstrengung, und sein Gesicht durchliefen manchmal Nervenzuckungen.

»Ich habe nicht aufgepaßt ... ich dachte an etwas anderes ... an etwas anderes ... ach ja ... und da hat mich ein Omnibus umgestoßen und ist mir über den Bauch gefahren ...«

Im Zuhören sah sie den Unfall vor sich und fragte in aufwallender Angst:

»Haben Sie geblutet?«

»Nein. Ich bin nur ein bißchen zerschunden ... ein bißchen zerquetscht.«

»Wo ist es denn passiert?« fragte sie.

Er antwortete ganz leise:

»Das weiß ich nicht mal. Sehr weit weg.«

Der Arzt schob einen Sessel heran; die Gräfin setzte sich. Der

Graf blieb am Fußende des Bettes stehen und stieß mehrmals zwischen den Zähnen hervor:

»Ach, armer Freund . . . armer Freund . . . was für ein schreckliches Unglück!«

Und er empfand wirklich großen Kummer, weil er Olivier sehr gern hatte.

Die Gräfin fragte nochmals:

»Aber wo ist es denn passiert?«

Der Arzt erwiderte:

»Ich weiß darüber auch nichts, oder vielmehr, ich verstehe es nicht. Es war bei Les Gobelins, fast außerhalb von Paris. Das wenigstens hat mir der Kutscher versichert, der ihn hergebracht hat; er habe ihn dort, in jenem Viertel, aus einer Apotheke mitgenommen, wohin er um neun Uhr abends gebracht worden sein soll.«

Dann beugte er sich zu Olivier nieder:

»Stimmt es, daß der Unfall bei Les Gobelins passiert ist?«

Bertin schloß die Augen, wie um sich zu erinnern, und flüsterte dann:

»Ich weiß es nicht.«

»Aber wohin sind Sie denn gegangen?«

»Ich erinnere mich nicht mehr. Ich bin so vor mich hin gegangen!«

Ein Stöhnen, das sie nicht zurückhalten konnte, kam von den Lippen der Gräfin. Dann zog sie nach einem erstickten Schluchzen, das ihr für einige Sekunden den Atem benahm, ihr Taschentuch hervor, bedeckte damit ihre Augen und begann heftig zu weinen.

Sie wußte; sie ahnte alles! Etwas Unerträgliches, Bedrückendes war ihr schwer aufs Herz gefallen: die Gewissensbisse, Olivier nicht bei sich behalten, ihn fortgejagt, ihn hinaus auf die Straße geworfen zu haben, wo er, trunken vor Kummer, unter die Räder jenes Wagens gekommen war.

Mit der klanglosen Stimme, die er jetzt hatte, sagte er:

»Weinen Sie nicht. Es zerreißt mir das Herz.«

Durch eine ungeheure Willensanstrengung gelang es ihr, das Schluchzen zu unterdrücken; sie nahm das Taschentuch von den Augen und schlug sie groß zu ihm auf, ohne daß sich ein Muskel in ihrem Gesicht regte, über das immer noch langsam die Tränen rannen.

Sie sahen einander an, beide reglos und die Hände auf dem Bettuch vereinigt. Sie sahen einander an und wußten nicht mehr, daß auch noch andere Menschen im Zimmer waren, und ihrer beider Blicke trugen von einem Herzen zum andern eine übermenschliche Empfindung.

Rasch, stumm und furchtbar erstanden zwischen ihnen all ihre Erinnerungen, ihre ebenfalls zermalmte Liebe, all das, was sie gemeinsam gefühlt hatten, und all das, was sie in ihrem Leben vereint und verschmolzen hatte in der Hingerissenheit, mit der sie sich einander anbefohlen hatten.

Sie schauten sich an, und der Wunsch, darüber zu sprechen und die tausenderlei heimlichen und traurigen Dinge zu hören, die sie einander noch zu sagen hatten, stieg ihnen unbezwinglich auf die Lippen. Sie fühlte, daß sie, die in solchen Dingen erfinderische Frau, um jeden Preis die beiden Männer hinter sich entfernen, daß sie ein Mittel, eine List ausdenken und einen Einfall haben müsse. Und die Augen immer noch auf Olivier gerichtet, begann sie zu überlegen.

Ihr Mann und der Arzt unterhielten sich leise. Die Frage der Pflege war zu regeln.

Sie wandte den Kopf und fragte den Arzt:

»Haben Sie eine Krankenschwester mitgebracht?«

»Nein. Ich möchte lieber einen Assistenzarzt schicken; der kann den Zustand besser überwachen.«

»Schicken Sie beide. Man kann nie zu fürsorglich sein. Können Sie sie noch heute nacht herbringen, da ich nicht annehme, daß Sie bis zum Morgen hierbleiben werden?«

»Wirklich, ich möchte nach Hause. Ich bin seit vier Uhr hier.«

»Aber Sie schicken uns doch von unterwegs die Krankenschwester und den Assistenzarzt?«

»Mitten in der Nacht ist das ziemlich schwierig. Ich will es versuchen.«

»Es muß sein.«

»Vielleicht versprechen sie es, aber ob sie kommen werden?«

»Mein Mann könnte mit Ihnen gehen und sie gutwillig oder mit Gewalt herbringen.«

»Aber Sie können doch nicht einfach allein hierbleiben, Madame.«

»Ich . . .?« rief sie, und es klang wie ein Schrei, wie eine Herausforderung, ein empörter Protest gegen alles, was ihrem Willen widerstehen wollte. Dann legte sie mit der Autorität der Redeweise, auf die es keine Antwort gibt, die Erfordernisse der Situation dar. Noch vor Ablauf einer Stunde müßten der Assistenzarzt und die Krankenschwester da sein, um allem, was etwa geschehen könne, vorzubeugen. Damit sie kämen, sei es nötig, daß jemand sie aus dem Bett hole und herführe. Nur ihr Mann sei dazu imstande. Inzwischen werde sie bei dem Kranken bleiben, sie, deren Pflicht und Recht das sei. Sie erfüllte ganz einfach ihre Rolle als Freundin und als Frau. Übrigens wolle sie es so, und niemand werde es ihr ausreden.

Ihre Gründe waren einleuchtend. Man mußte ihnen beipflichten und beschloß, ihnen zu folgen.

Ganz erfüllt von dem Gedanken, daß sie gingen, war sie aufgestanden; sie hatte es eilig, die beiden fern zu wissen und allein zu bleiben. Und um während ihrer Abwesenheit keine Ungeschicklichkeit zu begehen, lauschte sie den Anordnungen des Arztes, suchte sie zu verstehen, alles zu behalten und nichts zu vergessen. Der Diener des Malers, der neben ihr stand, hörte ebenfalls zu, und auch seine Frau, die Köchin, die beim ersten Verbinden Beistand geleistet hatte und hinter ihm stand, deutete durch Kopfnicken an, daß auch sie begriffen habe. Nachdem die Gräfin alle Anordnungen wie eine Lektion wiederholt hatte, drängte sie die beiden Männer zum Gehen, wobei sie zu ihrem Mann sagte:

»Komm rasch wieder, das vor allem, komm rasch wieder.«

»Ich nehme Sie in meinem Wagen mit«, sagte der Arzt zu dem Grafen. »Dann sind Sie schneller wieder hier. Sie können in einer Stunde zurück sein.«

Ehe er ging, untersuchte der Arzt noch einmal lange den Verletzten, um sich zu versichern, daß sein Zustand nach wie vor befriedigend sei.

Guilleroy zögerte noch.

»Finden Sie es nicht unvorsichtig, was wir da unternehmen?« fragte er.

»Nein, es besteht keine Gefahr. Er braucht nur Ruhe und nochmals Ruhe. Madame de Guilleroy täte gut daran, ihn nicht sprechen zu lassen und so wenig wie möglich zu ihm zu reden.«

Die Gräfin horchte auf und fragte:

»Dann darf man also nicht mit ihm sprechen?«

»Keinesfalls, Madame. Nehmen Sie einen Sessel und bleiben Sie bei ihm. Dann fühlt er sich nicht allein, und das tut ihm gut; aber nichts Anstrengendes, nichts Anstrengendes durch Worte und nicht einmal durch Gedanken. Ich komme gegen neun Uhr morgens wieder her. Adieu, Madame, meine Verehrung.«

Er ging mit einer tiefen Verbeugung, gefolgt von dem Grafen, der mehrmals sagte:

»Ängstige dich nicht, Liebe. In spätestens einer Stunde bin ich zurück; dann kannst du nach Hause fahren.«

Als sie gegangen waren, horchte sie auf das Schließen der Tür unten und dann auf das Räderrollen des Wagens, der die Straße hinabfuhr und sich entfernte.

Der Diener und die Köchin waren im Zimmer geblieben und warteten auf Weisungen. Die Gräfin beurlaubte sie.

»Sie können gehen«, sagte sie, »ich klingle, wenn ich etwas brauche.«

So entfernten auch die beiden sich, und die Gräfin blieb allein bei ihm.

Sie hatte sich wieder ganz dicht an sein Bett gesetzt; legte zu beiden Seiten des geliebten Gesichts die Hände auf das Kissen und beugte sich darüber, um es zu betrachten. Dann fragte sie, so nahe seinem Antlitz, daß sie die Worte auf seine Haut zu hauchen schien:

»Sie haben sich also unter den Wagen geworfen?«

Er versuchte noch immer zu lächeln und antwortete:

»Nein, der Wagen hat sich über mich geworfen.«

»Das ist nicht wahr, Sie haben es getan.«

»Nein, es war ganz bestimmt der Wagen.«

Nach einigen Augenblicken des Schweigens, Augenblicken, da die Seelen sich in Blicken zu umschlingen scheinen, flüsterte sie:

»Ach, mein lieber, lieber Olivier! Zu denken, daß ich Sie habe weggehen lassen, daß ich Sie nicht bei mir behalten habe!«

Er antwortete überzeugt:

»Es wäre mir dennoch eines Tages zugestoßen.«

Sie sahen einander immer noch an und suchten ihre geheimsten Gedanken zu ergründen.

»Ich glaube nicht, daß ich davonkomme. Ich habe große Schmerzen«, sagte er.

»So viel müssen Sie aushalten?« stammelte sie.

»Ach, ja.«

Sie beugte sich ein wenig weiter vor und streifte seine Stirn, dann seine Augen und dann seine Wangen mit leichten, langsamen Küssen, die behutsam waren wie Fürsorglichkeiten. Sie berührte ihn kaum mit dem Saum ihrer Lippen, und es war nur das leichte Geräusch des Atemhauchs zu hören wie bei Kindern, wenn sie küssen. Und das dauerte lange, sehr lange. Er ließ diesen Regen weicher, winziger Liebkosungen, der ihn zu beruhigen und zu erfrischen schien, denn sein verzerrtes Gesicht zuckte weniger als zuvor, auf sich herabrieseln.

Dann fragte er:

»Any?«

Sie hörte auf, ihn zu küssen, um ihm zuzuhören.

»Was denn?«

»Sie müssen mir etwas versprechen.«

»Ich verspreche Ihnen, was Sie wollen.«

»Wenn ich bis morgen nicht tot bin, schwören Sie mir, daß Sie Annette zu mir bringen, einmal nur, ein einziges Mal. Ich möchte nicht sterben, ohne sie wiedergesehen zu haben ... Bedenken Sie, daß ich ... morgen ... zu dieser Stunde ... vielleicht ... gewiß ... die Augen für immer geschlossen habe ... und daß ich euch nie wiedersehen werde ... Sie nicht ... und Annette nicht ...«

Mit zerrissenem Herzen unterbrach sie ihn:

»Ach, schweigen Sie doch ... schweigen Sie ... ja, ich verspreche Ihnen, sie herzubringen.«

»Schwören Sie es mir?«

»Ich schwöre es, mein Freund ... Aber schweigen Sie doch, sprechen Sie nicht mehr. Sie tun mir schrecklich weh damit ... schweigen Sie doch.«

Ein rascher Krampf zog über seine Züge; als er vorbei war, sagte er:

»Wenn wir nur noch ein paar Augenblicke beisammen sein können, wollen wir sie nicht verlieren, wir wollen sie nutzen, um uns Lebewohl zu sagen. Ich habe Sie so sehr geliebt.«

Sie seufzte:

»Und ich ... wie sehr liebe ich Sie immer noch!«

Er sagte noch:

»Nur allein durch Sie habe ich Glück gefunden. Einzig die letzten Tage sind hart gewesen ... Das war nicht Ihre Schuld ... Ach, meine arme Any ... wie traurig das Leben manchmal ist ... und wie schwer ist es, zu sterben!«

»Seien Sie doch still, Olivier. Ich flehe Sie an ...«

Ohne auf sie zu hören, fuhr er fort:

»Ich wäre ein so glücklicher Mensch gewesen, wenn Sie nicht Ihre Tochter gehabt hätten ...«

»Schweigen Sie doch ... Mein Gott! Schweigen Sie doch ...«

Er schien mehr zu denken als zu sprechen.

»Ach, der dieses Dasein erfunden und die Menschen geschaffen hat, der ist sehr blind gewesen, oder sehr bösartig ...«

»Olivier, ich flehe Sie an ... Wenn Sie mich je geliebt haben, dann schweigen Sie jetzt ... Sagen Sie nicht mehr solche Dinge.«

Er blickte sie an, wie sie sich über ihn neigte, selber so fahl, daß auch sie wie eine Sterbende aussah, und schwieg.

Sie setzte sich wieder in den Sessel zurück, dicht neben seinem Lager, und nahm seine Hand, die auf dem Bettuch ausgestreckt lag.

»Jetzt verbiete ich Ihnen zu sprechen«, sagte sie. »Bleiben Sie ganz still liegen und denken Sie an mich, wie ich an Sie denke.«

Abermals begannen sie, einander anzuschauen, unbeweglich, miteinander verbunden durch die brennende Berührung ihrer Hände. Hin und wieder zuckte sie zusammen und drückte die fiebernde Hand, die sie hielt, und er antwortete darauf, indem er ganz wenig die Finger schloß. Und jeder Händedruck sagte dasselbe, beschwor ein Stück der endgültig abgeschlossenen Vergangenheit herauf und ließ in ihrer Erinnerung die bleibenden Gedanken an ihre Liebe aufsteigen. Jeder war eine heimliche Frage, jeder eine geheimnisvolle Antwort, traurige Fragen und traurige Antworten, dies »denkst du noch daran?« einer altgewordenen Liebe.

Ihre Gedanken durchschweiften bei diesem Beisammensein in der Todesqual, das das letzte sein konnte, alle Jahre der ganzen Geschichte ihrer Leidenschaft, und im Zimmer war nichts mehr zu hören als das Knistern des Feuers.

Plötzlich sagte er, wie als fahre er aus einem Traum auf, in jähem Erschrecken:

»Ihre Briefe!«

»Wieso? Meine Briefe?« fragte sie.

»Ich hätte sterben können, ohne sie vernichtet zu haben.«

»Ach was, wie unwichtig ist das!« rief sie. »Als ob es sich darum handelte! Mögen sie doch gefunden und gelesen werden! Wie gleichgültig ist mir das!«

»Aber ich will es nicht«, antwortete er. »Steh auf, Any. Zieh die unterste Schublade meines Schreibtisches heraus, die große, darin liegen sie alle, alle. Sie müssen sie herausnehmen und ins Feuer werfen.«

Sie rührte sich nicht und blieb in sich zusammengesunken sitzen, als habe er ihr zu irgendeiner Feigheit geraten.

Er wiederholte:

»Any, ich flehe Sie an. Wenn Sie es nicht tun, dann quälen Sie mich, dann bringen Sie mich außer mir und machen mich verrückt. Bedenken Sie doch, daß sie irgendeinem Beliebigen in die Hände fallen könnten, einem Notar, einem Diener ... oder sogar Ihrem Mann ... Das will ich nicht ...«

Noch immer zögernd, stand sie auf und sagte mehrmals:

»Nein, das ist zu hart, das ist zu grausam. Es kommt mir vor, als verlangten Sie von mir, ich solle unsere Herzen verbrennen.«

Er bat flehentlich, mit angstverzerrtem Gesicht.

Als sie ihn so leiden sah, gab sie nach und ging zum Schreibtisch. Sie zog die Schublade heraus und sah, daß sie bis zum Rand mit einer dicken Schicht übereinandergestapelter Briefe angefüllt war, und auf allen Umschlägen gewahrte sie die beiden Zeilen der Adresse, die sie so oft geschrieben hatte. Sie kannte jene beiden Zeilen – den Namen eines Mannes und den Namen einer Straße –, genauso gut wie ihren eigenen Namen, so gut, wie man die paar Worte, die einem im Leben alle Hoffnung und alles Glück bedeutet haben, nur kennen kann. Sie blickte auf die kleinen viereckigen Umschläge herab, die alles enthielten, was sie von ihrer Liebe hatte sagen, alles, was sie sich hatte entreißen können, um es ihm mit ein wenig Tinte auf diesem weißen Papier darzubringen. – Er hatte versucht, den Kopf auf seinem Kissen zu wenden, um ihr zuzusehen, und sagte jetzt noch einmal:

»Verbrennen Sie sie schnell.«

So nahm sie denn zwei Händevoll und hielt sie einige Sekunden lang. Sie dünkten sie so schwer, so schmerzerfüllt, lebendig und zugleich tot, denn so vielerlei Dinge bargen sie in diesem Augenblick, Dinge, die geendet hatten und die so liebenswert, so schön und so traumhaft gewesen waren. Die Seele ihrer Seele, das Herz ihres Herzens, das Innerste ihres liebenden Wesens waren darin enthalten, und sie mußte daran denken, in welchem Rausch sie einige davon hingekritzelt hatte, mit welcher Begeisterung, welcher Lebenstrunkenheit, jemanden zu vergöttern und es ihm zu sagen.

Olivier wiederholte:

»Verbrennen Sie sie, verbrennen Sie sie, Any.«

Mit einer einzigen Bewegung ihrer beiden Hände warf sie die beiden Päckchen Papier ins Kaminfeuer, wo sie auseinanderglitten, als sie auf das Holz fielen. Dann nahm sie andere aus dem Schreibtischfach und warf sie darauf, dann wieder andere, mit raschen Gesten, wobei sie sich niederbeugte und rasch wieder aufrichtete, um das entscheidende Tun schneller hinter sich zu bringen.

Als der Kamin voll und die Schublade leer war, blieb sie stehen, wartete und sah der fast erstickten Flamme zu, die diesen Berg Umschläge an den Seiten zu überkriechen begann. Sie griff sie von den Rändern her an, benagte die Ecken, lief über das Papier, erlosch, kam wieder und wuchs. Rings um die ganze weiße Pyramide schlang sich bald ein flackernder Gürtel hellen Feuers, das das Zimmer mit Licht erfüllte, und dieses Licht fiel auch auf die stehende Frau und den liegenden Mann; es war ihre Liebe, die da zu Asche wurde. – Die Gräfin wandte sich um, und in dem hellen Flackerlicht des Feuers trat sie zu ihrem Freund, der vorgebeugt, mit verstörten Augen, am Bettrand lag.

»Alles drin?« fragte er.

»Ja, alles.«

Doch ehe sie sich wieder zu ihm setzte, warf sie noch einen

letzten Blick auf diese Zerstörung und auf den Haufen Papier, der schon zur Hälfte verzehrt war, sich krümmte und schwarz wurde, und sie sah etwas Rotes herabrollen. Man hätte meinen können, es seien Blutstropfen. Sie schienen aus dem Herzen jedes Briefes wie aus einer Wunde zu rinnen, und sie rollten langsam in die Flamme und ließen eine purpurne Spur zurück.

Die Gräfin fühlte in ihrer Seele ein übernatürliches Erschrekken und fuhr zurück, als habe sie einer Ermordung beigewohnt; dann begriff sie und wurde sich plötzlich bewußt, daß sie nur den roten Siegellack hatte schmelzen sehen.

Da wandte sie sich wieder dem Verletzten zu, hob sanft seinen Kopf an und legte ihn behutsam zurück auf die Mitte des Kissens. Aber er hatte sich bewegt, und die Schmerzen wurden stärker. Er keuchte, sein Gesicht war verzerrt, so litt er, und er schien nicht mehr zu wissen, daß sie da sei. – Sie wartete, bis er sich ein wenig beruhigt hatte, bis er seine hartnäckig geschlossenen Augen öffnete, bis er ihr noch etwas sagen könne.

Schließlich fragte sie: »So große Schmerzen haben Sie?«

Er antwortete nicht.

Sie beugte sich zu ihm nieder und legte einen Finger auf seine Stirn, um ihn zu zwingen, daß er sie ansah. Und tatsächlich öffnete er die Augen, verstörte, weit aufgerissene Augen.

Entsetzt fragte sie nochmals:

»Haben Sie Schmerzen...? Olivier? Antworten Sie doch! Soll ich rufen... Strengen Sie sich an, sagen Sie mir doch irgend etwas!«

Sie glaubte zu hören, daß er stammelte:

»Bringen Sie sie her... Sie haben es mir geschworen...«

Dann bewegte er sich unter den Decken, der Körper wand, das Gesicht verkrampfte und verzerrte sich.

Sie fragte ein paarmal: »Olivier, mein Gott! Oliver, was haben Sie? Wollen Sie, daß ich jemand rufe ...?«

Diesmal hatte er sie gehört, denn er antwortete:

»Nein... Es ist nichts.«

Es schien tatsächlich, als beruhige er sich, als leide er weniger, als falle er plötzlich in eine Art betäubenden Schlummers. Da sie hoffte, daß er einschlafen werde, setzte sie sich an sein Bett, nahm wieder seine Hand und wartete. Das Kinn auf der Brust, den Mund halb geöffnet und mit hastigen Atemzügen, die seine Kehle zu zerschaben schienen, lag er da und regte sich nicht mehr. Nur seine Finger zuckten noch dann und wann unwillkürlich in einem leichten Schütteln, das die Gräfin bis in die Haarwurzeln spürte, so daß sie zitterte und fast geweint hätte. Es waren nicht mehr die kleinen Willensäußerungen, die statt der ermüdeten Lippen von aller Trauer ihrer Herzen erzählten, es waren unaufhaltsame Krämpfe, die nur von den Qualen des Leibes aussagten.

Jetzt hatte sie Angst, eine grausige Angst und ein wahnsinniges Verlangen, davonzulaufen, zu läuten, zu rufen; aber sie wagte nicht mehr, sich zu regen, um seine Ruhe nicht zu stören.

Das ferne Geräusch von Wagen in den Straßen drang durch die Mauern, und sie horchte, ob nicht das Rollen der Räder vor der Tür anhalte, ob nicht ihr Mann sie befreien und sie endlich diesem unheimlichen Beisammensein entreißen komme.

Als sie versuchte, ihre Hand aus Oliviers Fingern zu lösen, drückte er sie und stieß einen tiefen Seufzer aus! Sie schickte sich darein, zu warten, um ihn nicht aufzuregen.

Das Feuer im Kamin erstarb unter der schwarzen Asche der Briefe, zwei Kerzen erloschen, ein Möbelstück knackte.

Alles im Haus war stumm, alles schien tot, außer der großen flämischen Uhr auf der Treppe, die regelmäßig die Stunden läutete, die halben und die viertel, die den Gang der Zeit in die Nacht sang und ihn mit ihren abgestuften Glockentönen begleitete.

Die Gräfin saß reglos da und fühlte in ihrer Seele ein unerträgliches Entsetzen wachsen. Alpdruckbilder suchten sie heim, grauenhafte Gedanken durchschossen sie, und sie glaubte zu spüren, daß Oliviers Finger in ihrer Hand kälter wurden. War das so? Nein, sicherlich nicht! Woher kam ihr plötzlich die Empfindung einer unaussprechlich eisigen Berührung? Außer sich vor Schrecken, stand sie auf, um sein Gesicht zu betrachten – er lag still, unzugänglich, leblos und gleichgültig gegen alle Not, zur Ruhe gegangen im Ewigen Vergessen.

ENDE